Amis lecteurs,

C'est décidé, vous partez en voyage au Portugal :

Dans l'Algarve, à Madère, à Lisbonne... mais comment converser avec les locaux ? Comment trouver le mot ou la phrase qui sauve ?

Comme il est extrêmement difficile de maîtriser la langue de Camões jusque dans les moindres détails, nous avons tout fait pour vous faciliter la vie : nous avons créé l'outil indispensable pour que vous trouviez tout de suite la formule correspondant à la situation du moment. Allant à l'essentiel, ce guide vous aidera à comprendre et à vous faire comprendre pour ne rien rater ! Le Guide de conversation du routard sera le compagnon idéal le temps de votre voyage. Pour trouver rapidement un mot précis, servez-vous-en comme d'un lexique. À partir de chaque mot, nous avons sélectionné une série de phrases-clés qui vous aideront dans toutes les situations, même les plus désespérées !

La partie français-portugais, intitulée « les phrases du routard », contient les expressions dont vous aurez besoin pour vous débrouiller dans le pays. Nous avons passé au crible toutes les situations vécues au cours d'un voyage. Les phrases utiles ont été minutieusement choisies... Et parce que vous n'avez sans doute pas la même oreille que Pessoa, vous trouverez à la suite de chaque phrase une transcription phonétique très simple qui vous permettra de vous faire comprendre facilement.

La partie portugais-français, « le portugais du routard », regroupe l'essentiel des mots ou phrases-types que vous pourrez lire ou entendre lors de votre séjour. Menus de restaurant, panneaux routiers, enseignes et inscriptions diverses... l'immersion est totale !

Et parce qu'un routard est toujours un routard, nous avons parsemé ce guide de bons plans, de tuyaux, d'infos et d'astuces en tout genre qui vous aideront à mieux voyager.

Boa viagem! [**boa viàjéï!**]

Sommaire

Abréviations utilisées dans ce guide

abr	*abréviation*
adj	*adjectif*
adv	*adverbe*
art	*article*
conj	*conjonction*
excl	*exclamation*
pl	*pluriel*
pron	*pronom*

Prononciation

Enfin la transcription phonétique est à votre portée :

À part nos quelques règles, il vous suffira de la lire comme si c'était du français.

Partez du principe que tout se prononce ! Et pour l'accent, qu'il se place, sauf exception, sur la dernière syllabe.

Le « e » est muet en portugais lorsqu'il est suivi d'un « s » en début de mot. Par exemple, *escova* se prononce **chkova**. Sinon, il se prononce toujours « é », « è » ou « i ». Dans la transcription phonétique, nous vous l'avons indiqué clairement. Par exemple, *cedo* se prononce **cé-dou**, *cego* **cègou** et *educar* **idoukar**.

Le « o » se prononce toujours « ou ». Par exemple, *cozinha* se prononce **kouzigna**. Quand on indique [ôou], prononcez « aow », comme lorsque vous vous cognez.

Le son « ão » comme dans *estação* se prononce **aou**.

Le son « ões » comme dans *eleições* se prononce **oïch**.

Le « s » portugais, est un son *ch* avant une consonne comme dans *cheval*, ou *z* avant une voyelle ainsi *desde* se prononce **déchde** et *deserto* **dezèrtou**.

Le « x » portugais se prononce « ch » ou « z », ainsi *cocha* se prononce **kocha** et *exame* **izame**.

Le « lh » et le « nh », se prononcent comme dans *coelho* **kouèliou** et *caminho* **kamignou**.

Méfiez-vous des mots proches du français ! Par exemple, *equipa* (« équipe ») se prononce **ikipa**.

Et pour toutes les nasales, les voyelles ont été écrites avec un tilde. Si elles sont suivies d'un n, comme [ẽn], prononcez bien « aime » en parlant du nez.

Chiffres

Nombres cardinaux

0	zero	[zèrou]	12	doze	[doze]
1	um	[oum]	13	treze	[tréze]
2	dois	[doïch]	14	catorze	[katorze]
3	três	[tréche]	15	quinze	[kïnze]
4	quatro	[kouatrou]	16	dezasseis	[dezaséïch]
5	cinco	[çïnkou]	17	dezassete	[dezasète]
6	seis	[séïch]	18	dezoito	[dezoïtou]
7	sete	[sète]	19	dezanove	[dezanauve]
8	oito	[oïtou]	20	vinte	[vïnte]
9	nove	[nauve]	50	cinquenta	[çïnkouentà]
10	dez	[dèch]	100	cem	[saï]
11	onze	[onze]	1 000	mil	[mille]

Nombres ordinaux

1er	primeiro	[priméïrou]	12ème	décimo segundo	[dèçimou segûndou]
2ème	segundo	[segûndou]	13ème	décimo terceiro	[dèçimou terçéïrou]
3ème	terceiro	[terçéïrou]	14ème	décimo quarto	[dèçimou kouartou]
4ème	quarto	[kouartou]	15ème	décimo quinto	[dèçimou kïntou]
5ème	quinto	[kïntou]	16ème	décimo sexto	[dèçimou séïchtou]
6ème	sexto	[séïchtou]	17ème	décimo sétimo	[dèçimou sètimou]
7ème	sétimo	[sètimou]	18ème	décimo oitavo	[dèçimou oïtavou]
8ème	oitavo	[oïtavou]	19ème	décimo nono	[dèçimou nonou]
9ème	nono	[nonou]	20ème	vigésimo	[vijèzimou]
10ème	décimo	[dèçimou]	100ème	centésimo	[çêntèzimou]
11ème	décimo primeiro	[dèçimou priméïrou]			

Poids

milligramme	mg	miligrama	[miligrama]
gramme	g	grama	[grama]
hectogramme	hg	hectograma	[èktôgrama]
livre 500g		libra	[libra]
		meio quilo	[méyou kilou]
kilo(gramme)	kg	quilo(grama)	[kilôgrama]
tonne	t	tonelada	[tounelada]

Longueur

millimètre	mm	milímetro	[milimetrou]
centimètre	cm	centímetro	[çêntimetrou]
mètre	m	metro	[mètrou]
kilomètre	km	quilómetro	[kilômetrou]

	Dans la semaine	
le matin/la matinée	*a manhã*	[a magnà]
l'après-midi	*a tarde*	[a tàrde]
le soir/la soirée	*a noite*	[a noïte]
la nuit	*a noite*	[a noïte]
avant-hier	*anteontem*	[ãnteontaï]
hier	*ontem*	[ontaï]
hier matin	*ontem de manhã*	[ontaï de magnà]
hier soir	*ontem à noite*	[ontaï à noïte]
aujourd'hui	*hoje*	[oje]
ce matin	*esta manhã*	[èchta magnà]
ce soir	*esta noite*	[èchta noïte]
cette nuit	*esta noite*	[èchta noïte]
demain	*amanhã*	[amagnà]
demain matin	*amanhã de manhã*	[amagnà de magnà]
demain après-midi	*amanhã de tarde*	[amagnà de tàrde]
après-demain	*depois de amanhã*	[depoïch de amagnà]
après-demain matin	*depois de amanhã de manhã*	[depoïch de amagnà de magnà]
la veille	*a véspera*	[a vèchpera]
le lendemain	*o dia seguinte*	[ou dia segïnte]

	La monnaie		
un centime	0,01€	*um cêntimo*	[oum çêntimou]
deux centimes	0,02€	*dois cêntimos*	[oum çêntimou]
cinq centimes	0,05€	*cinco cêntimos*	[çïnkou çêntimouch]
dix centimes	0,10€	*dez cêntimos*	[dèch çêntimouch]
vingt centimes	0,20€	*vinte cêntimos*	[vïnte çêntimouch]
cinquante centimes	0,50€	*cinquenta cêntimos*	[çïnkouêntà çêntimouch]
un euro	1,00€	*um euro*	[oum éourou]
deux euros	2,00€	*dois euros*	[doïch éourou]
cinq euros	5€	*cinco euros*	[çïnkou éourou]
dix euros	10€	*dez euros*	[dèch éourouch]
vingt euros	20€	*vinte euros*	[vïnte éourouch]
cinquante euros	50€	*cinquenta euros*	[çïnkouêntà éourouch]
cent euros	100€	*cem euros*	[saï éourouch]
deux cents euros	200€	*duzentos euros*	[douzêntouch éourouch]
cinq cents euros	500€	*quinhentos euros*	[kignintouch éourouch]

N'oubliez pas votre guide !

Plein d'adresses souvent introuvables ailleurs,
des bons plans testés sur le terrain.

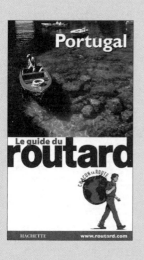

Les phrases
du routard

*Guide
français-portugais*

A

à *(lieu)* em [aïe] ; *(temps)* até [atè]
  ▶ j'habite à Paris moro em Paris [maurou aïe Parich]
  ▶ à plus ! até logo! [atè laugou!]
  ▶ à jeudi ! até quinta! [atè quîntà!]

abdos abdominais [abdouminaïch]
  ▶ on fait quelques abdos ? fazemos alguns abdominais? [fazémouch algounch abdouminaïch?]

abîmer danificar [danificare]
  ▶ ma valise a été abîmée pendant le voyage a minha mala ficou danificada durante a viagem. [à mignà màlà fiko dànificada dourantè à viagèï]

abonnement subscrição [soubchkrisaou], assinatura [àssinatourà]
  ▶ existe-t-il des cartes d'abonnement ? têm cartas de subscrição?/têm cartas de assinatura? [taï kàrtach de soubchkrisaou?/taï kàrtach de àssinatourà?]

accepter aceitar [àséitare]
  ▶ acceptez-vous les travellers ? aceita(m) cheques de viagem/traveller's cheques? [aséita(ou) chèquech de viagèï/traveller's chèquech?]

accès acesso [àssèssou]
  ▶ y a-t-il un accès pour handicapés ? existe um acesso para deficientes? [izichte oum àssèssou pàra deufissientech?]

accessible acessível [assessivelle]
  ▶ est-ce accessible en voiture ? pode-se levar o carro?/é acessível de carro? [paudesse levare ou karou?/è assessivelle de karou?]

accident acidente [assidente]
  ▶ accident de voiture acidente de automóvel [assidente de aoutomauvelle]
  ▶ j'ai eu un accident tive um acidente [tive ume assidente]

accompagner acompanhar [acompàgnare]
  ▶ pourriez-vous m'accompagner jusqu'à… ? poder-me-ia(m) acompanhar até…? [podère me ia(ou) acompagnare atè?]
  ▶ merci de nous avoir accompagnés obrigado(a) por nos ter acompanhado [obrigadou(a) por nouch tère acompagnadou]

accord acordo [akordou]
▶ je suis d'accord avec toi estou de acordo contigo [chtou de akordou contigou]

accueil *(bienvenue)* hospitalidade [ochpitalidade] ; *(réception)* recepção [recèssaou]
▶ merci beaucoup pour votre accueil obrigado(a) pela sua hospitalidade [obrigadou (a) péla sua ochpitalidade]
▶ on se retrouve à l'accueil encontramo-nos na recepção [êncontramou-nouch nà recèssaou]

acheter comprar [cômprar]
▶ où peut-on acheter à manger à cette heure-ci ? onde é que se pode comprar comida a esta hora? [ôndeu è ke se paude cômprar koumida a echta hora?]

acompte sinal [sinal]
▶ faut-il verser un acompte ? é preciso dar um sinal? [è precizou dar ûm sinal?]

addition conta [cônta]
▶ l'addition s'il vous plaît ! a conta se faz favor! [à conta se fach favaur!]
▶ je crois qu'il y a une erreur dans l'addition creio que há um erro na conta [crayon ke a ûm érou na kônta]

adorer gostar [gauchtar], adorar [adourar]
▶ j'adore le cinéma gosto muito de cinema [gauchtou mouitou de sinémà]
▶ je t'adore adoro-te [adaurou-te]

adresse morada [maurada]
▶ adresse électronique morada electrónica [maurada ilètronikà]
▶ est-ce que vous pouvez m'écrire l'adresse ? será que me pode escrever a morada? [serà ke me paude ichcrevère a mauràda?]
▶ pouvez-vous me donner votre nom et votre adresse ? pode-me dar o seu nome e morada? [paude-me dàre ou séou nome i maurada?]

être d'accord/ne pas être d'accord   INFO

▶ absolument ! completamente! [complètamente!]
▶ pas de problème tudo bem [toudou baï]
▶ bon, d'accord sim, está bem [sî chta baï]
▶ je ne suis pas convaincu não estou convencido [naou chtou convensidou]
▶ je ne suis pas d'accord não concordo [naou concordou]

---

adulte adulto [adoultou]

▶ un ticket pour deux adultes et un pour un étudiant, s'il vous plaît um bilhete para dois adultos, um para estudante, se faz favor [oûm biliète pàrà doïch adoultouch, oûm pàrà échtoudanté, se fach favaur]

aéroport aeroporto [aèroportou]

▶ combien de temps met-on pour aller à l'aéroport ? quanto tempo se leva para ir ao aeroporto? [kouantou têmpou se lèva para ir aou aèroportou?]

▶ y a-t-il une navette pour l'aéroport ? há algum autocarro/vaivém para o aeroporto? [a algoume autokarou/vaïvêm pàrà o aèroportou?]

affaires coisas [koïzach]

▶ pouvez-vous surveiller mes affaires un instant ? pode(m)-me guardar as minhas coisas por um bocadinho? [paude(èm) me gouardar ach mignach koïzach por oûm boukadignou?]

âge idade [idadeu]

▶ quel âge as-tu ? que idade tens? [ke idàdeu tênch?]

agence agência [ajênsia]

▶ je cherche une agence de voyages procuro uma agência de viagens [prokourou ouma ajênsia de viagênch]

▶ où peut-on trouver une agence de location de voitures ? onde é que se pode encontrar uma agência de aluguer de viaturas? [ôndeu è ke se paude ênkôntrar ouma ajênsia de alouguerre de viatourach?]

agité agitado [ajitadou]

▶ la mer est-elle agitée aujourd'hui ? o mar está agitado hoje? [ou marre chtà ajitadou ojeu?]

agréable agradável [agradàvelle]

▶ c'est vraiment un endroit très agréable, non ? é realmente um sítio muito agradável, não é? [è rialmênte oûm sitiou agradàvelle naou è?]

à l'aéroport INFO

▶ où se trouve la porte 2 ? onde é que se situa a porta 2? [ôndeu è ke se situoà à porta doïch?]

▶ où dois-je enregistrer mes bagages ? onde é que posso fazer o check-in? [ôndeu è ke pausso fàzère ou check-in?]

▶ je voudrais une place côté couloir queria um lugar do lado do corredor [keria oûm lougare dou ladou dou kouredaure]

▶ où dois-je aller récupérer mes bagages ? onde é que posso recuperar a minha bagagem? [ôndeu è ke pausso rekouperar a migna bagagèï?]

---

agresser agredir [agreudire]
- ▶ j'ai été agressé fui agredido [foui agreudidou]

aide socorro [sokorou]
- ▶ à l'aide ! socorro! acudam! [sokorou!/akoudãou!]
- ▶ je vous remercie de votre aide agradeço-lhe a sua ajuda [agradèsoulieu a souà ajoudà]

aider ajudar [ajoudar]
- ▶ pourriez-vous m'aider ? poderia(m) ajudar-me? [pauderia(ãm) ajoudar-me?]
- ▶ je peux vous aider ? posso ajudá-lo(a)? [pausso ajouda-lou(la)?]

aimer *(penchant)* gostar [gochtar] ; *(affection)* amar/gostar [amàre/gochtar]
- ▶ j'aime beaucoup la cuisine chinoise gosto muito da cozinha chinesa [gochtou mouitou da kouzignà chinézà]
- ▶ aimes-tu le cinéma ? gostas de cinema? [gochtach de cinémà?]
- ▶ je t'aime amo-te [amou-te]

air *(vent)* ar [ar] ; *(apparence)* parecer [paressére]
- ▶ j'ai besoin de prendre l'air preciso de apanhar ar [presizou de apagnar ar]
- ▶ je voudrais une chambre avec l'air conditionné gostava de um quarto com ar condicionado [gouchtava de oûm kouartou kõm ar kõndisionadou]
- ▶ il a l'air très sympathique parece muito simpático [paresse mouitou sĩmpatikou]
- ▶ tu n'as pas l'air bien não pareces nada bem [naou parésseuch nada baï]

alcool álcool [àlkaule]
- ▶ je ne bois pas d'alcool não bebo álcool [naou bébou àlkaule]
- ▶ qu'est-ce que vous avez comme boissons sans alcool ? quais são as bebidas que tem sem álcool? [kouaïch saou ach bebidach keu taï saï àlkaule?]

---

aimer	INFO

- ▶ j'aime beaucoup ce tableau gosto muito deste quadro [gochtou mouitou dèchte kouadrou]
- ▶ j'aime bien ton frère gosto muito do teu irmão [gochtou mouitou dou téou irmaou]
- ▶ j'ai un faible pour elle um fraquinho (uma queda) por ela [taignou oum frakou (ouma kédà) pour elà]
- ▶ je la trouve très sympathique acho-a muito simpática [achoua mouitou sĩmpatikà]

alimentation alimentação [àlimènetasaou]
- ▶ où se trouve le rayon alimentation ? onde é que se encontra a secção da alimentação? [õndeu è ke se enkõntra a seksaou dà alimènetasaou?]

¹**aller** *(billet)* ida [ida]
- ▶ aller simple ida simples [ida sĩmplech]
- ▶ aller-retour ida e volta [ida i vaultà]
- ▶ combien coûte un aller pour le centre-ville ? quanto custa um bilhete simples para o centro da cidade? [kouãntou kouchta oũm biliette sĩmplech para ou centrou da sidade?]

²**aller** *(se déplacer)* ir [ir] ; *(santé, moral)* estar [èchtar]
- ▶ je voudrais aller à… queria ir para… [keria ir pàrà]
- ▶ ce train va bien à Faro ? este comboio vai mesmo para Faro? [èchte cõmboyo vaï mechmou pàrà Farou?]
- ▶ comment allez-vous ? como está(ão)? [komou èchtà(aou)?]
- ▶ je vais bien estou bem [chtou baï]

allergique alérgico [alèrjikou]
- ▶ je suis allergique à l'aspirine sou alérgico(a) a aspirina [so alèrjikou(à) à achpirinà]

allumer ligar [ligare] ; *(feu, lumière)* acender [assender]
- ▶ comment on allume le chauffage ? como é que se liga o aquecimento? [komou è ke se liga ou àkèsimentou?]
- ▶ je ne vois pas où on allume la lumière não consigo descobrir onde é que se acende a luz [naou kõnsigou dechkoubrir õnde è ke se ascènde a louch]

allumettes fósforos [fochfaurouch]
- ▶ avez-vous des allumettes ? tem fósforos? [taï fochfauroch?]

ambiance ambiente [ãmbiènte]
- ▶ il y avait une super bonne ambiance o ambiente era espectacular [ou ãmbiènte èra echpètakoular]

ambulance ambulância [ãmboulãnsia]
- ▶ pouvez-vous envoyer d'urgence une ambulance au… ? pode(m) mandar uma ambulância de urgência ao…? [paude(aï) mãndar ouma ãmboulãnsia de ourjènçia aou?]

---

ne pas aimer INFO

- ▶ je déteste le foot detesto futebol [detèchtou foutebole]
- ▶ je ne peux pas la supporter não a consigo suportar [naou a cõnsigou soupourtar]
- ▶ je ne l'aime pas trop não gosto nada dele(a) [naou gochtou nada déle(à)]

▶ appelez une ambulance ! chame(m) uma ambulância! [chameu(aï) ouma ãmboulãnsia!]

améliorer aperfeiçoar [apeurféissouar]
▶ j'espère améliorer mon portugais pendant mon séjour espero aperfeiçoar o meu português durante a minha estadia [èchpèrou apeurféissouar ou méou paurtougech dourante a mignà echtadia]

amende multa [moultà]
▶ l'amende est de combien ? quanto é a multa? [kouãntou è a moultà?]

ami *(copain)* amigo [amigou] ; *(amant)* namorado [namouradou]
▶ êtes-vous des amis de Jean ? são amigos do João? [saou amigouch dou jouaou?]
▶ je suis venu avec mon amie vim com a minha namorada [vĩm con a migna namourada]

amitiés cumprimentos [coumpriméntouch]
▶ mes amitiés à vos parents ! os meus cumprimentos aos seus pais! [ouch méouch coumpriméntouch aouch séouch païch!]

amorti *(au tennis)* amorti [amôrti]
▶ elle a fait un joli amorti ela fez um belo amorti [èla fèch oum bèlou amôrti]

ampoule *(de lampe)* lâmpada [lànpàdà] ; *(cloque)* bolha [baulia]
▶ l'ampoule est cassée a lâmpada está partida [a lànpàdà chtà pàrtidà]
▶ je me suis fait une ampoule uma bolha [tégnou ouma bolia]

amuser (s') divertir-se [diveurtirse]
▶ on s'est bien amusés divertimo-nos imenso [diveurtimounouch imènsou]

angine anginas [ãnjinach]
▶ j'ai une angine anginas [tègnou anjinach]

anglais inglês [ĩnglèch]
▶ vous parlez anglais ? fala(m) inglês? [fala(aou) ĩnglèch?]
▶ je ne parle pas anglais não falo inglês [naou falou ĩnglèch]

animal animal [animal]
▶ les animaux domestiques sont-ils admis ? os animais domésticos são permitidos? [ouch animaïch doumechtikouch saou permitidouch?]

animé animação [animassaou], animado [animadou]
▶ c'est très animé le soir tem muita animação à noite [taï mouita animassaou a noïte]
▶ est-ce un quartier très animé ? é um bairro muito animado? [è oûm baïr-rou mouitou animadou?]

année ano [anneau]
▶ bonne année ! feliz ano novo! [feulich anneau nauvou!]

▶ combien d'années d'études faut-il ? quantos anos de estudos são necessários? [kouantouch anouch de echtoudoch saou necessariouch?]

anniversaire aniversário [aniveurssariou]
▶ joyeux anniversaire ! feliz aniversário! [feulich aniveursariou!]

annuler anular [anoular]
▶ est-il possible d'annuler la réservation ? é possível anular a reserva? [è possivele anoular a resèrva?]

antiquité (objet) antiguidades [ânetigouidadech]
▶ quel est le meilleur endroit pour trouver des antiquités ? qual é o melhor sítio para encontrar antiguidades? [koual è ou melior sitiou parà ênkôntrar ânetiguidadech?]

août Agosto [agauchtou]
▶ nous rentrons le 29 août regressamos a 29 de Agosto [regressamouch a vinetinauve de agauchtou]

appareil photo máquina fotográfica [makina fotografika]
▶ j'ai perdu mon appareil photo perdi a minha máquina fotográfica [peurdi a migñâ makina fotografika]

appeler (se nommer) chamar-se [chàmarresse] ; (interpeller) chamar [chamarre] ; (téléphoner) telefonar [teleufonar]
▶ comment vous appelez-vous ? como é que se chama(m)? [komou è ke se chama(aou)?]
▶ je m'appelle Philippe chamo-me Filipe [chamoume filipe]
▶ appelez un médecin ! chame(m) um médico! [chameu(aï) oûm médikou!]
▶ je dois appeler chez moi que telefonar para casa [tagnou ke teleufonar pàrà kaza]

appétit apetite [apeuite]
▶ bon appétit ! bom apetite! [bon apeuite!]

apporter trazer [trazère]
▶ pourriez-vous nous apporter un cendrier ? poderia(m) trazer-nos um cinzeiro? [paudéria(aou) trazère oûm sînzéïrou?]

apprendre (étudier) aprender [àprênder] ; (enseigner) ensinar [ênsinar]
▶ j'ai appris quelques mots avec un bouquin aprendi algumas palavras num livro [aprêndi algoumach palavrach noûm livrou]
▶ je peux t'apprendre le français posso ensinar-te francês [paussou ênsinarte frânsèch]

après a seguir [assegguire], depois [depoïch]
▶ le stade est-il après le feu ? o estádio encontra-se a seguir ao semáforo? [ou echtadiou ênkôntràsse assegguire aou semaforou?]

▶ rejoins-nous après depois vem ter connosco [depoïch véï ter kounochkou]

après-demain depois de amanhã [depoïch de àmagnà]

▶ je rentre après-demain regresso depois de amanhã [regrèssou depoïch de àmagnà]

après-midi tarde [tàrde]

▶ le musée est-il ouvert l'après-midi ? o museu está aberto à tarde ? [ou mouséou chta àbertou à tàrde ?]

aquagym ginástica aquática [jinachtika akouàtika]

▶ je prends des cours d'aquagym ando a fazer ginástica aquática [ãndou a fazère jinachtika akouàtika]

arbitre árbitro [arbitrou]

▶ qui veut faire l'arbitre ? quem quer ser o árbitro ? [kaï kère sèr ou arbitrou ?]

argent dinheiro [dignéïrou] ; *(pour payer)* líquido [likidou]

▶ je n'ai pas beaucoup d'argent não muito dinheiro [naou tègnou mouitou dignéïrou]

▶ je n'ai plus d'argent liquide já não líquido [ja naou tégnou likidou]

arranger *(convenir)* dar mais jeito [dare maïch jéïtou]

▶ quand cela t'arrange-t-il ? quando é que te dá mais jeito ? [kouandou è ke te da maïch jéïtou ?]

arrêt *(station)* paragem (de autocarro) [parajéï (de autokarou)]

▶ c'est bien l'arrêt pour... ? é esta a paragem para...? [è echta a parajéï pàrà ?]

▶ où se trouve l'arrêt de bus le plus proche ? onde é que se encontra a paragem de autocarro mais próxima ? [õnde è ke se ênkõntra a parajéï de autokarou maïch praussima ?]

arrêter parar [parar]

▶ où s'arrête la navette en ville ? em que sítio da cidade pára o vaivém ? [êm ke sitiou da sidade parà o vaïvéï ?]

▶ arrêtez-vous ici ! páre aqui! [pareu aki!]

arrhes depósito [depausitou]

▶ doit-on verser des arrhes ? é necessário fazer um depósito ? [è necessariou fazère ũm depausitou ?]

arriver chegar [chegare]

▶ à quelle heure le train arrive-t-il à Lisbonne ? a que horas é que o comboio chega a Lisboa ? [a ke orach è ke ou kõmboyou chégà à Lichboa ?]

▶ mes bagages ne sont pas arrivés a minha bagagem não chegou [a mignà bagagèï naou cheugo]

art arte [arte]

▶ t'intéresses-tu à l'art ? interessas-te por arte ? [ïnterèssachte paur arte ?]

ascenseur elevador [élevador]
 ▶ est-ce qu'il y a un ascenseur ? tem elevador? [téi élevador?]

aspirine aspirina [achpirina]
 ▶ je voudrais de l'aspirine queria uma aspirina [keria ouma achpirina]

asseoir (s') sentar-se [sêntarsse]
 ▶ puis-je m'asseoir à votre table ? posso sentar-me na vossa mesa? [paussou sêntarme na vossa méza?]

assez *(suffisamment)* que chegue [ke chégue]
 ▶ je n'ai pas assez d'argent não dinheiro que chegue [naou tégnou dinéïro ke chégue]

assiette prato [pratou]
 ▶ pourriez-vous nous apporter deux assiettes ? poderia(m) trazer-nos dois pratos? [pauderia(aou) trazèrnouch doïch pratouch?]
 ▶ j'ai cassé une assiette parti um prato [pàrti oûm pratou]

assurance seguro [segourou]
 ▶ assurance tous risques seguro contra todos os riscos [segourou contra todouch ouch richkauch]
 ▶ faut-il une assurance spéciale ? é preciso um seguro especial? [è precizou oûm segourou chpessial?]
 ▶ quels risques l'assurance couvre-t-elle ? quais são os riscos cobertos pelo seguro? [kouaïch saou ouch richkauch koubèrtouch pélou segourou?]

assurer assegurar [assegourar]
 ▶ la voiture est-elle assurée tous risques ? o veículo está assegurado contra todos os riscos? [ou veïcoulou chtà assegouradou contra todoch ouch richkauch?]

asthme asma [àchma]
 ▶ j'ai de l'asthme asma [tagnou àchma]

attaque ataque [atàke]
 ▶ il a eu une attaque ele teve um ataque [éle tévé oûm atàke]

attendre esperar [échperar]
 ▶ tu attends le bus ? estás à espera do autocarro? [chtach à chpèra dou autokarou?]
 ▶ ne m'attendez pas pour dîner não esperes por mim para jantar [naou chpérech pour mîm para jäntar]
 ▶ je vous attends à huit heures à l'hôtel espero por si no hotel às oito horas [chpérou pour si nou hotel ach oïtou orach]

attention ! cuidado! [kouïdadou!]

atterrissage aterragem [àteurajèï]
> ▶ quelle est l'heure d'atterrissage ? qual é a hora de aterragem ? [koual è a ora de àteurajèï?]

attraper apanhar [apagnar]
> ▶ je n'arrive pas à attraper ma valise não consigo apanhar a minha mala [naou cônssigou apagnar a mignà màlà]
> ▶ j'ai attrapé un rhume apanhei uma gripe [apagnéï ouma gripe]

auberge de jeunesse pousada da juventude [poouzada da jouvêntoude]
> ▶ où se trouve l'auberge de jeunesse ? onde é que fica a pousada da juventude? [ônde é ke fika a poouzada da jouvêntoude?]
> ▶ je voudrais la liste des auberges de jeunesse de la région queria a lista das pousadas da juventude da região [keria a lichta dach pouzadach da jouvêntoude dà rejiaou]

Cela va de l'auberge de jeunesse (pousada da juventude) *à la* pousada de luxe *(château, palais, parc...). Entre les deux, on trouve la simple pension* (pensão), *la* residencial *sans resto ou l'*estalagem, *plus confortable. Mais ne négligez pas les chambres à louer* (alugam-se quartos), *assez bon marché, ni l'hébergement rural des* turismo rural *et* agro-turismo, *le top étant le* turismo de habitação, *chambres d'hôte de charme.*

aujourd'hui hoje [auje]
> ▶ on est le combien aujourd'hui ? hoje estamos a quantos? [auje échtamouch a kouäntouch?]

aussi *(également)* também [tãmbaï] ; *(à ce point)* tão [taou]
> ▶ moi aussi ! também eu! [tãmbaï éou!]
> ▶ bon appétit – merci, vous aussi ! bom apetite – obrigada, a si também! [bõm apeutite – aubrigada à si tãmbaï!]
> ▶ je n'ai jamais rien vu d'aussi beau nunca vi nada tão bonito [nûnka vi nàdà taou bounitou]

autant *(comparaison)* tão [taou] ; *(quantité)* tanto [tãntó]
> ▶ l'aller simple coûte presque autant que l'aller et retour a ida simples é tão cara quanto a ida e volta [a idà sîmplech è taou kara kouantou a idà i voltà]
> ▶ est-ce qu'il y a autant de monde que la dernière fois ? está tanta gente como da última vez? [chta tãnta jênte komou da oultima véch?]

automatique automático [aoutomatikou]
> ▶ c'est une boîte manuelle ou automatique ? é uma caixa manual ou automática? [è ûma caïcha manoual oou aoutomatika?]

Les « autoroutes payantes européennes » (sigle E) remplacent progressivement les « autoroutes à péage » (sigle A). La vitesse y est limitée à 120 km/h. Attention, le ticket n'est valable que 12 h, au-delà vous risquez 40 euros d'amende. Prudence sur les routes principales (IP), nationales (N) et municipales (M) où la sécurité routière reste très aléatoire.

autoriser autorizar [aoutorizar], permitir [permitir]
▶ combien de bagages sont autorisés ? qual é o número de bagagens autorizado? [koual è ou noumerou de bagagèïch aoutorizadach?]
▶ est-il autorisé de fumer ici ? é permitido fumar aqui? [è permitidou foumar àki?]

autoroute auto-estrada [aoutau-chtrada]
▶ autoroute à péage auto-estrada com portagem [aoutau-chtrada kõm paurtàjéïm]
▶ quelle est la vitesse limite sur les autoroutes ? qual é a velocidade máxima permitida nas auto-estradas? [koual è a velocidade massimà permitidà nach aoutau-chtradach?]
▶ comment puis-je rejoindre l'autoroute ? como é que posso encontrar a auto-estrada? [komou è ke paussou ẽnkõntrar a aoutau-chtrada?]

auto-stop boleia [bauléïa]
▶ on est venus en stop viemos de boleia [vièmauch de bauléïa]

autre outro [otrou]
▶ autre part algures [àlgourech]
▶ un autre café, s'il vous plaît outro café, se faz favor [otrou kafè se fach favaur]
▶ allez-y, je vais attendre les autres podem ir, eu vou esperar pelos outros [paudèï ir éou vou chperar pélouch otroch]
▶ il n'y a rien d'autre ? é tudo? [è toudou?]

avaler comer [kaumère]
▶ le distributeur automatique dehors a avalé ma carte de crédit o distribuidor automático no exterior comeu-me o multibanco [ou dichtribouidor kouméoume ou moultibancou]
▶ je ne peux plus rien avaler não consigo comer mais nada [naou kõnssigou kaumère maïch nada]

avance antecedência [ãntessedẽnssia]
▶ faut-il réserver à l'avance ? é preciso reservar com antecedência? [è pressizou reservar kõm ãntessedẽnssia?]
▶ dois-je payer d'avance ? é preciso pagar adiantado? [è pressizou pàgar adiãntadou?]

21

▸ nous sommes arrivés en avance chegámos adiantados [chegamouch adiãntadouch]

avant-hier anteontem [ãntéõntèï]

▸ je suis arrivée avant-hier cheguei anteontem [cheguéí ãntéõntèï]

avec com [kõm]

▸ je voudrais un steak avec des frites queria um bife com batatas fritas [keria oûm bife kõm batatach fritach]

▸ je suis avec mon copain estou com o meu amigo [chtou kõm ou méou amigou]

avion avião [aviaou]

▸ par avion por avião [paur aviaou]

▸ à quelle heure est l'avion ? a que horas é o avião? [a ké orach è ou aviaou?]

▸ est-ce qu'un repas est servi dans l'avion ? serve(m) uma refeição no avião? [sèrv(èï) ouma reféíssaou nou aviaou?]

aviron remo [rémou]

▸ je fais de l'aviron tous les week-ends faço remo todos os fins de semana [façou rémou todouch ouch fich de semana]

avocat *(homme de loi)* advogado [advogadou] ; *(fruit)* abacate [àbakate]

▸ je voudrais voir un avocat queria ver um advogado [keria verre oûm advogadou]

▸ avez-vous une salade avec de l'avocat ? tem uma salada com abacate? [téï ouma salada kõm abakate?]

avoir ter [tére]

▸ avez-vous du pain ? tem pão? [taï paou?]

▸ quel âge as-tu ? que idade tens? [ke idade taïch?]

▸ j'ai 18 ans 18 anos [tagnou dezoïtou anouch]

▸ est-ce que vous les avez en rouge ? tem em vermelho? [taï aï verméliou?]

▸ je me suis fait avoir fui enganado(a) [fouí ênganadou(a)]

▸ qu'est-ce que tu as ? o que é que tu tens? [ou ke è ke tu téïch?]

avril Abril [abril]

▸ je suis arrivé le 10 avril cheguei no dia 10 de Abril [cheguéí nou dia dèch de abril]

INFO
en avion

La compagnie TAP assure plusieurs vols quotidiens à destination de Lisbonne, Porto et Faro (Algarve), ainsi que des vols vers Funchal (Madère), Ilha Terceira (Açores) et Faial (Horta – Açores). La compagnie SATA dessert les Açores, Funchal et le continent. Portugália assure les vols intérieurs.

B

babord bombordo [bonbordou]
- ▶ mettez-vous tous à babord ! a bombordo! [a bonbordou!]

bagage bagagem [bagajèï]
- ▶ où arrivent les bagages du vol 502 ? onde é que desembarcam as bagagens do voo 502? [õnde é ke dezẽmbarkām ach bagajéïch dou vau kiniẽntouch i doïch?]
- ▶ puis-je prendre cela comme bagage à main ? posso levar isto como saco de mão? [paussou levar ichtou komo sakou de maou?]
- ▶ mes bagages ne sont pas arrivés a minha bagagem não chegou [a mignà bagajèï naou chegoou]

baignade banho [bagnou]
- ▶ la baignade est-elle autorisée ici ? é permitido tomar banho aqui? [è permitidou bagnou aki?]

baigner (se) tomar banho [taumar bagnou]
- ▶ peut-on se baigner ici sans danger ? podemos tomar banho aqui sem perigo? [poudémoch taumar bagnou àki saï perigou?]
- ▶ on va se baigner ? vamos ao banho? [vamouch aou bagnou?]

baigneur banhista [bagnichta]
- ▶ quelle est la zone réservée aux baigneurs ? qual é a zona para os banhistas? [kouàl è a zona pàrà ouch bagnichtach?]

baignoire banheira [baniéïra]
- ▶ il n'y a pas de bonde pour la baignoire a banheira não tem tampa [a baniéïra naou téï tãmpà]

baisser baixar [baïchar]
- ▶ peut-on baisser la climatisation ? podemos baixar o ar condicionado? [paudémouch baïchar ou ar condissionadou?]
- ▶ comment baisse-t-on le volume ? como é que se baixa o volume ? [komou è ke se baïcha ou voloume?]

balade passeio [passéïou]
- ▶ j'irais bien faire une ballade apetece-me dar um passeio [apetèsseme dar oũm passéïou]

balcon varanda [varãndà]
- ▶ avez-vous des chambres avec balcon ? tem quartos com varanda? [taï kouartouch kõ varandà?]

23

balle bola [bôla]
- ▶ je ne retrouve pas la balle não encontro a bola [naou ēnkontrou a bôla]

ballon bola [bôla]
- ▶ est-ce que quelqu'un aurait un ballon de foot ? alguém tem uma bola de futebol? [alguèï taï ouma bôla de foutebol?]
- ▶ c'est à vous, ce ballon ? a bola é vossa? [a bôla è vôssa?]

bande *(pansement)* ligadura [ligadoura]
- ▶ je voudrais une bande pour ma cheville queria uma ligadura para o meu tornozelo [keria ouma ligadoura para ou méou tournouzélou]

La plupart des banques possèdent des distributeurs automatiques Multibanco, repérables au logo bleu MB. Certaines prennent une commission, d'autres non, renseignez-vous. Attention, le montant de retrait hebdomadaire autorisé est assez bas et les cartes bancaires ne sont pas encore acceptées partout (petits péages, commerces, etc.)

banque banco [bānkou]
- ▶ y a-t-il une banque près d'ici ? há algum banco aqui perto? [à algoum bānkou aki pèrtou?]
- ▶ les banques sont-elles ouvertes le samedi ? os bancos estão abertos ao sábado? [ouch bānkouch chtaou abèrtouch aouch sabadouch?]

barque barca [bàrkà]
- ▶ où peut-on louer une barque ? aonde é que se pode alugar uma barca? [aonde è ke se pôde alougàr ouma barca?]

barre *(voile)* leme [lème]
- ▶ je peux tenir la barre ? posso ficar no leme? [possou fikàr nou lème?]

base base [baze] ; *(notions)* base(s) [baze(ch)]
- ▶ base de loisirs complexo multidesportivo [kômpléxou moultidechpaurtivou]
- ▶ est-ce qu'il y a une base nautique dans les environs ? há alguma base naval perto daqui? [à algouma baze nàval pertou daki?]
- ▶ je ne joue pas très bien mais je connais les bases não jogo muito bem, mas conheço as bases [naou jôgou mouytou baï mach kougnéçou ach bazech]

à la banque

- ▶ acceptez-vous les chèques de voyage ? aceita(m) os cheques de viagem? [asséïta(aou) ouch chèkèch de viajèï?]
- ▶ vous prenez une commission ? aceita(m) uma comissão? [asséïta(aou) ouma koumissaou?]
- ▶ en petites coupures, s'il vous plaît em notas pequenas, se faz favor [aï notach pekénach se fach favour]

bassin *(piscine)* piscina [pichçina]
▶ petit bassin piscina pequena [pichçina pekéna]
▶ y a-t-il un bassin pour les enfants ? há uma piscina para crianças ? [à ouma pichçina pàrà ach kriànças?]
▶ quelle est la profondeur du grand bassin ? que profundidade tem a grande piscina ? [ke profoundidàde taï a grânde pichçina?]

bateau barco [barkou]
▶ bateau à moteur barco a motor [barkou a moutôr]
▶ je voudrais louer un bateau pour la journée queria alugar um barco por um dia [keria alougar oum barkou pour oum dia]
▶ est-il possible de faire une promenade en bateau sur le fleuve ? é possível dar um passeio de barco no rio ? [è poussivele dar oum passéyou de barkou nou rio?]

batterie bateria [bàtéria]
▶ je n'ai plus de batterie já não bateria [ja naou tégnou bàtéria]
▶ il faudrait recharger la batterie seria necessário recarregar a bateria [séria necéssariou rekarregar a bàtéria]

beach-volley vólei de praia [vôléi de prayà]
▶ est-ce qu'il y a un terrain de beach-volley ? há algum terreno de vólei de praia ? [à algoum terénou de vôléi de prayà?]

beau *(MÉTÉO)* rico/bom [rikou/bõm] ; *(personne)* bonito [bounitou]
▶ quelle belle journée, hein ? que rico dia! [ke rikou dia!]
▶ vous croyez qu'il va faire beau ? acha(m) que vai estar bom tempo ? [acha(aou) ke vaï chtar bõm têmpou?]
▶ je te trouve très belle acho-te muito bonita [achou-te mouïtou bounita]
▶ quel beau mec ! que gajo tão giro! [ke gajou taou jirou!]

beaucoup muito [mouïtou]
▶ est-ce qu'il y a un beaucoup de choses à voir ici ? há muitas coisas a visitar por aqui ? [a mouïtach koïzas a visitar paur aki?]
▶ je n'ai pas beaucoup d'argent não muito dinheiro [naou tagnou mouïtou dinéïrou]
▶ merci beaucoup muito obrigado(a) [mouïtou aubrigado(a)]

belge belga [bellega]
▶ je suis belge sou belga [soou bellega]

Belgique Bélgica [bellejika]
> je viens de Belgique sou natural da Bélgica [soou natoural de bellejika]

besoin ▶ j'ai besoin d'aller voir un médecin preciso de/que ir ao médico [preussizou de/tagnou ke ir aou mèdikou]
> j'aurais besoin de quelque chose contre la toux precisava de algo contra a tosse [preussizava de algou kôntra a tausse]

beurre manteiga [mäntéïga]
> pouvez-vous me passer le beurre, s'il vous plaît ? pode(m)-me passar a manteiga, se faz favor? [paude(eï) passar a mäntéïga, se fach favaur?]

biberon biberão [biberaou]
> où puis-je faire chauffer le biberon ? onde é que posso aquecer o biberão? [ônde è ke poussou akéssère ou biberaou?]

bidon bidão [bidaou]
> un bidon d'huile, s'il vous plaît um bidão de óleo, se faz favor [oûm bidaou de auléou se fach favor]

bien (bonne santé, bien-être) bom/boa [bôm/boa] ; (de bonne qualité) bem [baï]
> vous allez bien ? está bom?/está boa? [chtà bôm?/chtà boa?]
> bien, merci, et vous ? bem obrigada e o senhor? [baï aubrigàdà i ou segnaure?]
> on est vraiment bien ici estamos mesmo bem aqui [chtamouch mechmou baï àki]
> bien joué ! bem jogado! [baï jougadou!]

bientôt breve/brevemente [brève/brèvemènte]
> à bientôt, j'espère até breve, espero eu [atè brève chpèrou éou]
> on s'appelle bientôt ? telefonamo-nos brevemente? [telefaunamou nouch brèvemènte?]

bienvenu bem-vindo [baïvîndou]
> si vous voulez venir en France, vous serez les bienvenus se quiserem vir a França, serão bem-vindos [se kizèraï vir à Franssà seraou baï-vîndouch]

bière cerveja [soeurvèjà], fino [finou], imperial [împeurial]
> une bière blonde, s'il vous plaît uma cerveja, se faz favor [ouma soeurvèjà se fach favaur]
> je voudrais une bière pression queria um fino/uma imperial [keria oum finou/ouma împeurial]

billard bilhar [biliàr]
> ça te dit, une partie de billard ? apetece-te uma partida de bilhar? [apetèçe-te ouma partida de biliàr?]

▶ tu sais jouer au billard américain ? sabes jogar ao bilhar americano? [sabech jougàr biliàr amrikanou?]

billet *(transport, spectacle)* bilhete [biliète] ; *(de banque)* nota [nautà]

▶ billet aller-retour bilhete de ida e volta [biliète de idà i vaultà]

▶ billet simple bilhete simples [biliète sîmpleuch]

▶ combien coûte un billet pour... ? quanto custa um bilhete para...? [kouantou kouchtà oum biliète pàrà?]

▶ où peut-on acheter des billets ? onde é que podemos comprar bilhetes? [ôndeu è ke paudémouch kômprar bilièteuch?]

▶ je voudrais réserver un billet queria reservar um bilhete [keria rezervar oum biliète]

▶ pouvez-vous me faire de la monnaie, je n'ai que des billets pode(m)-me destrocar dinheiro só notas [paudeu (aï) me dechtroukar dinièïrou so tagnou nautach]

bise beijo [béïjou]

▶ grosses bises muitos beijinhos [mouitouch béïjignouch]

▶ on se fait la bise ? damos um beijo? [dàmouch oum béïjou?]

blanc branco [brànkou]

▶ un verre de vin blanc, s'il vous plaît um copo de vinho branco, se faz favor [oum kopou de vignou brànkou se fach favaur]

blesser (se) ferir-se [feurire-se]

▶ je me suis blessé aleijei-me/feri-me [aléïjéï-me/feuri-me]

▶ elle est gravement blessée ela está gravemente ferida [élà chtà gràvemènte feuridà]

bleu *(couleur)* azul [àzoul] ; *(en cuisine)* mal passado [mal passàdou]

▶ auriez-vous le même en bleu ? será que tem o mesmo em azul? [sera ke teï ou mechmou eï àzoul?]

▶ bleu pour la cuisson, s'il vous plaît mal passado, se faz favor [mal passadou se fach favaur]

blonde loura [looura]

▶ j'ai une préférence pour les blondes prefiro as louras [preufirou ach loourach]

bloquer bloquear [bloukéar]

▶ nous sommes bloqués dans les embouteillages estamos bloqueados nos engarrafamentos [chtamouch bloukéadouch nouch ēmgarafamēntouch]

▶ la serrure est bloquée a fechadura está bloqueada [a feuchadourà chta blokéadà]

bœuf vaca [vàka]
- ▶ je ne mange pas de bœuf não como carne de vaca [naou komou karneu de vaka]

boire beber [beubère]
- ▶ on va boire un verre ? vamos beber um copo? [vamouch beubère oum kopou?]
- ▶ qu'est-ce que vous buvez ? o que é que bebe(m)/toma(m)? [ou ke è ke bèbeu(aï)/taumà(aou)?]
- ▶ j'ai trop bu hier soir ontem à noite bebi demais [ōntéï à noïte beubi demaïch]

boisson bebida [beubidà]
- ▶ qu'avez-vous comme boissons fraîches ? quais são as bebidas frescas que tem ? [kouaïch saou ach beubidach frechkach ke téï?]
- ▶ nous n'avons pas pris de boissons dans le mini-bar nós não tomámos nenhuma bebida no mini-bar [noch naou taumamouch neugnouma beubidà nou mini-bar]

boîte caixa [kaïchà]
- ▶ boîte de vitesses caixa de velocidades [kaïchà de veulossidadech]
- ▶ boîte d'allumettes caixa de fósforos [kaïchà de fochfaurouch]
- ▶ boîte de conserve lata de conservas [làtà de kōnsèrvach]
- ▶ je cherche une boîte aux lettres procuro uma caixa do correio [praukourou ouma kaïchà dou kouréyou]
- ▶ on pourrait aller en boîte après depois podíamos ir à discoteca [depoïch paudiàmoch ir à dichkotékà]

bôme (voile) verga da carangueja [vèrga de karānguéja]
- ▶ attention à la bôme ! cuidado com a verga! [kouïdadou kon a vèrga!]

bon bom [bōm]
- ▶ bonne soirée ! boa noite! [boa noïte!]
- ▶ bonne nuit ! boa noite! [boa noïte!]
- ▶ bonne année ! feliz ano novo! [feulich anou nauvo!]
- ▶ c'est bon ! está bem! [chtà baï!]
- ▶ il fait bon está bom tempo [chtà bōm tèmpou]
- ▶ ça sent très bon isso cheira muito bem [issou chéïrà mouitou baï]
- ▶ l'eau est-elle bonne ? a água está boa? [a àgouà chtà boa?]
- ▶ est-ce le bon numéro ? é o número certo? [è ou noumeurou ssèrtou?]

bonheur sorte [saurteu]
- ▶ ça porte bonheur ! isso dá sorte! [issou dà saurteu!]

bonjour bom dia [bõm dià]

▸ bonjour, moi c'est Agathe bom dia, chamo-me Agathe [bõm dià chamou-me Agathe]

▸ passe mon bonjour aux autres ! o meu bom dia aos outros por mim! [ou meou bõm dià aouch outrouch pour mîm!]

bonnet *(en laine)* gorro [gaourou] ; *(de bain)* touca de banho [toouka de bagnou]

▸ peux-tu me prêter ton bonnet ? podes-me emprestar o teu gorro? [paudeuch-me êmprechtar ou téou gaourou?]

▸ le bonnet de bain est-il obligatoire ? a touca é obrigatória? [a toouka è aubrigataurià?]

bonsoir ▸ bonsoir ! boa noite! [boa noïte!]

bord beira [béïrà]

▸ peut-on se promener au bord du lac ? podemos passear à beira do lago? [paudémouch passiar à béïrà dou làgou?]

▸ j'aimerais aller au bord de la mer gostava de ir à beira mar [gouchtàvà de ir à béïrà mar]

borne de taxi praça de táxis [pràssà de taksich]

▸ où est la borne de taxi la plus proche ? onde fica a praça de táxis mais próxima? [ônde fikà a pràssà de taksich maïch praussimà?]

bouche *(ANATOMIE)* boca [bokà] ; *(entrée)* entrada [êntràdà]

▸ la vérité sort de la bouche des enfants a verdade sai da boca das crianças [a verdàde saï da bokà dach kriànçàch]

▸ où est la bouche de métro la plus proche ? onde fica a entrada de metro mais próxima? [ônde fikà a pràssà de mètro maïch praussimà?]

boucher *(fermer)* entupir [êntoupire]

▸ mes oreilles sont bouchées as minhas orelhas estão entupidas [ach mignach auréliach chtaou êntoupidàch]

▸ le lavabo est bouché a pia está entupida [a pià chtà êntoupidà]

bouchon *(pour fermer)* rolha [raulià] ; *(embouteillage)* engarrafamento [êngaràfàmêntou]

▸ où est le bouchon de la bouteille ? onde é que está a rolha da garrafa? [ônde è ke chta a raulià dà garafà?]

▸ on a été bloqués dans un bouchon ficámos bloqueados num engarrafamento [fikàmouch blokéadouch noum êngarafamêntou]

bouée bóia [boïà]

▸ bouée de sauvetage bóia salva-vidas [boïà salvà vidach]

▶ je voudrais acheter une bouée queria comprar uma bóia [kerià kômprar oumà boïà]

▶ nageons jusqu'à la bouée rouge ! vamos nadar até à bóia vermelha! [vamouch nàdàr àtè à boïà veurmélià!]

bouger mexer [meuchère]

▶ je ne peux pas bouger la jambe não consigo mexer a perna [naou kônsigou meuchère à pèrnà]

▶ ne le bougez pas ! não lhe mexa(m)! [naou méchà (aou)!]

▶ on bouge ? vamos? [vamouch?]

bouillir ferver [feurvère]

▶ je mets de l'eau à bouillir pour le thé ? ponho a água a ferver para o chá? [paugnou à agouà à feurvère para ou chá?]

▶ l'eau bout a água ferve [à agouà fèrve]

boulangerie padaria [pàdàrià]

▶ y a-t-il une boulangerie dans le coin ? há alguma padaria aqui por perto? [à algoumà pàdàrià àki pour pèrtou?]

bourré (saoul) bêbado [bébàdou]

▶ il est complètement bourré ele está completamente bêbado [éle chtà kômplètàmènte bébàdou]

boussole bússola [boussoula]

▶ ma boussole est déréglée a minha bússola está desregulada [a migna boussoula chtà dechregoulada]

bouteille (alimentation) garrafa [garafà] ; (de plongée) botija [boutija]

▶ bouteille de gaz garrafa de gás [garafà de gach]

▶ je voudrais une bouteille d'eau queria uma garrafa de água [kerià oumà garafà de agouà]

▶ une bouteille de vin rouge, s'il vous plaît uma garrafa de vinho tinto, se faz favor [ouma garafà de vignou tîntou se fach favour]

▶ il nous faut des bouteilles et du lest pour aller plonger precisamos de botijas e de lastro para mergulhar [pressizamouch de boutijach i de lachtrou pàrà mergouliàr]

▶ quel est le meilleur endroit pour faire de la plongée avec bouteilles ? qual é o melhor sítio para mergulhar com botija? [kouàl è ou melior sitiou pàrà mergouliàr kon boutija?]

boutique loja [laujà]

▶ y a-t-il des boutiques sympas dans le quartier ? há lojas porreiras por aqui? [a laujach pouréïrach pour aki?]

bouton *(de vêtement)* botão [botaou]; *(sur la peau)* borbulha [boreboulià]
- ▸ j'ai perdu un bouton de ma veste perdi um botão do casaco [peurdi oum botaou dou kazacou]
- ▸ je voudrais une crème contre les boutons queria um creme contra as borbulhas [kerià oum krème coñtra ach borbouliach]

bowling bowling [bôouling]
- ▸ y a-t-il un bowling dans le coin ? há algum bowling por aqui? [à algoum bôouling pour aki?]

brancher *(appareil)* ligar [ligar]; *(drague)* engatar [ēmgàtàr]; *(plaire)* agradar [àgràdàr]
- ▸ est-ce que je peux brancher mon portable ici pour le recharger ? será que posso ligar o meu telemóvel aqui para recarregar? [seurà ke paussou ligàr ou méou télémauvelle aki pàrà rekàreugarre?]
- ▸ la télé n'est pas branchée a televisão está desligada [a teuleuvizaou chtà dechligàda]
- ▸ je me suis fait brancher hier soir ontem à noite engataram-me [ōntéï à noîte ēngataraou-me]
- ▸ ça ne me branche pas du tout isso não me interessa nada [issou naou me ïnterèssà nàdà]
- ▸ tu connais un endroit branché ? conheces um sítio à moda? [kounièsseuch oum sitiou à maudà?]

bras braço [bràssou]
- ▸ je ne peux pas bouger mon bras não consigo mexer o braço [naou kōnssigou meuchère ou brassou]
- ▸ je voudrais te prendre dans mes bras gostava de te abraçar/dar um abraço [gouchtava de te abrassar/dar oum abrassou]

brasse bruços [brouçouch]
- ▸ je ne sais nager que la brasse só sei nadar de bruços [sô séï nadar de brouçouch]

bravo ▸ bravo ! bravo! [bravou!]

---

dans une boutique   INFO
- ▸ non, merci. je ne fais que regarder não obrigado(a). Só estou a ver [naou aubrigadou(à) so chto a verre]
- ▸ combien ça coûte ? quanto custa? [kouàntou kouchtà?]
- ▸ je fais du 38 visto o 38 [vichtou ou trïntà i oïtou]
- ▸ est-ce que je peux essayer ce manteau ? posso experimentar este casaco? [paussou chperimēntar echteu kazakou?]

▶ bravo à tous les deux ! parabéns aos dois! [parabéïch aouch doïch!]

briquet isqueiro [ichkéïrou]

▶ avez-vous un briquet ? tem um isqueiro? [taï oum ichkéïrou?]

bronchite bronquite [brõnkiteu]

▶ auriez-vous un sirop contre la bronchite ? tem um xarope contra a bronquite? [taï oum charaupeu côntrà à brõnkiteu?]

brosse escova [échkovà]

▶ brosse à cheveux escova [échkovà]

▶ j'ai oublié ma brosse à dents esqueci-me da minha escova de dentes [échkéssimeu dà mignà échkovà de dēnteuch]

▶ passe-moi ta brosse ! passa-me aí a tua escova! [passà me à touà échkovà!]

brouillard nevoeiro [neuvoéïrou]

▶ est-ce qu'il y a du brouillard sur la route ? há nevoeiro na estrada? [a neuvoéïrou na échtradà?]

bruit barulho [barouliou]

▶ j'espère que nous n'avons pas fait trop de bruit espero que não tenhamos feito muito barulho [échpèrou ke naou tegnamouch féïtou mouïtou barouliou]

▶ j'ai entendu un drôle de bruit ouvi um barulho muito esquisito [oouvi oum baruliou échkisitou]

brûler queimar [kéïmar]

▶ ce plat est complètement brûlé, c'est immangeable este prato está completamente queimado, está intragável [échte pratou chta kõmplétamēnte kéïmadou chtá ïntràgàvelle]

▶ l'autre voiture a brûlé un feu rouge o outro carro passou o sinal vermelho [ou ooutrou karou passo ou sinàl veurmeliou]

▶ je me suis brûlé la main queimei a mão [kéïméï à maou]

brun (cheveux) castanho [kachtàgnou] ; (personne) moreno [maurénou]

▶ elle a les cheveux bruns ela tem os cabelos castanhos [élà taï ouch kabélauch kachtàgnouch]

▶ je préfère les brunes prefiro as morenas [preufirou ach maurénach]

bruyant barulhento [barouliēntou]

▶ j'aimerais changer de chambre, la mienne est trop bruyante gostaria de mudar de quarto, o meu é muito barulhento [gochtarià de moudar de kouartou ou méou è mouïtou baruliēntou]

bureau (commerce) agência/estação [àjēnssià/échtàssaou] ; (meuble) secretária [sekreutàrià]

▶ bureau de change agência de câmbio [àjēnssià de kàmbiou]

BON-PLAN
bus

À Lisbonne, le bus est un peu plus cher que le métro. Mieux vaut acheter son ticket en kiosque (BUC), valable pour 2 trajets, que directement dans le bus (plus cher et 1 trajet seulement). Il peut être judicieux d'acheter un pass combinant tous les transports. Attention, pas de plan de ligne à l'intérieur des bus.

▶ bureau de poste estação de correios [chtassaou de kouréyouch]
▶ bureau de tabac tabacaria [tàbàkàrià]
▶ j'ai posé la clé sur ton bureau pus a chave na tua secretária [pouch à chaveu nà touà sekreutarià]

bus autocarro [aoutaukàrou]
▶ quel bus faut-il prendre pour aller...? qual é o autocarro que devo apanhar para ir para...? [koual è ou aoutaukàrou ke dévou apagnar pàrà ir pàrà?]
▶ ce bus va-t-il à la gare? este autocarro vai para a gare? [échteu aoutaukàrou vaï pàrà à garre?]
▶ à quelle heure passe le dernier bus? a que horas passa o último autocarro? [à ké orach pàssà ou oultimou aoutaukàrou?]

but golo [golou]
▶ but! golo! [golou!]
▶ on mène 6 buts à 3 estamos 6 a 3 [chtamouch séïch a trèch]

C

ça isto [ichtou]
▶ ça va? tudo bem? [toudou baï?]
▶ ça, c'est la gare centrale esta é a estação central [échtà è à échtàssaou cêntral]
▶ c'est ça é isso mesmo [è issou mèchmou]

cabine cabine [kàbine]; *(de bateau)* camarote [kamàraute]
▶ peut-on louer des cabines? pode-se alugar uma cabine? [pôde-se alougar ouma kàbine?]
▶ y a-t-il une cabine téléphonique près d'ici? há alguma cabine telefónica por aqui? [a algoumà kàbine teleufaunikà pour aki?]
▶ où sont les cabines d'essayage? onde é que se experimenta? [ônde è ke se échperimêntà?]
▶ je voudrais réserver une cabine pour la traversée gostaria de reservar um camarote para a travessia [gauchtarià de reseurvar oum kamàraute pàrà à travèssià]

câble *(télévision)* cabo [kàbou]
> ▶ y a-t-il le câble à l'hôtel ? tem televisão por cabo no hotel? [taï à teleuvizaou pour kàbou aki nou hotel?]

cachet comprimido [kõmprimidou]
> ▶ auriez-vous des cachets contre le mal de mer ? tem comprimidos para o enjoo? [taï kõmprimidouch pàrà ou ênjoou?]

cadeau prenda [prêndà]
> ▶ je cherche un cadeau à rapporter en France estou à procura duma prenda para levar para a França [chtou à prokourà doumà prêndà pàrà leuvar pàrà à franssà]
> ▶ j'aimerais te faire un cadeau gostaria de oferecer uma prenda [gouchtarià de aufereussère ouma prêndà]

cadenas cadeado [kadiadou]
> ▶ y a-t-il un cadenas pour le vélo ? há algum cadeado para a bicicleta? [a algoume kadiadou pàrà à bissiklètà?]

café café [kàfè]
> ▶ café crème/au lait café com leite/galão [kàfè kõm léïte/galaou]
> ▶ café noir café simples [kàfè sĩmpleuch]
> ▶ y a-t-il un café dans les environs ? há algum café por aqui? [a algoume kàfè pour aki?]
> ▶ on va boire un café ? vamos tomar café? [vamouch toumarre kàfè?]

caler *(voiture, moteur)* ir abaixo [ir àbaïchou]
> ▶ le moteur n'arrête pas de caler o motor está sempre a ir abaixo [ou motaur chtà sêmpre à ir àbaïchou]

calme calmo [kàlmou] ; sossegado [sosségàdou]
> ▶ du calme ! calma! [kalmà!]

---

au café INFO

- ▶ cette table est-elle libre ? esta mesa está livre? [échtà mézà chtà livreu?]
- ▶ cette place est-elle libre ? este lugar está vazio? [échteu lougarre chtà vaziou?]
- ▶ s'il vous plaît ! se faz favor! [se fach favour!]
- ▶ deux cafés noirs, s'il vous plaît dois cafés, se faz favor [doïch kàfèch se fach favaur]
- ▶ une autre bière, s'il vous plaît outra cerveja, se faz favor [otrà seurvéjà se fach favaur]

INFO

camping

Bien que parfois toléré, le camping sauvage n'est pas autorisé. Les campings municipaux sont plutôt bon marché et bien entretenus. Il y a une centaine de campings nationaux pour lesquels il faut avoir un carnet international et payer une taxe. La chaîne Orbitur, plus confortable, est aussi plus onéreuse. Se procurer le guide Roteiro campista.

▶ je voudrais une chambre calme queria um quarto sossegado [kerià oum kouartou sossegadou]

caméra câmara [kàmàrà]
▶ je peux filmer avec ma caméra ici ? posso filmar com a minha câmara aqui? [paussou filmar kôm a kàmàrà àki?]

camping parque de campismo [parke de kâmpichmou]
▶ y a-t-il un camping près d'ici ? há algum parque de campismo perto daqui? [a algoum parke de kâmpichmou pèrtou daki?]

camping-car carro de campismo [karou de kâmpichmou]
▶ est-ce qu'il vous reste un emplacement pour un camping-car ? têm algum lugar para um carro de campismo ? [taï algoum lougar pàrà oum karou de kâmpichmou?]

canne à pêche cana de pesca [kana de pèchka]
▶ j'ai apporté ma canne à pêche trouxe a minha cana de pesca [trosse a migna kana de pèchka]

canon *(personne)* bomba [bõmbà]
▶ cette fille est vraiment canon esta rapariga é uma bomba/é mesmo gira [échtà ràpàrigà è oumà bõmbà/è méchmou jirà]

capot capô [kàpau]
▶ j'ai fait une bosse sur le capot fiz uma amolgadela no capô [fich oumà almaugadélà nou kàpau]

car *masculin* autocarro [aoutaukàrou]
▶ à quelle heure part le car ? a que horas parte o autocarro? [à ké orach pàrte ou aoutaukàrou?]
▶ y a-t-il des toilettes dans le car ? o autocarro tem casa de banho? [ou aoutaukàrou taï càzà de bagnou?]

caractère feitio [féïtiou]
▶ elle a un sacré caractère ! ela tem cá um feitio! [èlà kà taï oum féïtiou!]

carafe garrafa [garàfà]
▶ apportez-nous une carafe d'eau, s'il vous plaît traga-nos uma garrafa de água, se faz favor [tràga-nouch oumà garafà de àgouà se fach favour]

INFO
en car

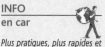

Plus pratiques, plus rapides et plus fréquents que le train (mais plus chers), les auto-cars expressos sillonnent le pays de long en large. Ils sont confortables mais souvent bondés. En haute saison, pen-sez à réserver auprès de la compagnie nationale Rede Expressos *(www.rede-expres-sos.pt).*

cardiaque cardíaco [kardiàkou]
- ▶ je suis cardiaque sofro do coração [sofrou dou kouraçaou]
- ▶ j'ai frôlé la crise cardiaque ! quase tive um ataque cardíaco! [kouaze tive oum atàke kardiàkou!]

carnet livro [livrou], módulo [maudoulou]
- ▶ carnet d'adresses livro de moradas [livrou de mauradach]
- ▶ carnet de chèques livro de cheques [livrou de chèkech]
- ▶ je voudrais un carnet de dix tickets quero um módulo de dez bilhetes [kérou oum maudoulou de deïch biliètch]

carte cartão [kàrtaou]; *(document)* bilhete [biliète]; *(de restaurant)* ementa [imèntà]; *(plan)* mapa [màpà]; *(jeu)* carta [kartà]
- ▶ carte de crédit cartão de crédito [kartaou de kréditou]
- ▶ carte d'embarquement cartão de embarque [kartaou de ēmbarkeu]
- ▶ carte d'étudiant cartão de estudante [kartaou de stoudânte]
- ▶ carte d'identité bilhete de identidade [biliète de idêntidade]
- ▶ carte postale postal [pouchtal]
- ▶ carte téléphonique Credifone/cartão telefónico [kredifaune/kartaou teleufauni-kou]
- ▶ carte des vins carta de vinhos [kartà de vignouch]
- ▶ carte de visite cartão de visita [kartaou de vizità]
- ▶ acceptez-vous les cartes de crédit ? aceita(m) os cartões de crédito? [as-séita(aou) ouch kartoïch de kréditou?]
- ▶ avez-vous une carte en français ? tem um mapa em francês? [taï oum mà-pàp fransséïch?]
- ▶ pouvons-nous voir la carte, s'il vous plaît ? podemos ver a ementa, se faz favor? [paudémauch verre à imèntà se fach favaur?]
- ▶ où puis-je acheter une carte de la région ? onde é que posso comprar um mapa da região? [ōnde è ke paussou kōmprar oum màpà dà rejiaou?]
- ▶ on fait une partie de cartes ? vamos jogar às cartas? [vamauch jaugar ach kartach?]

cartouche embalagem [ēmbalagèï]
- ▶ une cartouche de cigarettes, s'il vous plaît uma embalagem de cigarros, se faz favor [ouma ēmbalagèï de sigarrouch se fach favaur]

casier *(à la piscine)* cacifo [kaçifou]
  ▶ j'ai perdu la clé de mon casier perdi a chave do meu cacifo [perdi a chave dou méou kaçifou]

casque capacete [kapaçéte]
  ▶ auriez-vous un casque à me prêter ? tem um capacete para me emprestar ? [taï oum kapaçéte pàra me êmprechtar?]
  ▶ je voudrais louer un casque queria alugar um capacete [keria alougar oum kapaçéte]
  ▶ est-ce que je pourrais avoir un casque plus grand ? podia ter um capacete maior? [poudia tèr oum kapaçéte mayor?]

casser partir [pàrtir]
  ▶ la serrure est cassée a fechadura está partida [a feuchàdourà chtà pàrtida]
  ▶ j'ai cassé mes lunettes parti os meus óculos [pàrti ouch méouch okoulouch]

casserole tacho [tàchou]
  ▶ pouvez-vous me prêter une casserole ? pode(m)-me emprestar um tacho? [paude(éï)-me êmprechtar oum tàchou?]

catalogue catálogo [katàlougou]
  ▶ avez-vous un catalogue ? tem um catálogo? [taï oum katàlougou?]

catholique católica [katoulikà]
  ▶ je ne suis pas catholique não sou católico [naou so katoulikò]

caution *(pour un objet)* sinal [sinàl] ; *(pour un appartement)* caução [kaoussaou]
  ▶ faut-il laisser une caution pour le matériel ? é preciso deixar algum sinal pelo material? [pressizou déichar algoum sinàl pélou materiàl?]
  ▶ quel est le montant de la caution ? qual é o montante da caução? [koual è ou môntãnte da kaoussaou?]

ceinture *(au judo, au karaté)* cinto [çïntou]
  ▶ je suis ceinture marron sou cinto castanho [éou so çïntou kachtagnou]

célibataire solteiro [saultéïrou]
  ▶ je suis célibataire sou solteiro(a) [soou saultéïrou(a)]

cendrier cinzeiro [sïnzéïrou]
  ▶ pourriez-vous nous apporter un cendrier ? podia(m) trazer-nos um cinzeiro? [paudia(aou) trazèr-nouch oum sïnzéïrou?]

cent cento [scêntou]
  ▶ ça coûte 100 euros custa cem euros [kouchtà saï éourouch]
  ▶ on a fait 120 kilomètres fizemos cento e vinte quilómetros [fizèmouch scêntou i vïnte kilòmètrouch]

centre-ville centro da cidade [cẽntrou]
> ▶ l'hôtel se trouve-t-il dans le centre-ville ? o hotel situa-se no centro da cidade. [ou hotel sitouàsse nou cẽntrou da sidàde?]
> ▶ y a-t-il un bus pour aller dans le centre-ville ? há algum autocarro para o centro da cidade. [a algoum aoutaukàrou pàrà ou cẽntrou da sidàde?]

certain *(déterminé)* certo [serretou]
> ▶ je ne compte rester qu'un certain temps só a intenção de ficar um certo tempo [so tagnou a ïntẽnsaou de fikàr oum serretou tẽmpou]

certificat médical atestado médico [atechtadou mèdikou]
> ▶ il me faut un certificat médical pour pouvoir m'inscrire preciso de um atestado médico para me poder inscrever [preussizou de oum atechtadou mèdikou pàrà me paudère inchcrevère]

chaîne *(de télévision)* canal [kànal] ; *(MUSIQUE)* aparelhagem [apàreuliàjaï]
> ▶ je n'arrive pas à régler les chaînes de la télé não consigo regular os canais da televisão [naou kõnssigou regoular ouch kanaïch da televuizaou]
> ▶ tu as une super chaîne ! a tua aparelhagem é genial! [à toua apàreuliajéï è jeunial!]

chaise cadeira [kadéïrà] ; *(longue)* espreguiçadeira [échpreuguissadéïrà]
> ▶ cette chaise est-elle libre ? esta cadeira está livre? [à kadéïrà èchtà livre?]

chambre quarto [kouartou]
> ▶ chambre double quarto duplo [kouartou douplou]
> ▶ chambre simple quarto simples [kouartou sïmplech]
> ▶ vous reste-t-il des chambres libres ? ainda tem quartos vagos? [aïdà taï kouartouch vàgouch?]
> ▶ combien coûte une chambre avec salle de bains ? quanto é que custa um quarto com casa de banho? [kouantou è ke kouchtà oum kouartou kõm càzà de bagnou?]
> ▶ j'ai réservé une chambre pour ce soir au nom de Picard reservei um quarto para esta noite ao nome de Picard [reuservéï oum kouartou pàrà échtà noïte aou naume de picar]

chance sorte [saurte]
> ▶ bonne chance ! boa sorte! [boà saurte!]
> ▶ tu n'as vraiment pas de chance não tens mesmo sorte [naou taïch mèchmou saurte]

changer trocar [trokar], mudar [moudar]
> ▶ je voudrais changer ces chèques de voyage gostaria de trocar estes cheques de viagem [gouchtarià de troukar échtech chèkech de viàjéï]

▶ où dois-je changer pour Faro ? onde é que devo mudar para ir para Faro? [ônde è ke dévou moudar pàrà ir pàrà fàrou?]

▶ vous pouvez m'aider à changer la roue ? pode(m)-me ajudar a mudar a roda? [paude(éï)me ajoudar à moudar à raudà?]

chariot carrinho (de viagem) [kàrignou (de viajéï)]

▶ je cherche un chariot pour mes bagages procuro um carrinho para a minha bagagem [prokourou oum karignou pàrà à mignà bagajéï]

charme encanto [ēnkāntou]

▶ il a un charme fou ele é encantador [éle è ēnkāntadaur]

chasse d'eau autoclismo [aoutoklichmou]

▶ la chasse d'eau ne marche pas o autoclismo não funciona [ou aoutoklichmou naou foûnssionà]

château castelo [kachtèlou]

▶ le château est-il ouvert au public ? o castelo está aberto ao público? [ou kachtèlou chtà àbèrtou aou poublikou?]

chaud calor/quente [kalaur/kēnte]

▶ j'ai trop chaud estou cheio(a) de calor [chtou chéiou(a) de kalaur]

▶ il fait vraiment chaud está mesmo calor [chtà méchmou kalaur]

▶ il n'y a pas d'eau chaude não há água quente [naou à àgouà kēnte]

chauffage aquecimento [àkèssimēntou]

▶ comment marche le chauffage ? como é que funciona o aquecimento? [komou è ke fûnssionà ou akèssimēntou?]

chauffer aquecer [àkèssère]

▶ le radiateur de ma chambre ne chauffe pas o aquecedor do meu quarto não aquece [ou akèssedor dou méou kouartou naou àkèsse]

▶ le moteur chauffe o motor aquece [ou motaur àkèsse]

chauffeur motorista/condutor [mautaurichtà/kôndoutaur]

▶ chauffeur de taxi motorista de táxi [mautaurichtà de tàksi]

▶ peut-on acheter les tickets au chauffeur du bus ? podemos comprar os bilhetes ao motorista/condutor do autocarro? [paudémouch kômprar ouch biliètech aou mautaurichtà/kôndoutaur dou aoutaukàrou?]

chaussures sapatos [sapatouch]

▶ faut-il prévoir des chaussures de randonnée ? é preciso levar sapatos de marcha? [è pressizou levar sapatouch de marcha?]

▶ chaussures à talons sapatos de salto alto [çapàtouch de saltou altou]

▶ pouvez-vous remettre un talon à ces chaussures ? pode(m) repor um salto nestes sapatos? [pode(aï) repaur oum saltou nèchtech çapàtouch?]

chemin caminho [kàmignou]

▶ chemin de randonnée passeio pedestre [passéyou]
▶ est-ce le bon chemin pour aller au musée archéologique ? é o caminho correcto para ir ao museu arqueológico ? [è ou kamignou kourètou pàra ir aou mouzéou arkéolaujikou?]

chèque cheque [chèke]

▶ acceptez-vous les chèques de voyage ? aceita(m) os cheques de viagem ? [asséïta(ou) ouch chèkech de viajéï?]

cher caro [karou]

▶ je cherche un logement pas trop cher estou à procura de um alojamento não muito caro [chtou à prokourà de oum alojamèntou naou mouitou karou]
▶ n'avez-vous pas quelque chose de moins cher ? não tem algo menos caro ? [naou taï algou ménouch karou?]

chercher procurar [praukourar]

▶ je cherche... estou à procura... [chtou à prokourà]
▶ où dois-je aller chercher mes billets ? onde é que devo ir buscar os meus bilhetes ? [õnde è ke dévou ir bouchkar ouch méouch biliètech?]
▶ allez vite chercher de l'aide ! vão depressa procurar ajuda! [vaou d* depréssà praukourar àjoudà!]

cheval cavalo [kavalou]

▶ est-ce qu'on peut monter à cheval dans les environs ? pode-se montar a cavalo aqui por perto? [pôde-se montàr à kavalou aki pour pèrtou?]
▶ vous proposez des balades à cheval ? propõem passeios a cavalo? [propoï passéyouch a kavalou?]

---

demander son chemin   **INFO**

▶ pouvez-vous me montrer sur le plan où nous sommes ? pode(m)-me mostrar no mapa onde estamos? [paude(éï) mauchtrar-me nou màpà õnde échtàmouch?]
▶ où est la gare/le bureau de poste ? onde fica a gare/a estação dos correios? [õnde fikà à garre/à échtassaou douch kouréïouch?]
▶ excusez-moi, je cherche l'avenue de la Liberté desculpe(m), estou à procura da Avenida da Liberdade [dechkoulpe(éï) chtou à prokourà dà avenidà dà libèrdàde]
▶ est-ce loin ? é longe? [è lõnje?]
▶ peut-on y aller à pied ? podemos ir a pé? [paudémauch ir à pè?]

---

cheveux cabelos [kàbélouch]
- ▸ elle a les cheveux courts ela tem os cabelos curtos [èlà taï ouch kabélouch kourtouch]
- ▸ je préfère les cheveux longs prefiro os cabelos compridos [preufirou ouch kabélouch kõumpridouch]

cheville tornozelo [tornouzélou]
- ▸ je me suis foulé la cheville torci o tornozelo [torssi ou tornouzélou]

chez em casa de [aï càzà de]
- ▸ allô, est-ce que je suis bien chez... ? está, fala da casa de...? [chtà fàla dà càzà de?]
- ▸ on va chez toi ou chez moi ? vamos à tua casa ou à minha? [vamouch à touà càzà o à mìgnà?]
- ▸ je vais dormir chez un ami ce soir esta noite vou dormir a casa de um amigo [èchtà noïte vo daurmir à càzà de oum àmigou]

chic chique [chik]
- ▸ j'irais bien dîner dans un resto chic ce soir esta noite apetecia-me ir jantar a um restaurante chique [échta noïte apeutessià-me ir jäntar à oum rechtaourãnte chik]

chocolat chocolate [chaukaulàte]
- ▸ chocolat au lait chocolate de leite [chaukaulàte de léïte]
- ▸ chocolat noir chocolate preto [chaukaulàte prétou]
- ▸ chocolat aux noisettes chocolate com avelãs [chaukaulàte kõm aveulach]
- ▸ une part de gâteau au chocolat, s'il vous plaît uma fatia de bolo de chocolate, se faz favor [oumà fàtià de baulou de chaukaulàte se fach favaur]
- ▸ je voudrais acheter du chocolat queria comprar chocolate [keria kõmprar chaukaulàte]

choisir escolher [èchkolière]
- ▸ nous n'avons pas encore choisi ainda não escolhemos [aïndà naou èchkolièmouch]
- ▸ oui, on a choisi sim, já escolhemos [sïm jà échkolièmouch]
- ▸ je te laisse choisir pour moi deixo-te escolher no meu lugar/por mim [déïchaute échkolière nou méou lougar/pour mĩm]

chouette genial [jeunial]
- ▸ c'était vraiment chouette ! foi mesmo genial! [foï méchmou jeunial!]

cigarette cigarro [sigarou]
- ▸ je peux vous demander une cigarette ? posso-lhe pedir um cigarro? [pausso-lieu peudir oum sigarou?]

▸ où puis-je trouver des cigarettes à cette heure-ci ? onde é que posso encontrar cigarros a esta hora? [õnde è ke paussou ênkôntrar sigarouch à échtà orà?]

cinéma cinema [sinémà]

▸ j'irais bien au cinéma ce soir esta noite apetecia-me ir ao cinema [échtà noïte apeutessia-me ir aou sinémà]

▸ où y a-t-il un cinéma ? onde é que há um cinema? [õnde è ke a oum sinémà?]

▸ qu'est-ce qui passe au cinéma ? quais são os filmes em cartaz? [kouaïch saou ouch filmech aï kartaïch?]

circuit circuito [sirkouïtou]

▸ circuit touristique circuito turístico [sirkouïtou tourichtikou]

▸ je compte faire un circuit de deux semaines a intenção de fazer um circuito de duas semanas [tagnou à ïntênsaou de fàzère oum sirkouïtou de douach semànach]

circulation *(routière)* circulação [sirkulassaou]

▸ y a-t-il beaucoup de circulation sur l'autoroute ? há muita circulação na autoestrada? [à mouità sirkoulàssaou na aoutoéchtradà?]

citron limão [limaou]

▸ citron vert lima [limà]

▸ je vais prendre une glace au citron vou levar um gelado de limão [vau leuvar oum jelàdou de limaou]

▸ pouvez-vous nous apporter du citron, s'il vous plaît ? pode(m) trazer-nos um limão, se faz favor? [paude(aï) tràzèr-nouch oum limaou se fach favaur]

classe *(TRANSPORTS)* classe [classeu] ; *(distingué)* distinto [dichtîntou]

▸ première classe primeira classe [priméïrà classeu]

▸ deuxième classe segunda classe [segûndà classeu]

▸ classe économique classe económica [classeu ékonaumikà]

▸ je voudrais un billet pour Paris en deuxième classe queria um bilhete para o Algarve em segunda classe [kerià oum biliète pàrà ou Algarveu aï segûndà classeu]

▸ elle est vraiment classe ela é uma pessoa com muita classe/muito distinta [èlà è oumà peussoà côm mouytà classe/mouïtou dichtîntà]

clé chave [chàveu]

▸ la clé de la chambre cinq, s'il vous plaît a chave do quarto cinco, se faz favor [a chàveu dou kouartou numeurou sïnkou se fach favaur]

▸ j'ai fermé la porte en laissant les clés à l'intérieur ao fechar a porta deixei as chaves lá dentro/no interior [aou feuchar à portà déïchéï ach chaveuch là dêntrou/nou ïnterior]

‣ j'ai perdu les clés de la voiture perdi as chaves do carro [peurdi ach cha-veuch dou karou]

climatisation climatização [klimàtizassaou]

‣ y a-t-il la climatisation ? é climatizado(a)? [è klimatizadou(a)]
‣ peut-on baisser la climatisation ? é possível baixar a climatização [è paus-sivelle baïchar a klimatizassaou]

club *(centre)* clube [kloube] ; *(de golf)* taco [takou]

‣ où se trouve le club de voile le plus proche ? onde fica o clube de vela mais próximo? [onde fika ou kloube de vèla maïch prossimou?]
‣ y a-t-il un petit club de plage pour les enfants ? há algum clube de praia para as crianças? [a algoum kloube de prayà pàrà ach kriànçach?]
‣ peut-on louer des clubs de golf ? pode-se alugar tacos de golf? [pôde-se alougar takouch de golf?]

cochonnet *(à la pétanque)* porquinho [pourkignou]

‣ on a perdu le cochonnet perdemos o porquinho [perdémouch ou pourki-gnou]

cœur coração [kourassaou]

‣ cœur d'artichaut coração de manteiga [kourassaou de mäntéïga]
‣ j'ai mal au cœur estou enjoado(a) [chtou ènjouadou(a)]
‣ j'ai des problèmes de cœur problemas de coração [tagnou problémach de kourassaou]
‣ je connais ton numéro par cœur conheço o teu número de cor [kougnés-sou ou téou noumerou de kor]

coffre *(de voiture)* porta bagagem [paurta bagajème] ; *(coffre-fort)* cofre [kaufre]

‣ mes affaires sont dans le coffre de la voiture as minhas coisas estão no porta-bagagens [ach mignach koïzach chtaou nou paurtà bagajèïch]
‣ y a-t-il un coffre à l'hôtel ? o hotel tem um cofre? [ou hotel taï oum kaufre?]

coin *(angle)* canto [kàntou] ; *(figuré) (endroit)* perto [pèrtou]

‣ arrêtez-vous au coin de la rue páre(m) ao canto da rua [pàre(éï) aou kàntou dà rouà]
‣ tu habites dans le coin ? moras aqui por perto? [morach aki pèrtou?]

colis encomenda [ènkouméndà]

‣ je voudrais envoyer ce colis à Lyon par avion queria enviar esta enco-menda por avião para Lyon [keria ènviar echta ènkouméndà pour aviaou pàrà Lyon]

collant collant [kolãn]
> ▸ j'ai filé mes collants fiz uma malha nos collants [fich ouma malià nouch kolãnch]

collyre colírio [koliryou]
> ▸ j'ai besoin d'un collyre preciso de um colírio [preussizou doum koliryou]

combien quanto [kouãntou]
> ▸ combien coûte un billet pour... ? quanto custa um bilhete para...? [kouãntou kouchtà oum biliète pàrà?]
> ▸ combien ça coûte ? quanto custa? [kouãntou kouchtà?]
> ▸ c'est combien de l'heure ? quanto é à hora? [kouãntou è à orà?]
> ▸ combien je vous dois ? quanto é que lhe devo? [kouãntou è ke lieu dévou?]
> ▸ combien de temps dure le trajet ? qual é a duração do trajecto? [koual è a dourassaou dou trajètou?]

combinaison *(de plongée)* fato de mergulho [fatou de mergouliou]
> ▸ vous avez des combinaisons à louer ? alugam fatos de mergulho? [alougaou fatouch de mergouliou?]
> ▸ combien coûte la location d'une combinaison ? quanto custa o aluguer de um fato de mergulho? [kouãntou kouchta ou alouguère de oum fatou de mergouliou?]

commander pedir/encomendar [peudir/ẽnkoumẽndar]
> ▸ j'ai commandé un café pedi um café [peudi oum kàfè]
> ▸ qu'est-ce que je commande pour toi ? para ti o que é que peço? [pàrà ti ou ke è ke pèssou?]
> ▸ ce n'est pas ce que j'avais commandé não foi isto que pedi/encomendei [naou foï ichtou ke peudi/ẽnkoumẽndéi]

comme *(comparaison)* como [komou] ; *(en tant que)* quais [kouaïch]
> ▸ c'est comme l'an dernier é como no ano passado [è komou nou anou passadou]
> ▸ qu'est-ce que vous avez comme desserts ? quais são as sobremesas que tem? [kouaïch çaou ach saubremézach ke taï?]
> ▸ comme c'est grand ! que grande!/é enorme! [ke grandeu!/è inorme!]

commencer começar [koumessar]
> ▸ à quelle heure commence la visite guidée ? a que horas começa a visita guiada? [à ke orach koumèssa a vizità guiàdà?]

comment como [komou]
> ▸ comment ? como? [komou?]
> ▸ comment tu t'appelles ? como é que te chamas? [komou è ke te chamach?]
> ▸ comment allez-vous ? como é que está/estão? [komou è ke chta/aou?]

► comment ça s'écrit ? como é que se escreve? [komou è ke se echcrèveu?]

commissariat de police esquadra [ichkouadrà]

► où se trouve le commissariat le plus proche ? onde é que se encontra a esquadra mais próxima? [õnde è ke se ènkõntrà à ichkouadrà maïch praussimà?]

commission comissão [koumissaou]

► qu'est-ce que vous prenez comme commission ? quanto é que é a comissão? [kouãntou è ke è a koumissaou?]

communication ligação [ligassaou]

► je voudrais une communication internationale queria uma ligação internacional [keria ouma ligassaou internacional]

► la communication est très mauvaise, je t'entends mal a ligação não está boa, ouço-te muito mal [a ligassaou naou chtà boa oïssou te mouytou mal]

compartiment compartimento [kõmpartimèntou]

► y a-t-il un compartiment fumeurs ? existe um compartimento para fumadores? [izichte oum kõmpartimèntou pàrà foumadorech?]

complet completo [kõmplètou]

► c'est complet ? está completo? [chtà kõmplétou?]

► je voudrais une chambre en pension complète queria um quarto com pensão completa [keria oum kouartou kõm pènssaou kõmplétà]

composter validar [vàlidàr]

► faut-il composter le billet ? é preciso validar o bilhete? [è pressizou vàlidàr ou biliète?]

comprendre compreender, perceber [kõmpreuèndère, peursseuber]

► j'arrive à comprendre le portugais mais je ne le parle pas consigo/sou capaz de compreender o português mas não o consigo falar [kõnssigou/soou kapach de kõmpreuèndère ou paurtouguèche mach naou ou kõnssigou fàlàr]

► est-ce que vous comprenez ? compreende(m)?/percebe(m)? [kõmpreuènde(daï)/peurssèbe(aï)?]

---

comprendre/ne pas comprendre	INFO

► ah d'accord... ! sim está bem...! [ssïm chtà baï...!]

► excusez-moi, mais je n'ai pas compris desculpe(m), mas não percebi [deuchkoulpe(aï) mach naou peurssebi]

► je suis un peu perdu, là... estou um bocado perdido, (por) ali... [chtou oum boukàdou peurdidou (pour) àli...]

► je n'ai pas compris la question não percebi a pergunta [naou peurssebi a pergünta]

▸ je ne comprends rien não compreendo nada/não percebo nada [naou kômprêndou nàdà/naou peurssébou nàdà]

▸ ça y est, j'ai compris maintenant está bem, já percebi [chtà baï jà peurssebi]

comprimé comprimido [kômprimidou]

▸ je voudrais des comprimés contre la migraine queria uma caixa de comprimidos contra a enxaqueca [kerià oumà kaïchà de kômprimidouch cõntrà à ênchakékà]

▸ il faut prendre combien de comprimés par jour ? é preciso tomar quantos comprimidos por dia? [è pressizou tomar kouantouch kômprimidouch pour dià?]

compris *(inclus)* incluído [ïnklouïdou]

▸ combien ça coûte tout compris ? tudo junto quanto custa? [toudou jũntou kouãntou kouchtà?]

▸ le service est-il compris ? o serviço está incluído? [ou sseurvissou chtà ïnklouïdou?]

compteur contador [kõntadaure]

▸ où se trouve le compteur électrique ? onde é que está o contador da luz? [õnde è ke chtà ou kõntadaure da luch?]

concert concerto [konssèrtou]

▸ ce concert vous a-t-il plu ? gostou do concerto?/este concerto agradou--lhe ? [gochtoou dou konssèrtou/èchte konssèrtou àgràdoou-lieu?]

conduire *(accompagner)* acompanhar [àkompagnar]

▸ pouvez-vous me conduire à cette adresse ? pode(m)-me acompanhar a esta morada? [paude(éï)-me akompagnar à echtà mouràdà?]

confirmer confirmar [konfirmar]

▸ faut-il confirmer la réservation ? é preciso confirmar a reserva? [è preussizou konfirmar à reussèrva?]

▸ je voudrais confirmer mon vol de retour queria confirmar o meu voo de volta [keria konfirmar ou méou vau de vaultà]

conjonctivite conjuntivite [konjũntivite]

▸ j'ai une conjonctivite uma conjuntivite [tagnou ouma konjũntivite]

connaissance *(compétence)* conhecimentos [kougnessiméntouch]

▸ j'ai des connaissances en informatique conhecimentos em informática [tagnou kougneussiméntouch aï ïnformàticà]

▸ ravi de faire votre connaissance ! encantado(a) por o(a) conhecer! [ênkãntadou(a) pour ou(a) kougneussère!]

connaître conhecer [kougneussère]
> ▶ je ne crois pas que nous nous connaissions acho que não nos conhece-mos [achou ke naou nouch kougneussémoch]
> ▶ je ne connais pas grand monde ici, et vous ? não conheço ninguém aqui e o (a) senhor(a)? [naou kougnéssou nïngaï i ou (a) seugnor(a)]

conseil conselho [konsséliou]
> ▶ j'aurais besoin d'un conseil preciso que me dê(em) um conselho [preussizou ke me dé(aï) oum konsséliou]

conseiller aconselhar [akonsseuliar]
> ▶ pourriez-vous me conseiller un restaurant ? pode(m)-nos aconselhar um restaurante? [paude(aï)-noch akonsseuliar oum rechtaurănte?]

consigne *(de gare)* depósito de bagagem [depauzitou de bagajèï]
> ▶ y a-t-il une consigne ici ? existe algum depósito de bagagem aqui? [izichte algoum depauzitou de bagajèï?]
> ▶ comment marche la consigne ? como é que funciona o depósito de ba-gagem? [komou è è ke fünssionà ou depauzitou de bagajèï?]

consommation *(boisson)* consumo [konssoumou]
> ▶ combien coûte la consommation ? quanto custa o consumo? [kouantou kouchta ou konssoumou?]

constipation prisão de ventre [prizaou de vēntre]
> ▶ je voudrais quelque chose contre la constipation queria algo para a pri-são de ventre [keria algou pàrà a prizaou de vēntre]

construire construir [kõnchtrouïr]
> ▶ quand ce bâtiment a-t-il été construit ? quando é que este edifício foi construído? [ouandou è ke echte édifissiou foï kõnchtrouïdou?]

consulat consulado [konssouládou]
> ▶ où se trouve le consulat français ? onde é que se situa o consulado fran-cês? [õnde è ke se sitouà ou konssouládou frănssèche?]

contact *(relation)* contacto [kontaktou]
> ▶ on reste en contact, hein ? mantemo-nos em contacto, sim? [măntémo nouch aï kontaktou sïm?]

contacter contactar [kontaktar]
> ▶ je dois contacter le consulat que entrar em contacto com o consulado [tagnou ke ēntrar aï kontaktou kõn ou konssouladou]
> ▶ n'oublie pas de me contacter ! não te esqueças de me contactar! [naou te echkêssach de me kontaktar!]

contagieux contagioso [kontajiozou]
> ▶ c'est contagieux ? é contagioso?/pega-se ? [è kontajiozou?/pègàsse?]

content contente [kontēnte]
> ▶ j'ai été très content de te revoir fiquei muito contente de te voltar a ver [fikéï mouytou kontênte de te voltar à verre]

contre contra [kontrà]
> ▶ je me suis cogné contre la table esbarrei-me contra a mesa [echbaréï-me kontrà à mézà]
> ▶ j'aurais besoin de quelque chose contre la toux precisava de qualquer coisa contra a tosse [reussizavà de koualkère koïzà kontrà à tausse]

contretemps contratempo [kontrà tēmpou]
> ▶ désolée, j'ai eu un contretemps lamento, mas tive um contratempo [lamêntou mach tive oum kontràtēmpou]

convenir (satisfaire) convir [konvir]
> ▶ cela me convient parfaitement isso convém-me perfeitamente [issou konvaï-me peurféïtamẽnte]
> ▶ quelle est l'heure qui vous convient le mieux ? qual é a hora que mais lhes convém? [koual è à orà ke maïch lieuch konvéï?]

cool fixe [fiche]
> ▶ c'est trop cool ! é muito fixe! [è mouytou fiche!]

coordonnées ▶ je vais vous laisser mes coordonnées deixo-lhe a minha coordenadas/morada e o meu número de telefone [déïchou-lieu a migna/mouràdà i ou méou noumeurou de telefaune]

copain (ami) amigo [amigou] ; (petit ami) namorado [namouradou]
> ▶ je suis venu ici avec des copains estive aqui com amigos [chtive aki kon amigouch]
> ▶ je suis avec mon copain estou com o meu namorado [chtou kon méou namouradou]
> ▶ tu as une copine ? tens uma namorada? [taïch oumà namouradà?]

correspondance (TRANSPORTS) correspondência [koureuchpondẽnssià]
> ▶ j'ai raté ma correspondance perdi a correspondência [peurdi à mig. nà koureuchpondẽnssià]

côté lado [làdou]
> ▶ à côté de... ao lado de... [aou làdou de]
> ▶ c'est de quel côté ? de que lado fica?/para que lado fica? [de ke làdou fikà/pàrà ke ladou fikà?]

▶ y a-t-il quelqu'un à côté de vous ? está alguém ao seu lado? [chtà algaï aou sséou ladou?]

cou pescoço [pechkossou]

▶ j'ai le cou bloqué o pescoço bloqueado [tagnou ou pechkossou blokiadou]

coucher *(faire l'amour)* dormir com.../ir para a cama com... [dourmir kon/ir pàrà à kàmà kon]

▶ je n'ai pas couché avec elle não dormi com ela/não fui para a cama com ela [naou dourmi kon èlà/naou fouï pàrà à kàmà kon èlà]

coucher (se) *(personne)* deitar-se [déïtar-se] ; *(soleil)* pôr [paur]

▶ je me suis couché tard deitei-me tarde [déïtéï-me tarde]

▶ à quelle heure le soleil se couche-t-il ? a que horas é que o sol se põe? [à ke orach è ke ou sol se poï?]

couchette cama [kàmà]

▶ je voudrais réserver une couchette queria reservar uma cama [keria reuzeurvar ouma kàmà]

couleur cor [kor]

▶ avez-vous le même modèle dans une autre couleur ? tem o mesmo modelo noutra cor? [taï ou mechmou moudélou nöoutrà kor?]

couloir corredor [kouredaure]

▶ je voudrais une place côté couloir queria um lugar do lado do corredor [kerià oum lougar dou ladou dou kouredaure]

coup à primeira [à priméïrà]

▶ j'ai réussi du premier coup consegui à primeira [konssegui à priméïrà]

▶ pourriez-vous jeter un coup d'œil sur ma voiture ? poderia(m) dar uma olhadela no meu carro? [pauderia(aou) dar ouma auliàdèlà nou méou karou?]

▶ j'ai pris un coup de soleil apanhei um escaldão [àpàniéï oum echkaldaou]

▶ je dois passer un coup de fil que fazer uma chamada [tagnou ke fazère ouma chàmàdà]

▶ vous pouvez nous donner un coup de main ? pode(m) dar-nos uma mãozinha? [paudéï dar nouch oumà maouzignà?]

▶ je boirais bien un coup apetecia-me mesmo beber um copo [apeutessià mechmou beubère oum kopou]

couper *(communication)* desligar/cortar [deuchligar/kourtar]

▶ ça va couper, je n'ai plus de batterie vai desligar, já não bateria [vaï dechligar jà naou tagnou bateria]

▶ on a été coupés cortaram-nos a chamada [kaurtaraou nouch à chàmàdà]

couple casal [kàzal]
▶ c'est pour un couple et 2 enfants é para um casal e 2 crianças [è pàrà oum kàzal i douach criànssach]

courant corrente [kourẽnte]
▶ y a-t-il des courants dont il faut se méfier par ici ? há correntes perigosas por aqui ? [a kourẽntech perigôzach pour aki?]
▶ courant d'air corrente de ar [kourẽnte de ar]
▶ il n'y a plus de courant cortaram a luz/cortaram a electricidade [kaurtaraou a luch/kaurtaraou a ilètrissidade]
▶ je ne suis pas au courant não estou ao corrente [naou chtôou aou kourẽnte]

courbatures dores musculares [dorech mouchkoularech]
▶ j'ai des courbatures dores musculares [tagnou dorech mouchkoularech]

courir correr [kourèr]
▶ où peut-on courir ici ? onde é que podemos correr ? [onde è ke paudé-mouch kourèr?]

courrier correio [kouréÿou]
▶ y a-t-il du courrier pour moi ? há correio para mim? [à kouréyou pàrà mï?]

cours aula [àoulà]
▶ je voudrais prendre des cours de planche à voile gostava de ter aulas de prancha à vela [gouchtava de tèr aoulàch de prãncha à vèla]
▶ y a-t-il des cours de... ? há aulas de...? [à aoulach de?]
▶ combien coûtent les cours ? quanto custam as aulas? [kouantou kouchtaou ach aoulach?]
▶ y a-t-il des cours pour débutants ? existem aulas para principiantes? [izichtaï aoulach pàrà ouch prïnssipiãntech?]

courses compras [komprach]
▶ où peut-on faire les courses ? onde é que podemos ir às compras? [ônde è ke paudémoch ir àch komprach?]

court *(de tennis)* campo/corte [kãmpou/korte]
▶ est-ce qu'il y a des courts de tennis couverts ? há campos/cortes de ténis cobertos? [à kãmpouch de tènich/kortech koubèrtouch?]
▶ c'est un court en quick ? é um campo em quick? [è oum kampou aï kouïk?]

couteau faca [fakà]
> ▶ pourriez-vous m'apporter un couteau ? poderia(m) trazer-me uma faca? [paudéria(ou) trazère-me ouma fakà?]

coûter custar [kouchtar]
> ▶ combien coûte un billet pour... ? quanto custa um bilhete para...? [kouantou kouchtà oum biliète pàrà?]
> ▶ combien ça coûte ? quanto custa ? [kouantou kouchtà?]
> ▶ combien coûte l'entrée ? quanto custa a entrada? [kouantou kouchta à ëntràdà?]
> ▶ combien ça coûte par personne ? é quanto por pessoa? [è kouantou pour pessoà?]

couverts talheres [talièrech]
> ▶ pourriez-vous nous apporter des couverts ? poderia(m) trazer-nos os talheres? [paudéria(ou) trazère-nouch ouch talièrech?]

couverture cobertor [koubeurtor]
> ▶ puis-je avoir une couverture supplémentaire ? pode dar-me outro cobertor? [paude dar-me öoutrou koubeurtor?]

crawl crawl [kraoul]
> ▶ je suis meilleure en brasse qu'en crawl nado melhor bruços do que crawl [nadou meloir de brouçouch dou ke de kraoul]

crayon lápis [làpich]
> ▶ pouvez-vous me prêter du papier et un crayon ? pode(m)-me emprestar lápis e papel? [paude(aï)-me ëmpreuchtar làpich i papèle?]

crème solaire bronzeador [bronziador]
> ▶ je voudrais de la crème solaire indice vingt queria um bronzeador com um índice de protecção vingt [keria oum bronziador kon oum indisse de proutèssaou vïnte]

crever furar [fourar], estafar [chtàfar]
> ▶ j'ai crevé tive um furo [tive oum fourou]
> ▶ je suis crevé estou estafado [chtou chtafàdou]

cri grito [gritou]
> ▶ j'ai entendu quelqu'un pousser un cri ouvi alguém dar um grito [öouvi algaï dar oum gritou]

cric fato de macaco [fatou de makàkou]
> ▶ où est le cric ? onde é que está o fato de macaco? [önde è ke chtà ou fatou de makàkou?]

crise crise [krise] ; *(cardiaque)* ataque [atake]
> ▶ j'ai une crise d'asthme uma crise de asma [tagnou ouma krise de achma]

▶ au secours, quelqu'un fait une crise cardiaque ! socorro, está aqui uma pessoa a ter um ataque cardíaco ! [sokorou chtà aki ouma peussoa à ter oum atake kardiakou!]

croire *(penser)* pensar [pēnsar]
▶ personnellement, je crois que... pessoalmente, penso que... [peussoualmēnte pēnssou ke]

croisière cruzeiro [krouzéïrou]
▶ j'aimerais bien faire une croisière gostaria muito de fazer um cruzeiro [gochtarià mouytou de fazère oum krouzéïrou]

cuillère colher [koulière]
▶ pourriez-vous m'apporter une cuillère ? poderia(m) trazer-me uma colher? [pauderia(ou) trazère-me ouma koulière]

cuisine *(pièce)* cozinha [kouzignà]
▶ où est la cuisine ? onde é a cozinha? [õnde è à kouzignà?]
▶ aimes-tu faire la cuisine ? gostas de cozinhar? [gochtach de kouzignar?]

cuit passado [passadou]
▶ bien cuit, s'il vous plaît bem passado, se faz favor [baï passadou se fach favaur]

D

dan *(au judo, au karaté)* grau [graou]
▶ elle est troisième dan ela está no terceiro grau [èla chtà nou tèrcéïrou graou]

danger perigo [peurigou]
▶ c'est sans danger ? não é perigoso? [naou è peurigauzou?]
▶ peut-on se baigner ici sans danger ? pode-se tomar banho aqui sem perigo? [pôde-se toumar bagnou aki saï perigou?]

dangereux perigoso [perigôzou]
▶ est-ce que c'est dangereux de plonger ici ? é perigoso mergulhar aqui? [è perigôzou mergouliàr aki?]

danser dançar [dānçar]
▶ où peut-on aller danser ? onde é que podemos ir dançar? [õnde è ke paudémouch ir dānçar?]
▶ on danse ? vamos dançar? [vamouch dānçar?]
▶ je danse comme un pied danço muito mal [dānçou mouytou mal]
▶ je trouve que tu danses très bien acho que danças muito bem [achou ke dançach mouytou baï]

date data [datà]
  ▶ quelle est ta date de naissance ? qual é a tua data de nascimento ? [koual è à touà datà de nachssimèntou?]

débrouiller (se) desenvencilhar-se/desenrascar-se [dezènvènssiliar-se/dezènrachkar-se]
  ▶ c'est bon, je vais me débrouiller obrigada, eu cá me desenvencilho/desenrasco [aubrigadà éou kà me dezènvènssiliou/dezènrachkou]

débutant principiante [prïnçipiänte]
  ▶ je suis débutant sou principiante [so prïnçipiänte]
  ▶ est-ce qu'il y a des cours pour débutants ? há aulas para principiantes? [à aoulàch pàrà prïnçipiäntech?]

décapsuleur saca-rolhas [sàkà-rauliach]
  ▶ tu peux me passer le décapsuleur ? podes-me passar o saca-rolhas? [paudech passar-me ou sàkà rauliach?]

décembre Dezembro [dezèmbrou]
  ▶ j'ai hâte d'être en décembre estou a desejar que chegue o mês de Dezembro [chtou a dezejar ke chégue ou méch de dezèmbrou]

déchirer *(vêtement)* rasgar [rachgare]
  ▶ j'ai déchiré ma robe rasguei o vestido [rachguéï ou vechtidou]
  ▶ je me suis déchiré un muscle fiz uma distensão muscular [fiche ouma dichtènssaou mouchkoular]

déclaration participação [partissipassaou]
  ▶ je dois faire une déclaration de vol que fazer uma participação de roubo [tagnou ke fazère ouma partissipassaou de raubou]

déclarer *(douane)* declarar [deklarar]
  ▶ je n'ai rien à déclarer não nada a declarar [naou tagnou nàdà à deklarar]

découvert *(banque)* descoberto, saldo negativo [dechkoubèrtou, saldou negativou]
  ▶ je suis à découvert estou a descoberto [chtou à dechkoubèrtou]

défaut defeito [deféïtou]
  ▶ je crois qu'il y a un défaut de fabrication acho que tem um defeito de fabrico [achou ke taï oum deféïtou de fàbrikou]

dégager *(déblayer)* desobstruir [dezobchtrouïr]
  ▶ la route sera-t-elle bientôt dégagée ? a estrada será em breve desobstruída? [a échtradà serà aï brève desobchtrouïdà?]

déjà já [jà]
  ▶ es-tu déjà allé à Paris ? já foste a Paris? [jà fochte à Parich?]

53

> je suis déjà venu il y a plusieurs années já tinha aqui estado há alguns anos atrás [jà tignà aki chtadou à algouch anouch atràch]

déjeuner *masculin* almoço [almaouçou]

verbe almoçar [almoussar]

> à quelle heure le petit déjeuner est-il servi ? a que horas servem o pequeno-almoço? [a ke orach sèrvaï ou pekénou almaouçou?]
> ce déjeuner est délicieux este almoço está uma delícia [échte almaouçou chtà oumà deulissià]
> et si on déjeunait ensemble un de ces jours ? e se almoçássemos juntos (as) um dia destes? [i se almauçasseumoch jūntoch(ach) oum dià déchteuch?]

deltaplane asa delta [aza dèlta]

> où peut-on faire du deltaplane ? onde é que se pode fazer asa delta? [onde è ke se pôde fazère aza dèlta?]

demain amanhã [àmagnà]

> à demain ! até amanhã! [àtè àmagnà!]
> on se voit demain soir ? vemo-nos amanhã à noite? [vémonouch àmagnà à noîte?]

demander pedir [pedir]

> je peux vous demander un renseignement ? posso pedir-lhe uma informação?/pode dar-me uma informação? [paussou pedir lieu oumà înfourmassaou/paude dar-me oumà înfourmassaou?]

démangeaisons comichões [komichoïch]

> je voudrais une crème contre les démangeaisons queria um creme contra as comichões [keria oum krème kõntra ach komichoïch]

démaquillant leite desmaquilhante [léïte dechmakiliànte]

> il faut que j'achète du démaquillant preciso de comprar um leite desmaquilhante [preussizou de kõmprar oum léïte dechmakiliànte]

---

demander   **INFO**

> est-ce que cette place est libre ? este lugar está livre? [échte lougar chtà livre]
> où se trouve la gare ? onde é que fica a gare? [õnde è ke fikà à gare?]
> pouvez-vous m'aider à attraper ma valise, s'il vous plaît ? pode-me ajudar a agarrar a minha mala, se faz favor? [paude-me ajoudàr à agarràr à mignà màlà se fach favaur?]
> tu peux me donner un coup de main ? podes dar-me uma mãozinha? [paudech-me dàr oumà maouzignà?]

---

démarrer arrancar [àrrānkàr]
> ▶ la voiture ne veut pas démarrer o carro não quer arrancar [ou karou naou kère àrrānkàr]

demi-heure meia hora [méyou orà]
> ▶ on se retrouve dans une demi-heure ? encontramo-nos daqui a meia hora? [ēnkōntramou-nouch daki à méyà orà?]

demi-journée meio-dia [méyou dia]
> ▶ peut-on louer un bateau à la demi-journée ? pode-se alugar um barco por meio-dia? [pôde-se alougar oum barkou pour méyou dia?]

demi-pension meia pensão [méyà pēnssaou]
> ▶ est-ce que vous faites la demi-pension ? fazem meia-pensão? [fazeï méyà pēnssaou?]

demi-tour meia volta [méyà voltà]
> ▶ où puis-je faire demi-tour ? onde é que posso dar meia volta? [õnde è ke paussou dar méyà voltà?]

dent dente [dēnte]
> ▶ j'ai mal aux dents doem-me os dentes [doïyēn-me ouch dēntech]
> ▶ je me suis cassé une dent parti um dente [pàrti oum dēnte]

dentiste dentista [dēntichtà]
> ▶ je dois voir un dentiste de toute urgence que ir de urgência ao dentista [tagnou ke ir de ourjēnssià aou dēntichtà]

dépanneuse reboque [rebauke]
> ▶ pourriez-vous nous envoyer une dépanneuse ? podia(m)/poderia(m) enviar-nos o reboque? [paudia(aou)/pauderia(aou) ēnviar-nouch ou rebauke?]

départ partida [partidà]; (adieux) despedida [dechpeudidà]
> ▶ à quelle heure est le départ ? a que horas é a partida? [a ke orach è à pàrti-dà?]
> ▶ j'organise une petite soirée pour mon départ estou a organizar uma pequena festa para a minha despedida [chtou à organizàr oumà pekénà fechtà pàrà à mignà dechpeudidà]

dépêcher (se) despachar-se [dechpachar-se]
> ▶ dépêchez-vous ! despachem-se! [dechpassaï-se!]

dépendre depender [depēndère]
> ▶ ça dépend isso depende de [issou depēnde de]
> ▶ désolé, ça ne dépend pas de moi lamento, mas isso não depende de mim [lamēntou mach issou naou depēnde de mï]

D de

déposer *(en voiture, scooter)* deixar [déï-char]
- ▶ pouvez-vous me déposer ici ? será que me podia(m) deixar aqui ? [seurà ke me podia(aou) déïchar aki ?]
- ▶ je te dépose quelque part ? onde é que queres que te deixe ? [õnde è ke kèreuch ke te déïche ?]

depuis haver/desde [àvère/déchde]
- ▶ je suis là depuis une semaine há uma semana que estou aqui [à oumà sèmànà ke chtou àki]
- ▶ il y a un homme qui me suit depuis un moment há um homem que me está a seguir desde à bocado [à oum omaï ke me chtà a seguir déchde à boukàdou]

dérailler *(vélo)* despistar-se [dechpichtàr]
- ▶ j'ai déraillé despistei-me [dechpichtéï-me]

déranger incomodar [ïnkoumoudàr]
- ▶ ça ne vous dérange pas ? isso não o(a) incomoda ? [issou naou ou(a) ïnkoumodà ?]

dérive rota/rumo [rôtà/roumou]
- ▶ nous avons perdu la dérive perdemos o rumo [perdémouch ou roumou]

dernier último [oultimou]
- ▶ à quelle heure part le dernier bus ? a que horas parte o último autocarro ? [a ke orach pàrte ou oultimou aoutaukarou ?]

descendre descer [dechssère]
- ▶ où dois-je descendre ? onde é que devo descer ? [õnde èke dévou dechssère ?]
- ▶ pourriez-vous me laisser descendre ici, s'il vous plaît ? podia(m)/poderia(m) deixar-me descer aqui, se faz favor ? [paudia(aou)/pauderia(aou) déïcharme dechssère aki, se fach favaur ?]

désinfectant desinfectante [dezïnfètãnte]
- ▶ avez-vous un désinfectant ? tem um desinfectante ? [taï oum dezïnfètãnte ?]

désolé desculpe [dechkoulpe]
- ▶ je suis désolé, mais je ne peux pas venir samedi lamento, mas não posso vir no sábado [lamêntou mach naou paussou vir nou sàbàdou]

ZOOM
desserts

Pourquoi trouve-t-on tant de desserts à base de jaunes d'œufs ? Parce que les nonnes amidonnaient leurs cornettes avec le blanc des œufs... Que faire alors des jaunes, Seigneur ? « Faites donc des desserts ! » leur répondit-il sans doute car beaucoup ont été conçus dans les couvents. Notamment les Barrigas de Freira, soit « ventres de nonne » (jaunes d'œufs, pain et sirop) et le charmant Toucinho do Céu (« petit lard céleste » !). On trouve aussi les Queijadas de Sintra (tartelettes au fromage blanc) et les pastéis de nata (petits flans) pour lesquels, franchement, on se damnerait.

▶ désolé d'être en retard desculpe(m) o meu atraso [dechkoulpe(éï) ou méou atrazou]

dessert sobremesa [soubremézà]
▶ qu'avez-vous comme desserts ? que sobremesas é que tem? [ke soubremézach è ke taï?]

détester detestar [detechtar]
▶ je déteste le foot detesto futebol [detechtou foutebaule]

devant diante/frente [diante/frènte]
▶ on se retrouve devant le musée ? encontramo-nos diante do museu? [ênkôntramou-nouch diânte dou mouzéou?]
▶ la porte de devant est fermée a porta da frente está fechada [a portà dà frènte chtà feuchàdà]

développer revelar [revelar]
▶ je voudrais faire développer cette pellicule queria mandar revelar este rolo [keria mãndar revelar échte raulou]

déviation desvio [dechviou]
▶ y a-t-il une déviation ? existe um desvio? [izichte oum dechviou?]

devoir dever [devère]
▶ combien je vous dois ? quanto lhe devo? [kouantou lieu dévou?]
▶ qu'est-ce que je dois faire ? o que é que devo fazer? [ou ke è ke dévou fazère?]

diabétique diabético [diàbètikou]
▶ je suis diabétique, il me faut une ordonnance d'insuline sou diabético, preciso de uma receita de insulina [çoou diàbètikou preussizou de oumà resséïtà de ïnssoulina]

diarrhée diarreia [diàréyà]
▶ je voudrais un médicament contre la diarrhée queria um medicamento contra a diarreia [keria oum medikamêntou kôntrà à diàréyà]

différence diferença [diferẽnçà]
▶ allez-vous me rembourser la différence ? vai-me reembolsar a diferença? [vaï-me reẽmbolssar a diferẽnçà?]

difficile difícil [difissil]
▶ je trouve ça difficile acho isso difícil [achou issou difissil]

dimanche domingo [doumĩngou]
▶ où puis-je trouver un médecin un dimanche ? onde é que posso encontrar um médico ao domingo? [õnde è ke paussou ẽnkõntrar oum médikou aou doumĩngou?]

▶ les magasins sont-ils ouverts le dimanche ? as lojas estão abertas ao domingo? [ach laujach chtaou abèrtach aou doumïngou?]

dîner jantar [jäntar]

▶ à quelle heure le dîner est-il servi ? a que horas servem o jantar ? [a ke orach serrevaï ou jäntar?]

▶ on dîne ensemble ce soir ? jantamos juntos(as) esta noite? [jäntamouch jountouch(ach) echta noïte?]

dire *(exprimer)* dizer [dizère] ; *(sembler)* parecer [paressère]

▶ comment dit-on « de rien » en portugais ? como é que se diz "de rien" em português? [koumou è ke se dich "de rien" aï pourtouguèche?]

▶ on dirait qu'il va pleuvoir parece que vai chover [parèsse ke vaï chouvère]

▶ ça te dit d'aller... ? apetece-te ir...? [apeutèsse-te ir?]

direct directo [dirètou]

▶ s'agit-il d'un train direct ? é um comboio directo? [è oum kömboyou dirètou?]

direction direcção [dirèssaou]

▶ quelle direction faut-il suivre pour arriver sur l'autoroute ? qual é a direcção que devo seguir para chegar à autoestrada? [koual è a diressaou ke dévou seguir pàrà chegàr à aoutoéchtràdà?]

▶ je me suis trompé de direction enganei-me de direcção [ënganéï-me de diréssaou]

discothèque discoteca [dichkotèkà]

▶ y a-t-il des discothèques sympas ici ? há discotecas porreiras por aqui? [à dichkotèkach pouréïrach?]

disjoncteur disjuntor [dichjüntaur]

▶ où est le disjoncteur ? aonde está o disjuntor? [àònde chtà ou dichjüntaur?]

disparaître desaparecer [dezapareussère]

▶ mon enfant a disparu o meu filho desapareceu [ou méou filiou dezapareusséou]

▶ mon portefeuille a disparu o meu porta-moedas desapareceu [o méou paurtà mouédach dezapareusséou]

disponible disponível [dichponivelle]

▶ êtes-vous disponible jeudi soir ? estão disponíveis na quinta-feira à noite? [chtaou dichponivéïch na kïntà féïrà à noïte?]

disque disco [dichkou]

▶ je cherche un magasin de disques procuro uma loja de discos [prokourou oumà lojà de dichkouch]

distance distância [dichtãnçià]
 ▶ à quelle distance se trouve le marché ? a que distância se encontra o mercado? [a ke dichtãnçià se ẽnkõntrà ou merkadou?]

distributeur *(d'argent)* caixa automática [kaïchà aoutomàtikà]
 ▶ le distributeur de billets a avalé ma carte a caixa automática engoliu o meu cartão [kaïchà aoutomàtikà ẽngouliou ou méou kartaou]

docteur médico [médikou]
 ▶ j'ai besoin de voir un docteur preciso de ir ao médico [pressizou de ir aou médikou]

documentation documentação [doukoumẽntassaou]
 ▶ avez-vous de la documentation sur… ? têm alguma documentação sobre…? [taï algoumà doukoumẽntassaou?]

doigt dedo [dédou]
 ▶ doigt de pied dedo do pé [dédou dou pè]
 ▶ je me suis tordu un doigt torci um dedo [tourssi oum dédou]

dommage pena [péna]
 ▶ (quel) dommage ! que pena! [ke péna!]

donner dar [dàr]
 ▶ pourriez-vous nous donner l'adresse d'un bon hôtel ? podia-me/poderia-me dar o endereço de um bom hotel? [paudia-me/pauderià-me dàr ou ẽnderéssou de oum bon hotel?]
 ▶ tu peux me donner un coup de main ? podes dar-me uma mãozinha? [paudech dàr-me ouma maouzignà?]

dormir dormir [dourmir]
 ▶ j'ai bien dormi dormi bem [dourmi baï]
 ▶ je n'arrive pas à dormir não consigo dormir [naou kõnssigou dourmir]

dos costas [kochtàch]
 ▶ j'ai mal au dos doem-me as costas [doaï-me ach kochtàch]

double *(copie)* duplicado [douplikàdou]
 ▶ y a-t-il un double de la clé ? há algum duplicado da chave? [à algoum douplikàdou dà chàve?]

doubler *(dépasser)* ultrapassar [oultrapassàr] ; *(film)* dobrar [doubrar]
 ▶ peut-on doubler sur cette route ? pode-se ultrapassar nesta estrada? [paude-se oultrapassàr nechtà échtràdà?]

▶ le film est-il doublé ? o filme é dobrado? [ou filme è doubradou?]

douche duche [douche]
- ▶ je voudrais une chambre avec douche, s'il vous plaît queria um quarto com duche se faz favor [keria oum kourtou kon douche se fach favour]
- ▶ j'ai envie de prendre une douche apetece-me tomar um duche [apeu-tèsse-me toumar oum douche]
- ▶ où se trouvent les douches ? aonde ficam os duches? [aonde fikaou ouch douchech?]

doué jeito [jéítou]
- ▶ tu es très douée en planche ! tens imenso jeito para a prancha! [taïch imênsou tèr jéítou pàra prãncha!]

douleur dor [dor]
- ▶ je voudrais quelque chose contre la douleur queria qualquer coisa para a dor [keria koualkère koïzà pàra à dor]

draguer engatar [ēngàtàr]
- ▶ je me suis fait draguer hier en boîte ontem, fui engatado(a) na discoteca [ōntéí fouï ēngàtàdou(à) na dichkoutèkà]

drap lençol [lēnssol]
- ▶ y a-t-il d'autres draps ? há mais lençóis? [à maïch lēnssoïch?]

drapeau (sur la plage) bandeira [bãndéïra]
- ▶ drapeau orange bandeira amarela [bãndéïra amarèla]
- ▶ drapeau rouge bandeira encarnada [bãndéïra ēnkarnàdà]
- ▶ aujourd'hui, c'est drapeau vert hoje está bandeira verde [oje chtà bãndéïra vérde]

droit direito [diréïtou]
- ▶ on a le droit de fumer ici ? temos o direito de fumar aqui? [témouch ou diréïtou de foumar aki?]
- ▶ il faut aller tout droit é preciso ir a direito [è preussizou ir à diréïtou]

droite direita [diréïta]
- ▶ la voiture venait de la droite o carro vinha da direita [ou karou vignà dà di-réïtà]

durer durar [dourar]
- ▶ combien de temps dure le voyage ? quanto tempo dura a viagem? [kouantou tēmpou dourà à viajaï?]

duvet (sac de couchage) saco-cama [sakou kàmà]
- ▶ j'ai apporté mon duvet pour dormir trouxe o meu saco-cama para dormir [tröousse ou méou sakou kàmà pàrà dourmir]

E

eau água [àgouà]
- ▶ eau gazeuse água com gás/água gaseificada [àgouà kon gach/àgouà gazéïfikàda]
- ▶ eau minérale água mineral [àgouà mineral]
- ▶ eau plate água sem gás [àgouà saï gach]
- ▶ eau non potable água não potável [àgouà naou poutàvelle]
- ▶ eau potable água potável [àgouà poutàvelle]
- ▶ eau du robinet água da torneira [àgouà da tournéïrà]
- ▶ pourriez-vous m'apporter de l'eau, s'il vous plaît ? trazia-me água se faz favor? [tràzià-me àgouà se fach favaur?]
- ▶ il n'y a pas d'eau chaude não há água quente [naou à àgouà kēnte]

échanger mudar [moudàr]
- ▶ j'aimerais échanger mon billet d'avion gostaria de mudar o meu bilhete de avião [gochtarià de moudar ou méou bilïète de aviaou]

échauffer (s') aquecer [akèçèr]
- ▶ j'aimerais m'échauffer un peu avant queria aquecer um pouco antes [keria akèçèr oum pôkou ãntech]

école escola [chkôla]
- ▶ à quelle heure ouvre l'école de voile ? a que horas abre a escola de vela ? [a ke ôràch abre a chkôla de vèla?]
- ▶ je fais une école de commerce estudo numa escola comercial [chtoudou noumà chkolà koumerçial]

écouter escutar/ouvir [échkoutàr/ôouvir]
- ▶ écoutez-moi ! escuta-me!/ouve-me! [échkoutà-me!/ôouve-me!]

écrire escrever [échkreuvère]
- ▶ pourriez-vous l'écrire, s'il vous plaît ? podia(m) escrever-lhe, por favor? [paudia(aou) éckcreuvère-lieu pour favaur?]
- ▶ comment s'écrit votre nom ? como é que se escreve o seu nome? [komou è ke se échkrève ou séou nome?]

égal igual [igouàl]
- ▶ ça m'est égal é-me igual ao litro [è me igoual aou litrou]

église igreja [igréjà]
- ▶ de quelle période date cette église ? de que época é esta igreja? [de ke épouka é èchta igréjà?]

électricité electricidade [ilètressidàde]
- il y a une panne d'électricité há um corte de electricidade [à oum korte de ilètressidade]

elle ela [èlà]
- elle le mène par le bout du nez ela faz dele gato sapato [èlà fach déle gàtou sapàtou]

e-mail email [iméïl]
- je voudrais envoyer un e-mail queria enviar um email [kerià ēnviar oum iméïl]
- où puis-je consulter mes e-mails ? aonde é que posso consultar os meus emails? [ōnde è ke paussou konssoultàr ouch méouch iméïlch?]

emballer embrulhar [ēmbrouliar]
- pouvez-vous me l'emballer, s'il vous plaît ? pode-me embrulhá-lo(la) se faz favor? [paude-de ēmbroulià-lou(là) se fach favaur?]

embarquement embarque [ēmbàrke]
- quelle est l'heure d'embarquement ? a que horas é o embarque? [a ke orach è o ēmbàrke?]
- je ne trouve plus ma carte d'embarquement não encontro o meu cartão de embarque [naou ēnkontrou ou méou kartaou de ēmbàrke]
- où se trouve la salle d'embarquement ? onde fica a sala de embarque? [onde fikà à sàlà de ēmbàrke?]

embêter *(gêner)* incomodar [īnkoumoudar]
- ça t'embête si je fume ? incomoda-te se fumar? [īnkoumoudà-te se foumàr?]

embouteillage engarrafamento [ēngaràfàmēntou]
- on a été bloqués dans un embouteillage ficámos parados num engarrafamento [fikàmouch paradouch noum ēngaràfàmēntou]

embrasser beijar/dar um beijo [béïjar/dar oum béïjou]
- j'aimerais t'embrasser gostava de te beijar/te dar um beijo [gouchtava de te béïjar/de te dar oum béïjou]

emplacement *(dans un camping)* lugar [lougar]
- je voudrais réserver un emplacement pour deux nuits queria reservar um lugar para duas noites [kerià reuseurvàr oum lougàr pàrà douàch noïtech]
- vous reste-t-il des emplacements plus éloignés de la route ? ainda têm lugares afastados da estrada? [aïnda taï lougarech afachtadouch da chtràdà?]

emprunter pedir emprestado [peudir ēmprechtàdou]
- je peux emprunter ton vélo ? posso-te pedir emprestada a tua bicicleta? [paussou-te peudir ēmprechtàdà à touà biciclètà?]

enchanté *(politesse)* ser um prazer [sére oum pràzère]

▸ enchanté, moi c'est Jean é um prazer, eu sou o João [è oum pràzère éou sõou ou Jouàou]

▸ au revoir ! enchanté d'avoir fait votre connaissance adeus! foi um prazer tê-lo(la) conhecido [àdéouch! foï oum pràzère té-lou(là) kougnessidou]

encore ainda [aïndà]

▸ combien de kilomètres reste-t-il encore ? quantos quilómetros faltam ainda? [kouantouch kilomètrouch faltaou aïndà?]

▸ est-ce qu'on peut encore avoir du pain ? será que ainda podemos ter pão? [seurà ke aïndà paudémouch tère paou?]

▸ on ne nous a pas encore servis ainda não nos serviram [aïndà naou nouch serviraou]

enfant *(en général)* criança [criàngà] ; *(fils/fille)* filho/a [filiou/a]

▸ avez-vous un menu enfant ? tem um menu para crianças? [taï oum menou pàrà criàngà?]

▸ deux adultes et deux enfants, s'il vous plaît dois adultos e duas crianças, se faz favor [doïch adoultoch i douach criàngàch, se fach favaur]

▸ as-tu des enfants ? tens filhos? [taïch filiouch?]

enfler inchar [ïnchàr]

▸ ma cheville est enflée depuis plusieurs jours o meu tornozelo está inchado há vários dias [ou méou tournouzélou chtà ïnchàdou à variouch diach]

ennuyer (s') aborrecer-se [abouressère-se]

▸ allons-nous-en, on s'ennuie trop ici ! vamos embora, aborrecemo-nos demais aqui! [vàmouch émborà abouressémo-nouch demàïch àki!]

enregistrement *(bagages)* registo [regichtou]

▸ à quelle heure commence l'enregistrement des bagages ? a que horas começa o registo das bagagens? [a ke orach kouméssà ou regichtou dach bagajéich?]

▸ où se fait l'enregistrement des bagages du vol pour Paris ? aonde é que se faz o chek-in? [aõnde è se se fach ou check-in?]

enregistrer *(bagages)* fazer o chek-in [fazère ou check-in]

▸ où dois-je enregistrer mes bagages ? aonde é que faço o chek-in? [aõnde è ke fassou ou check-in?]

ensemble juntos(as) [jõuntouch(ach)]

▸ allons-y ensemble ! vamos juntos(as)! [vàmouch jüntouch(ach)!]

entendre ouvir [ôouvir] ; *(sympathiser)* entender-se [êntêndère-se]

▸ j'ai beaucoup entendu parler de vous ouvi falar muito de si/dos senhores [ôouvi fàlàr mouïtou de si/douch segnorech]

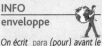

> en principe, je m'entends bien avec tout le monde em princípio, entendo-me bem com toda a gente [aï prîncipiou êntêndou-me baï kôm todà à jênte]

entrée entrada [êntràdà]
> l'entrée est-elle payante ? a entrada é paga? [a êntràdà è pàga?]
> je vais prendre une entrée et un plat vou pedir uma entrada e um prato [vôou pedir ouma êntràdà i oum pràtou]

entrer entrar [êntrar]
> puis-je entrer ? posso entrar? [possou êntrar?]
> entrez ! entre(m)! [êntre(aï)!]

enveloppe envelope [ênvelope]
> je voudrais une enveloppe, s'il vous plaît queria um envelope se faz favor [kerià oum ênvelope se fach favaur]

envie vontade [vontàde]
> je n'ai pas envie d'y aller não vontade de ir lá [naou tagnou vontàde de ir là]
> j'ai envie de toi quero-te [kérou-te]

environ cerca de [çèrkà de]
> je peux rester une heure environ posso ficar cerca de uma hora [possou fikàr çerkà de oumà ôrà]

environs *(proximité)* arredores [àredorech]
> que nous conseillez-vous comme promenade dans les environs ? o que nos aconselha(m) como passeio nos arredores? [ou ke nouch akonsélia(aou) komou passéyou nouch àredorech?]

envoyer enviar [ênviàr]
> je voudrais envoyer ce colis en France queria enviar este pacote para França [kerià ênviàr èchte pàkaute pàrà Frãnçà]

épicé condimentado [kondimêntàdou]
> est-ce que c'est épicé ? é muito condimentado? [è mouytou kondimêntàdou?]

épicerie mercearia [merçiàrià]
> il y a une épicerie dans le quartier ? há alguma mercearia aqui no bairro? [à algoumà merçiàrià aki nou baïrou?]

INFO

On écrit *para (pour)* avant le nom pour marquer le respect. Avant le prénom d'une femme, on écrit D. *(dona)* ou, s'il y a lieu, son titre académique *(Dra., Enga., Arqta.,* etc.). Enfin, on indique dans l'ordre le nom de la rue, le numéro de l'immeuble, l'étage et la situation sur le palier : *Dto. (droit)/* Edo. *(gauche).*

épiler depilar [depilar]
> ► je voudrais me faire épiler les jambes queria depilar as pernas [kerià depilar àch pèrnàch]
> ► auriez-vous une pince à épiler ? tem uma pinça de depilação? [taï oumà pïnça de depilassaou?]

équipé equipado/preparado [ékipadou/preparadou]
> ► êtes-vous équipés pour les handicapés ? estão equipados para deficientes? [chtaou ékipadouch parà defiçiëntech?]

équitation equitação [ikitaçaou]
> ► j'ai déjà fait un peu d'équitation já fiz/pratiquei equitação [jà fich/ pratikéï ikitaçaou]

erreur erro [érou]
> ► je crois qu'il y a une erreur dans l'addition parece-me que há um erro na conta [parèsseu-me ke à oum érou na kõnta]

escalade escalada [chkalàda]
> ► peut-on faire de l'escalade ici ? pode-se fazer escalada aqui? [pôde-se fazère chkalàda aki?]

escalier escada [chkàda]
> ► escalier roulant escada rolante [chkàda roulänte]
> ► je suis tombé dans les escaliers caí na escada [kaï na chkàda]

espèces (argent) líquido [likidou]
> ► faut-il payer en espèces ? é preciso pagar em líquido? [è preussizou pàgàr aï likidou?]

essayer (vêtement, chaussures) experimentar [échperimëntàr]
> ► je peux l'essayer ? posso experimentar? [paussou échperimëntàr?]
> ► je voudrais essayer la robe qui est en vitrine queria experimentar o vestido que está na montra [keria échperimëntàr ou vechtidou ke chtà na mõntra]

essence gasolina [gazoulina]
> ► où puis-je trouver de l'essence ? aonde posso encontrar gasolina? [àõnde paussou ênkõntrar gazoulina?]
> ► je suis en panne d'essence não gasolina [naou tagnou gazoulina]

essuie-glace limpa-vidros [lïmpà vidrouch]
> ► les essuie-glaces ne marchent pas o limpa-vidros não funciona [ouch lïmpà vidrouch naou fünssiaunà]

essuyer limpar [lïmpàr]
> ► où puis-je m'essuyer les mains ? aonde é que posso limpar as mãos? [àõnde è ke paussou lïmpàr ach màouch?]

▶ tu veux que j'essuie la vaisselle ? queres que limpe a louça? [kèrech ke límpe à lôouça?]

étage andar [ãndàr]

▶ c'est à quel étage ? em que andar é que é? [aï ke ãndàr è ke è?]

été Verão [veraou]

▶ je suis déjà venu en été Já vim no Verão [jà vîm nou veraou]

éteindre *(lumière)* apagar [apagàr] ; *(appareil)* desligar [dechligàr]

▶ où éteint-on la lumière ? aonde é que se apaga a luz? [àônde è ke se apàga a louch?]

▶ mon portable était éteint o meu telemóvel estava desligado [ou méou télémovelle chtàva dechligàdou]

être ser/estar [sère/chtàr]

▶ bonjour, c'est Gabriel Bom dia, é o Gabriel [bon dià è ou gabrielle]

▶ d'où êtes-vous ? De onde é/são? [de onde è/saou?]

▶ je suis de Paris Sou de Paris [sôou de pàrich]

▶ quel jour sommes-nous ? em que dia estamos? [aï ke dià chtàmouch?]

études estudos [chtoudouch]

▶ je fais des études de comptabilité estudo contabilidade [chtoudou contabilidàde]

étudiant estudante [chtoudãnte]

▶ carte d'étudiant cartão de estudante [kàrtaou de chtoudãnte]

▶ tu es étudiant ? és estudante? [èche chtoudãnte?]

▶ je suis étudiante sou estudante [sôou chtoudãnte]

▶ y a-t-il des réductions pour les étudiants ? há descontos para estudantes? [à dechkontouch pàrà ouch chtoudãntech?]

euro euro [éourou]

▶ ça coûte 10 euros custa dez euros [kouchta dèch éourouch]

eux eles [éleuch]

▶ elle est partie avec eux ela partiu com eles [èlà partiou kon éleuch]

évanouir (s') desmaiar [dechmayàr]

▶ je me suis évanoui(e) desmaiei [dechmayéí]

évier lava-louça [làva-lôouçà]

▶ l'évier est bouché o lava-louça está entupido [ou làva-lôouçà chtà ãntoupidou]

excédent *(surcharge)* excesso de peso [chséssou de pézou]

▶ est-ce que j'ai un excédent de bagages ? excesso de peso nas bagagens? [tagnou chséssou de pézou nach bagagéïch?]

excursion excursão [chkoursaou]
- ▶ j'aimerais m'inscrire pour l'excursion de samedi gostaria de me inscrever na excursão de sábado [gouchtarià de me chkrevère na chkoursaou de sàbàdou]
- ▶ vous allez à l'excursion ? Vai/vão à excursão? [vai/vaou à chkoursaou?]

excuser desculpar [dechkoulpàr]
- ▶ excusez-moi desculpe [dechkoulpe]
- ▶ excuse-moi pour mon retard desculpa o meu atraso [dechkoulpa ou méou àtràzou]
- ▶ excusez-moi de vous déranger desculpe(m) o incómodo/desculpe(m) incomodá-lo(s) [dechkoulpe(aï) ou ïnkaumoudou/dechkoulpe(aï) ïnkaumoudàlou(ch)]

expliquer explicar [chplikàr]
- ▶ peux-tu m'expliquer ce que cela veut dire ? podes explicar-me o que isto quer dizer? [paudech chplikàr-me ou ke ichtou kère dizère?]

exposition exposição [chpouzisaou]
- ▶ le ticket est valable aussi pour l'exposition ? o bilhete também é válido para a exposição? [ou biliète tãmbaï è vàlidou pàrà à chpouzisaou?]

exprès de propósito [de proupauzitou]
- ▶ désolé, je ne l'ai pas fait exprès desculpe(m), não fiz de propósito [dechkoulpe(aï) naou fich de proupauzitou]

extérieur lá fora [là faurà]
- ▶ on serait mieux à l'extérieur estávamos melhor lá fora [chtàvamouch melior là faurà]

F

fac (*familier*) faculdade [fakouldàde]
- ▶ tu vas à la fac ? vais à faculdade? [vaïch à fakouldàde?]

s'excuser	INFO
▶ je regrette de ne pas pouvoir venir samedi lamento não poder vir no sábado [lamẽntou naou paudère vir nou sàbado]	
▶ je suis désolée desculpe [dechkoulpe]	
▶ pardon ! desculpe! [dechkoulpe!]	

facile fácil [fàcil]
- je voudrais quelque chose de facile à transporter queria algo fácil de transportar [kerià algou fàcil de trãnchpourtàr]

facture factura [fàtoura]
- pouvez-vous préparer la facture ? pode fazer a factura? [paude fàzère à fàtoura?]

faible *(état de santé)* fraco [fràkou]
- je me sens très faible sinto-me muito fraco(a) [sîntou-me mouytou fràkou(à)]

faim fome [faume]
- j'ai super faim imensa fome [tagnou imènsà faume]
- je commence à avoir faim começo a ter fome [kouméssou à tère faume]
- je n'ai plus faim, merci já não fome, obrigado(a) [jà naou tagnou faume obrigàdou(a)]

faire *(agir)* fazer [fàzère] ; *(taille)* calçar/vestir [kàlçàr/vechtir]
- que faites-vous dans la vie ? o que faz na vida? [ou ke fach na vidà?]
- je fais des études de médecine estudo medicina [chtoudou medicjinà]
- que fais-tu ce soir ? o que é que fazes esta noite? [ou ke è ke fazech échta noïte?]
- puis-je faire quelque chose pour vous aider ? posso fazer alguma coisa para o(s) ajudar? [paussou fàzère algoumà koïza pàrà ou(ch) ajoudàr?]
- je fais du 40 calço/visto o 40 [kàlçou/vichtou ou kouarènta]

falloir ser preciso [sère preussizou]
- il faut que je sois à l'aéroport à six heures é preciso estar no aeroporto às seis horas [è preussizou chtàr nou aèropaurtou àch seïch ôràch]

famille família [familià]
- j'ai de la famille à Lisbonne família em Lisboa [tagnou familià aï lichboa]

fauteuil roulant cadeira de rodas [kàdéïra de rôdach]
- est-ce accessible en fauteuil roulant ? é acessível em cadeira de rodas? [è assessivele aï kàdéïra de rôdach?]

faux *(incorrect)* errado [iradou]
- excusez-moi, j'ai fait un faux numéro desculpe, marquei um número errado [dechkoulpe màrkéï oum noumerou iradou]

fax fax [fax]
- est-il possible d'envoyer un fax d'ici ? é possível mandar um fax daqui? [è poussivele mãndàr oum fax dàki?]

félicitations parabéns [pàràbaïch]
- toutes mes félicitations ! parabéns! [pàràbaïch!]

fenêtre janela [jànéla]
- ▶ je voudrais une place côté fenêtre queria um lugar à janela [kerià oum lougàr à jànéla]
- ▶ puis-je ouvrir la fenêtre ? posso abrir a janela [paussou abrir à jànéla?]

fer à repasser ferro de passar [férou de passàr]
- ▶ pouvez-vous me prêter un fer à repasser ? pode(m)-me emprestar um ferro de passar? [paude(éï)-me ëmprechtàr oum férou de passàr?]

fermé fechado [fechàdou]
- ▶ l'auberge est-elle fermée la nuit ? a estalagem está fechada à noite ? [a chtalàjéï chtà fechàdà à noïte?]

fermer fechar [fechàr]
- ▶ à quelle heure ferment les magasins ? a que horas fecham as lojas? [a ke ôràch fèchaou ach laujach?]
- ▶ ça ne ferme pas isto não fecha [ichtou naou fécha]

ferry ferry-boat [féri bôoute]
- ▶ à quelle heure part le prochain ferry ? a que horas parte o próximo ferry-boat? [à ke ôrach pàrte ou prossimou féri bôoute?]

fête festa [fèchta]
- ▶ fête nationale festa nacional [fèchtà naciounàl]
- ▶ on fait la fête ce soir ? vamos para a pândega esta noite? [vamouch pàrà a pândega échtà noïte?]
- ▶ je vous souhaite de très bonnes fêtes de fin d'année desejo-lhe(s) umas excelentes festas de fim de ano [dezèjou-lieu(ch) oumàch éïchsselëntech fèchtàch de fîm de anou]

feu *(de signalisation)* semáforo [semàfourou] ; *(flamme)* lume [loume] ; *(incendie)* fogo [faugou]
- ▶ feu d'artifice fogo de artifício [fogou de artifissiou]
- ▶ feu rouge semáforo vermelho [semàfourou verméliou]
- ▶ arrêtez-vous au feu pare no semáforo [pare nou semàfourou]
- ▶ avez-vous du feu ? tem lume? [taï loume?]
- ▶ au feu ! fogo! [faugou!]

feu de camp fogueira [fougéïra]
▶ les feux de camp sont-ils autorisés ? as fogueiras são autorizadas? [ach fougéïrach saou aooutorizadach?]

février Fevereiro [fevéréïrou]
▶ je pense revenir en février penso voltar em Fevereiro [pênsou vaultàr aï feveréïrou]

fièvre febre [fèbre]
▶ j'ai de la fièvre febre [tagnou fèbre]

filet rede [réde]
▶ la balle a touché le filet a bola tocou na rede [a bola touko na réde]

fille *(descendante)* filha [filia] ; *(femme)* rapariga [ràpàrigà] ; *(enfant)* menina [meuninà]
▶ je suis fille unique sou filha única [sôou filià ounikà]
▶ je préfère les filles aux cheveux longs prefiro as raparigas com cabelos compridos [preufirou ach ràpàrigàch kon kàbélouch coumpridouch]
▶ c'est pour une petite fille de 4 ans é para uma menina de quatro anos [è pàrà oumà meuninà de kouatrou anouch]

film filme [filme]
▶ as-tu vu le dernier film de… ? viste o último filme de…? [vichte ou oultimou filme de?]

filmer filmar [filmàr]
▶ a-t-on le droit de filmer dans ce musée ? pode-se filmar neste museu? [paude-se filmar néchte mouzéou?]

fils filho [filiou]
▶ j'ai un fils de trois ans um filho com quatro anos [tagnou oum filiou de kouatrou anouch]

fin fim [fim]
▶ à la fin de… no fim de… [nou fim de]
▶ en fin de compte… no fim de contas… [nou fim de kontàch]
▶ on se retrouve en fin de journée ? encontramo-nos ao fim da tarde? [ênkontràmou-nouch aou fim da tàrde?]

flash flash [flash]
▶ on peut faire des photos avec flash ici ? pode-se tirar fotografias com flash aqui? [paude-se tiràr foutougrafiàch kon flash aki?]

foc *(voile)* vela de proa [vèla de proa]
▶ le foc est troué a vela de proa está furada [a vèla de proa chtà fouradà]

fois vez [vèch]
▶ je suis déjà venu une fois já vim uma vez [jà vïm oumà vèche]

INFO
mettre les formes

*Les Portugais sont assez for-
mels. Ils s'appellent volontiers*
Senhor *ou* Senhora *(ou même*
Dona *s'il y a une certaine distance) et seront très vexés si
vous ne mentionnez pas leur
(s) titre(s)... Au Portugal, on
termine encore les lettres par*
Lembranças para vós *(Meil-
leurs souvenirs) ou même*
Vossa Excelência *(Votre Ex-
cellence) !*

▶ une autre fois, peut-être ? talvez uma outra vez? [talvèche outrà vèche?]

foncé escuro [chkourou]
▶ le bleu foncé est ma couleur préférée o azul escuro é a minha cor preferida [ou azoul chkourou è a mignà kôr preferidà]

fond fundo [fûndou]
▶ je préfère m'asseoir au fond prefiro sentar-me ao fundo [prefirou sëntàr-me nou fûndou]
▶ fonds marins fundo marinho/fundo do mar [fûndou marignou/fûndou dou marre]
▶ est-ce que les fonds sont beaux par ici ? o fundo do mar é bonito aqui? [ou fûndou dou marre è bounitou aki?]

fond de teint base (de maquilhagem) [bàze (de makiliajaï)]
▶ tu me prêtes ton fond de teint ? emprestas-me a tua base? [aïprèchtachme à toua bàze?]

foot futebol [foutebol]
▶ on se fait un petit foot ? vamos jogar futebol? [vamouch jougàr foutebol?]

footing footing [fouting]
▶ on fait un footing demain matin ? fazemos footing amanhã de manhã? [fazémouch fouting àmagnà de magnà?]

forfait preço especial [préssou échpecial]
▶ avez-vous des forfaits week-end ? tem preços especiais para o fim de semana? [taï préssouch échpeçiaïch pàrà ou fim de semànà?]

forme *(santé)* forma [fôrmà] ; *(rondeur)* formas [fôrmàch]
▶ tu as l'air en pleine forme ! estás em plena forma! [chtàch aï plénà fôrmà!]
▶ j'aime bien les filles qui ont des formes gosto das raparigas com formas [gochtou dàch ràpàrigàch kon fôrmàch]

formidable formidável [fourmidàvelle]
▶ c'est formidable ! é formidável! [è fourmidàvelle!]

formulaire formulário [fourmoulàriou]
▶ pouvez-vous me donner le formulaire à remplir ? pode-me dar o formulário para preencher? [paude-me dàr ou fourmoulàriou parà preênchère?]

fort alto [àltou]
▶ pouvez-vous parler plus fort ? pode(m) falar mais alto? [paude(aï) fàlàr maïch altou?]

fouler (se) fazer uma entorse [fazère oum ēntaurse]
▶ je me suis foulé la cheville fiz uma entorse no tornozelo [fich ouma ēntaurse nou tournouzélou]

fourchette garfo [gàrfou]
▶ pourriez-vous m'apporter une fourchette ? podia trazer-me um garfo, por favor ? [paudia trazère-me oum gàrfou pour fàvaur?]

fourrière parque da polícia [pàrke dà poulíçià]
▶ où est la fourrière ? onde fica o parque da polícia ? [ōnde è ke fika ou parke da poulíçià?]

fracture fractura [fràtourà]
▶ je pense que j'ai une fracture penso que uma fractura [pēnsou ke tagnou oumà fràtourà]

frais fresco [fréchkou]
▶ ce vin n'est pas assez frais este vinho não está suficientemente fresco [èchte vignou naou chtà soufiçiēntemènte fréchkou]
▶ il fait frais ce soir está fresco esta noite [chtà frechkou échtà noïte]

français francês [frānçèch]
▶ je suis française sou francesa [soou frānçézà]
▶ est-ce que vous parlez français ? fala(m) francês ? [fàlà(aou) frānçèch?]
▶ y a-t-il une visite en français ? há alguma visita guiada em francês ? [à àlgoumà vizità guiàdà aï frānçèch?]

France França [frānçà]
▶ j'habite en France vivo em França [vivou aï frānçà]
▶ êtes-vous déjà allé en France ? já foi/foram a França ? [jà foï/fauraou à frānçà?]

frein travão [travaou]
▶ frein à main travão de mão [travaou de màou]
▶ le frein arrière ne marche pas o travão de trás não está bom [ou travaou de trach naou chtà bon]
▶ les freins ne marchent pas bien os travões não estão bons [ouch travoïch naou chtaou bônch]

fréquence frequência [frekouēnçia]
▶ quelle est la fréquence des navettes ? qual é a frequência dos vai-vem ? [kouàl è à frekouēnçia doch vay-veï?]

frère irmão [irmaou]
▶ tu as des frères et sœurs ? tens irmãos e irmãs ? [taïch irmaouch i irmàch?]
▶ c'est ton petit frère ? é o teu irmão mais novo ? [è ou téou irmaou maïch nauvou?]

froid frio [friou]
  ▶ j'ai très froid tenho imenso frio [tàgnou imènsou friou]
  ▶ mon plat est froid o meu prato está frio [ou méou pràtou chtà friou]

fromage queijo [kéïjou]
  ▶ auriez-vous du fromage ? tem queijo? [taï kéïjou?]

fuite fuga [fougà]
  ▶ il y a une fuite dans le réservoir há uma fuga no depósito [à oumà fougà nou depauzitou]

fumée fumo [foumou]
  ▶ je ne supporte pas la fumée não suporto o fumo [naou soupaurtou ou foumou]
  ▶ la fumée ne me dérange pas o fumo não me incomoda [ou fumou naou me ïnkoumôdà]

fumer fumar [foumàr]
  ▶ est-ce que ça vous dérange si je fume ? incomoda-o(a) se eu fumar? [ïnkoumôdaou(a) se éou foumàr?]
  ▶ non merci, je ne fume pas não obrigada, não fumo [naou aubrigàdà naou foumou]

fumeur fumador [foumàdaur]
  ▶ y a-t-il un compartiment fumeur dans ce train ? existe um compartimento para fumadores no comboio? [izichte oum koûmpàrtimèntou pàrà foumàdorech nou konboyou?]

G

gagner ganhar [ganyàr]
  ▶ qui est-ce qui gagne ? quem é que está a ganhar? [kaï è ke chtà à ganyàr?]

galère (mésaventure) confusão [konfouzàou]
  ▶ quelle galère ! que confusão! [ke konfouzaou!]

gants luvas [louvach]
  ▶ tu peux me prêter tes gants ? podes emprestar-me as tuas luvas? [paudech ëmpreuchtar-me ach touach louvach?]
  ▶ c'est dans la boîte à gants está no guarda-luvas [chtà nou gouàrdà louvach]

garage (de réparation) oficina [ofiçinà]
  ▶ est-ce qu'il y a un garage par ici ? será que há uma oficina aqui por perto? [serà ke à oumà ofiçina àki pèrtou?]

> pourriez-vous me remorquer jusqu'à un garage ? será que me podia(m) rebocar até à oficina ? [será ke me paudia(ou) reboukàr àtè à ofiçinà?]

garagiste mecânico [mekânikou]
> savez-vous où je peux trouver un garagiste ? sabe(m) onde posso encontrar um mecânico? [sabe(éí) ônde paussou ēnkontràr oum mekânikou?]

garantie garantia [garãntià]
> combien de temps dure la garantie ? qual é a duração da garantia? [kouàl è à dourassaou dà garãntià?]

garçon rapaz/menino [rapàch/meninou]
> elle a deux garçons ela tem dois rapazes/meninos [èlà taï doïch ràpàzech/meninouch]
> garçon de café empregado de café [ēmpregàdou de kàfè]

garde (permanence) serviço [seurviçou]
> je veux voir le médecin de garde gostaria de ver o médico de serviço [gouchtarià de vère ou médikou de seurviçou]
> savez-vous où se trouve la pharmacie de garde ? sabe(m) onde fica a farmácia de serviço? [sabe(éí) ônde fika à fàrmàçià de seurviçou?]

garder (surveiller) guardar [gouàrdàr]; (conserver) ficar [fikàr]
> pouvez-vous garder mon sac quelques instants ? podia-me guardar o meu saco durante uns minutinhos? [paudia gouàrdàr ou méou sakou dourãnte ounch minoutignouch?]
> gardez la monnaie ! fique com o troco! [fike kon ou traukou!]

gare estação [chtassàou]
> gare routière estação rodoviária [chtassàou raudauviàrià]
> où est la gare ? onde fica a estação? [ônde fikà à chtassàou?]
> à la gare, s'il vous plaît ! para a estação, se faz favor! [pàrà à chtassàou, se fach favaur!]

garer estacionar [chtassiounàr]
> où puis-je garer ma voiture ? onde é que posso estacionar o meu carro? [ônde è ke paussou chtassiounàr ou méou karou?]
> est-il possible de se garer près de l'hôtel ? é possível estacionar perto do hotel? [è paussivelle chtassiounàr pèrtou dou hôtel?]

gâteau bolo [baulou]
> une part de gâteau au chocolat, s'il vous plaît uma fatia de bolo de chocolate, se faz favor [ouma fatià de baulou de choukoulàte, se fach favaur]

gauche esquerda [chkèrdà]
> c'est la deuxième à gauche é a segunda à esquerda [è à segoûndà à chkèrdà]

gaz gás [gâch]
- ▶ la bonbonne de gaz est vide a botija de gás está vazia [a boutijà de gâch chtà vàzïà]

gêner incomodar [ïnkoumoudàr]
- ▶ ça vous gêne si je m'assieds ici ? incomoda-o(a) se me sentar aqui? [ïnkoumauda-ou(à) se me sèntàr akï?]
- ▶ est-ce que la fumée te gêne ? o fumo incomoda-o(a)? [ou foumou ïnkoumaudà-ou(à)?]

génial genial [jeniàl]
- ▶ c'était génial ! foi genial! [foï jeniàl!]

gentil simpático [sïmpàtikou]
- ▶ merci, c'est très gentil obrigado(a), é muito simpático (da sua parte) [aubrigadou(à) è mouytou sïmpàtikou (da souà pàrte)]

gilet de sauvetage colete de salvação [koulète de salvaçaou]
- ▶ est-ce qu'il y a des gilets de sauvetage ? há coletes de salvação? [a koulètech de salvaçaou?]

gîte estalagem [chtalàjéï]
- ▶ gîte d'étape estalagem [chtalàjéï]
- ▶ nous cherchons un gîte pour la nuit procuramos uma estalagem para passarmos a noite [prokouràmouch ouma chtalàjéï pàrà passarmouch à noïte]

glace gelado [jelàdou]
- ▶ où peut-on manger une bonne glace ? onde é que podemos comer um bom gelado? [ônde è ke poudémouch koumère oum bon jelàdou?]

glacière geleira [jelèïra]
- ▶ vous pouvez utiliser notre glacière, si vous voulez podem utilizar a nossa geleira, se quiserem [podéï outilizar a nôssa jelèïra se quizèraï]

glaçon gelo [jélou]
- ▶ avec des glaçons, s'il vous plaît com gelo, se faz favor [kon jélou se fach favaur]

gorge garganta [gàrgànta]
- ▶ j'ai mal à la gorge dói-me a garganta [doï-me a gàrgànta]
- ▶ je voudrais des pastilles pour la gorge queria pastilhas para a garganta [keria pachtiliàch pàrà à gàrgàntà]

gourde termo [tèrmou]
- ▶ ma gourde est presque vide o meu termo está quase vazio [ou méou tèrmou chtà kouaze vaziou]

goût gosto [gauchtou]
- ▶ ça a très bon goût ! tem um bom gosto! [taï oum bon gauchtou!]

goûter *(essayer)* provar [prouvàr]
 ▶ j'aimerais goûter les spécialités locales gostaria de provar as especialidades da região [gouchtàrià de prouvàr àch chpeçiàlidàdech dà rejiaou]

gouttes *(médicament)* gotas [gotàch]
 ▶ avez-vous des gouttes pour le nez ? tem gotas para o nariz ? [taï gotàch pàrà ou nàrich?]

gouvernail leme [lème]
 ▶ je ne sais pas me servir du gouvernail não sei estar ao leme [naou séï chtàr aou lème]

grand maior [mayôr]
 ▶ avez-vous une plus grande taille ? tem o tamanho maior ? [taï ou tamàgnou mayôr?]

gratuit gratuito [gratouïtou]
 ▶ c'est gratuit ? é gratuito? [è gratouïtou?]
 ▶ l'entrée est-elle gratuite ? a entrada é gratuita? [a ēntràdà è gratouïtà?]

grave grave [gràve]
 ▶ c'est grave ? é grave? [è gràve?]
 ▶ ce n'est pas grave não faz mal [naou fàch mal]

grippe gripe [gripe]
 ▶ je voudrais quelque chose contre la grippe queria algo para a gripe [kerià àlgou pàrà a gripe]

gris cinzento [cînzēntou]
 ▶ le ciel est gris o céu está cinzento [ou çéou chtà cînzēntou]

gros gordo [gaurdou]
 ▶ pouvez-vous écrire plus gros ? pode escrever com letras mais gordas? [paude chkrevère kon létràch maïch gaurdàch?]
 ▶ je le trouve un peu trop gros acho-o um pouco gordo demais [àchou-ou oum pôoukou gaurdou de maïch]

groupe grupo [groupou]
 ▶ mon groupe sanguin est A+ o meu grupo sanguíneo é A+ [ou méou groupou sānguïnyou é A maïch]
 ▶ y a-t-il des réductions pour les groupes ? fazem reduções/descontos para grupos? [fazéï redouçoïch/dechkontouch pàrà groupouch?]

guichet guiché [guiché]
 ▶ à quel guichet dois-je m'adresser ? qual é o guiché a que me devo dirigir? [koual è ou guiché à ke me dévou dirijir?]

▶ où se trouve le guichet pour acheter les billets ? onde é que se encontra o guiché para comprar os bilhetes ? [onde è ke se ènkontrà ou guiché pàrà konpràr ouch biliètech?]

guide guia [guià]
▶ auriez-vous un guide en français ? será que tem um guia em francês ? [seurà ke taï oum guià aï françèch?]
▶ le guide parle-t-il français ? o guia fala francês ? [ou guià fàlà françèch?]

guidon guiador [guiàdor]
▶ avez-vous des vélos avec un autre type de guidon ? têm bicicletas com outro tipo de guiador ? [taï biçiklètach kon ke tipou de guiàdor?]

H

habiter morar [mouràr]
▶ tu habites le quartier ? moras no bairro ? [mauràch nou baïrou?]
▶ j'habite à Lille moro em Lille [maurou aï lile]

handicapé deficiente [deficiènte]
▶ êtes-vous équipés pour les handicapés ? tem equipamento adequado para deficientes ? [taï ékipàmèntou adekouàdou pàrà deficièntech?]

hasard acaso [akàzou]
▶ au hasard ao acaso [aou akàzou]
▶ par hasard por acaso [pour akàzou]
▶ quelqu'un aurait-il une aspirine, par hasard ? alguém tem por acaso uma aspirina ? [algaï taï pour akàzou oumà àchpirinà?]

heure hora [ôrà]
▶ à tout à l'heure até logo [àtè laugou]
▶ à quelle heure est le prochain train pour... ? a que horas é o próximo comboio para...? [à ke ôràch è ou prossimou konboyou pàrà?]
▶ quelle heure est-il ? que horas são ? [ke ôràch saou?]
▶ à quelle heure fermez-vous ? a que horas fecha(m) ? [à ke ôràch féchà(aou)?]

hier ontem [ontaï]
▶ je voulais arriver hier preferia ter chegado ontem [preferià tère chegàdou ontaï]

homme homem [ôméi]
▶ c'est un très bel homme ! é um homem muito jeitoso ! [è oum ôméï mouytou jéitauzou!]

hôpital hospital [ôchpitàl]
- ▶ où est l'hôpital le plus proche ? onde é que fica o hospital mais próximo ? [onde è ke fika ou ôchpitàl maïch praussimou?]

horaire horário [ôràriou]
- ▶ avez-vous les horaires des bus ? tem os horários dos autocarros ? [taï ouch ôràriouch dou aoutokàrou?]
- ▶ quels sont les horaires d'ouverture du musée ? quais são as horas de abertura do museu ? [kouaïch saou ach ôràch de abertourà dou mouzéu?]

hôtel hotel [ôtèl]
- ▶ nous cherchons un hôtel procuramos um hotel [prokouràmouch oum ôtel]
- ▶ y a-t-il des hôtels pas trop chers par ici ? existem hoteis baratos por aqui ? [izichtéï ôtéïch baratouch pour aki?]

huile óleo [ôlïou]
- ▶ huile d'olive azeite [azéïte]
- ▶ il y a une fuite d'huile tem uma fuga de óleo [taï ouma fougà de ôlïou]
- ▶ pouvez-vous vérifier le niveau d'huile ? pode(m) verificar o nível do óleo ? [paude(aï) verifikàr ou nivelle dou ôlïou?]

humide húmido [oumidou]
- ▶ il fait humide o tempo está húmido [ou tèmpou chtà oumidou]

humour humor [oumôr]
- ▶ il a beaucoup d'humour ele tem muito sentido de humor [éle taï mouytou sèntidou de oumôr]

INFO
handicapés

Petit à petit, le Portugal se conforme aux normes européennes. L'organisme Secretariado Nacional de Reabilitação *fournit tous les renseignements sur les infrastructures existantes dans son* Guia de Turismo para as pessoas deficientes *(Guide touristique pour les personnes handicapées).*

à l'hôtel INFO

- ▶ nous voudrions une chambre double ou deux chambres simples queriamos um quarto duplo ou dois quartos simples [keriamouch oum kouàrtou douplou ôou doïch kouàrtouch sïmplech]
- ▶ j'ai réservé une chambre au nom de Picard reservei um quarto em nome de Picard [rezervéï oum kouàrtou aï nome de pikàr]
- ▶ à quelle heure est le petit déjeuner ? a que horas servem o pequeno-almoço ? [a ke ôràch servéï ou pekénou àlmoçou?]
- ▶ pourriez-vous me réveiller à sept heures ? será que me podia(m) acordar às sete horas ? [seurà ke me paudia(aou) akourdàr àch sète ôràch?]

hygiénique higiénico [ijièníkou]
▶ il n'y a pas de papier hygiénique não há papel higiénico [naou à pàpelle ijièníkou]

I

ici daqui [dàki]
▶ tu es d'ici ? és daqui ? [éch dàki ?]
▶ je ne suis pas d'ici non plus eu também não sou daqui [éou tãmbaï naou sôou dàki]

idée ideia [idéïà]
▶ c'est une bonne idée, pourquoi pas ? é uma boa ideia, porque não ? [è ouma boà idéïà pourke naou ?]
▶ j'ai une idée ! uma ideia! [tagnou ouma idéïà!]

il ele [éle]
▶ il est très fort ele é muito forte [éle è mouytou faurte]

ils eles [élech]
▶ ils sont arrivés hier soir eles chegaram ontem à noite [élech chegaraou ontaï à noïte]

il y a há [à]
▶ il y a un problème há um problema [à oum proublémà]
▶ y a-t-il des toilettes dans ce coin ? há casas de banho por aqui ? [à kàzàch de bagnou pour aki?]
▶ qu'est-ce qu'il y a ? o que é que se passa? [ou ke è ke se pàssà?]

immatriculation matrícula [matrikoulà]
▶ quel est son numéro d'immatriculation ? qual é o número da sua matrícula? [kouàl è ou noumerou dà suà matrikoulà?]

incendie incêndio [inçẽndiou]
▶ il y a un incendie dans la cour há um incêndio no pátio [à oum inçẽndiou nou pàtiou]

inclus incluído [inklouidou]
▶ le petit déjeuner est-il inclus dans le prix ? o pequeno-almoço está incluído no preço? [ou pekénou àlmoçou chtà inklouidou nou préssou?]

indicatif *(téléphonique)* indicativo [indikativou]
▶ quel est l'indicatif pour la France ? qual é o indicativo de França? [kouàl è ou indikativou de frança?]

indiquer indicar [ĩndikàr]
▶ pourriez-vous m'indiquer la direction de l'autoroute ? poderia(m) indicar-me a direcção da auto-estrada? [pauderia(aou) ĩndikàr-me a dirèssaou da aoutau-chtrada?]

infection infecção [ĩnféssaou]
▶ j'ai une infection urinaire uma infecção urinária [tagnou ouma ĩnféssaou ourinàrià]

information *(renseignement)* informação [ĩnfourmaçaou] ; *(à la radio, à la télé)* notícias [noutiçiàch]
▶ je voudrais des informations sur... gostaria de obter informações sobre... [gouchtària de obtère ĩnfourmàçoïch sobre]
▶ j'aimerais bien regarder les informations gostaria de ver as notícias [gouchtària de verre àch noutiçiàch]

infusion infusão [ĩnfouzaou]
▶ j'aimerais une infusion gostaria de tomar uma infusão [gouchtaria de toumàr ouma ĩnfouzaou]

ingénieur engenheiro [ẽnjeniéïrou]
▶ je suis ingénieur sou engenheiro [sôou ẽnjeniéïrou]

installer instalar [ĩnchtàlàr]
▶ pouvons-nous installer notre tente ici ? podemos instalar a nossa tenda aqui? [paudémouch ĩnchtàlàr à nossà tẽndà aki?]

instrument de musique instrumento de música [ĩnchtroumẽntou de mouzikà]
▶ jouez-vous d'un instrument de musique ? toca algum instrumento de música? [tokà algoum ĩnchtroumẽntou de mouzikà?]

intention intenção [ĩntẽnssaou]
▶ j'ai l'intention de... a intenção de... [tagnou a ĩntẽnssaou de]

---

interdiction **INFO**

▶ je n'ai pas le droit de boire de l'alcool estou proibido de beber álcool [chtaou prouïbidou de bebère àlkôl]
▶ il est interdit de fumer ici é proibido fumar aqui [è proïbidou foumàr aki]
▶ vous n'avez pas à lui parler sur ce ton não tem nada que lhe falar dessa forma [naou taï nàdà ke lieu falàr dèssà formà]
▶ pas question que ce soit toi qui paies ! nem penses em pagar! [naï pẽnssech aï pàgàr!]

▶ça fait longtemps que j'avais l'intention de t'appeler há muito tempo que tinha a intenção de te telefonar [à mouytou tĕmpou ke tignà à ĩntĕnssaou de te telefonàr]

interdit proibido [prouïbidou]
  ▶est-il interdit de fumer ici ? é proibido fumar aqui ? [è prouïbidou foumàr aki?]

intéressant interessante [ĩteressãnte]
  ▶qu'y a-t-il d'intéressant à voir dans cette ville ? o que é que há de interessante para ver nesta cidade? [ou ke è ke à de ĩnteressãnte parà vère néchtà cidàde?]

intérieur interior [ĩteriôr]
  ▶à l'intérieur de... no interior de.../dentro de... [nou ĩnteriôr/dentro de]
  ▶j'ai fermé la porte en laissant les clés à l'intérieur ao fechar a porta, deixei as chaves lá dentro [aou fechàr a portà déïchéï ach chavech là dĕntrou]

Internet Internet [ĩtèrnèt]
  ▶avez-vous Internet ? tem Internet? [taï ĩntèrnèt?]

interrupteur interruptor [ĩterouptôr]
  ▶l'interrupteur ne marche pas o interruptor não funciona [ou ĩnterouptôr naou fũnçionà]

intestinal intestinal [ĩtechtinàl]
  ▶j'ai un dérangement intestinal um problema intestinal [tagnou oum proubléma ĩntechtinàl]

inviter convidar [konvidàr]
  ▶j'aimerais beaucoup vous inviter à dîner gostaria muito de os convidar para jantar [gouchtarià mouytou de ouch konvidàr para jãntar]

itinéraire itinerário [itineràriou]
  ▶est-il possible de modifier l'itinéraire prévu dans ce circuit ? é possível modificar o itinerário previsto neste circuito? [è paussivelle moudifikàr ou itineràriou previchtou néchte çirkouïtou?]

J

jamais nunca [nũnka]
  ▶je n'en ai jamais fait nunca fiz/nunca pratiquei [nũnka fich/nũnka pratikéï]
jambe perna [pèrna]
  ▶j'ai mal à la jambe dói-me a perna [doï-me a perna]

▶ cette fille a des jambes magnifiques! esta rapariga tem umas pernas magníficas! [échta ràparigà taï oumàch pèrnàch màgnifikàch!]

jambon fiambre [fiàmbre]
▶ je voudrais cinq tranches de jambon queria cinco fatias de fiambre [keria çînkou fatiach de fiâmbre]

janvier Janeiro [janéïrou]
▶ je suis arrivé le 10 janvier cheguei no dia 10 de Janeiro [chéguéï nou dia dèch de janéïrou]

jaune amarelo [amarèlou]; *(d'œuf)* gema [jéma]
▶ après la maison jaune a seguir à casa amarela [à séguir à kàza amarèlà]
▶ avec le jaune bien cuit com a gema bem cozida [kon a jéma baï kouzida]

je eu [éou]
▶ je m'appelle Jean (eu) chamo-me Jean [(éou) chamou-me jean]

jetable descartável [dechkartàvelle]
▶ je voudrais acheter un appareil photo jetable queria comprar uma câmara descartável [keria kômprar ouma kamara dechkartàvelle]

jeter deitar fora [déïtàr fôra]
▶ où puis-je jeter ces papiers? para onde é que posso deitar estes papéis? [pàrà onde è ke poussou déïtàr échtech papéïch?]
▶ je jette juste un coup d'œil à... vou só dar uma olhadela à.../dar uma vista de olhos à... [vôou sô dàr ouma ôliadèlà/dàr ouma vichtà de oliouch]

Jet Ski jet squi [djète ski]
▶ combien coûte une heure de Jet Ski? quanto custa uma hora de jet squi? [kouântou kouchta ouma ôra de djète ski?]

jeu jogo [jôgou]
▶ les Jeux olympiques os Jogos Olímpicos [ouch jaugouch oulîmpikouch]
▶ jeu de société jogo de tabuleiro [jôgou de tabouléïrou]
▶ est-ce qu'il y a une salle de jeu pour les enfants ici? existe alguma sala de recreio para as crianças aqui? [izichte algouma salà de rekréïou pàrà ach kriànçàch aki?]

jeudi quinta-feira [kïnta féïrà]
▶ retrouvons-nous jeudi soir! encontramo-nos quinta-feira à noite! [ên-kontràmou-nouch kïnta féïrà à noïte!]

jeunes jovens [jôvéïch]
▶ y a-t-il des réductions pour les jeunes? fazem descontos para os jovens? [fazéï dechkontouch pàrà ouch jôvéïch?]

INFO
jours de la semaine

Si l'origine des mots vous passionne, vous ne serez pas étonné(e) d'apprendre que les jours de la semaine, hormis samedi et dimanche (Sábado et Domingo), se terminent par le mot feira (du latin « jour de la semaine » devenu « foire » en français).
Le portugais est l'une des rares langues à ne pas avoir adopté de noms païens. Ainsi, lundi se traduit par Segunda feira (mot à mot : 2ᵉ jour de la semaine, et oui ! Autrefois, la semaine commençait le dimanche...) et peut être abrégé : 2ᵃ feira ou seg. Puis mardi se dit Terça feira, mercredi : Quarta feira, jeudi : Quinta feira et vendredi : Sexta feira.

---

ju   J

joindre (se) juntar-se [jũntàr-se]
- voulez-vous vous joindre à nous ? querem juntar-se a nós ? [kéréï jũntàr-se a nôch?]

joli bonito [bounitou]
- je te trouve très jolie acho-te muito bonita [achou-te mouytou bounita]
- quel joli village ! que aldeia tão bonita ! [ke aldéïa taou bounita!]

jouer jogar [jôgàr] ; (MUSIQUE) tocar [tôkàr]
- tu joues super bien au tennis ! jogas ténis muito bem ! [jaugàch ténich mouytou baï!]
- on joue aux cartes ? vamos jogar às cartas ? [vamouch jougàr àch kàrtàch?]
- tu sais jouer d'un instrument ? sabes tocar algum instrumento ? [sabech toukàr algoum ïnstroumẽntou?]

jour dia [dia]
- jour de l'An dia de Ano Novo [dia de anou nôvou]
- jour férié feriado [feriàdou]
- jour ouvrable dia útil [dia outyl]
- c'est combien par jour ? quanto é por dia? [kouãntou è pour dia?]
- quel est le plat du jour ? qual é o prato do dia? [koual è ou pràtou dou dia?]
- à un de ces jours ! até um dia destes! [atè oum dià déchtech!]

journal jornal [journàl]
- avez-vous des journaux français ? tem jornais franceses? [taï journaïch frãçézech?]

journée dia [dia]
- quelle belle journée ! que belo/rico dia! [ke bélou/rikou dia!]
- je voudrais faire l'aller-retour dans la journée gostaria de fazer a ida e volta num só dia [gouchtaria de fazère a idà i vôltà nũm sô dia]

juillet Julho [juliou]
- je compte revenir en juillet penso regressar em Julho [pẽnssou regressàr aï jouliou]

83

juin Junho [jougnou]
> je suis arrivée le 2 juin cheguei no dia dois de Junho [cheguéï nou dia doïch de jougnou]

jumeau (filiation) gémeo [jémyou]; (lit) igual [igoual]
> j'ai un frère jumeau um irmão gémeo [tagnou oum irmaou jémyou]
> je voudrais une chambre avec des lits jumeaux queria um quarto com camas iguais/gémeas [keria oum kouartou kon kamach igouaïch/jémyàch]

jumelles (longue vue) binóculos [binôkoulôch]
> tu peux me prêter tes jumelles ? podes-me emprestar os teus binóculos? [paudech ẽmpreuchtàr-me ouch téouch binôkoulôch?]

jupe saia [saïyà]
> où puis-je faire nettoyer cette jupe ? onde é que posso mandar limpar esta saia? [onde é ke paussou mãndàr lïmpàr échta saïyà?]

jus sumo [soumou]
> un jus d'orange, s'il vous plaît ! um sumo de laranja, se faz favor! [oum soumou de larãnja se fach favor!]

jusqu'à até [atè]
> jusqu'à présent até ao momento [atè aou moumẽntou]
> je reste jusqu'à dimanche fico até domingo [fikou atè doumĩngou]

juste (correct) certo [çèrtou]; (vêtement) apertado [apeurtàdou]
> c'est tout à fait juste está mais que certo [atè maïch ke çèrtou]
> c'est trop juste, auriez-vous la taille au-dessus ? está muito apertado, não teria o tamanho acima? [chtà mouytou apeurtàdou naou terià ou tamagnou assima?]

K

kayak Kayak [kayak]
> c'est combien pour une heure de kayak ? quanto custa uma hora de kayak? [kouãntou kouchta ouma ôrà de kayak?]

kilométrage quilometragem [kiloumetrajéï]
> ▸ le kilométrage est-il illimité ? a quilometragem é ilimitada? [a kiloumetrajéï è ilimitàdà?]

kilomètre quilómetro [kilômetrou]
> ▸ y a-t-il un tarif au kilomètre ? há alguma tarifa ao quilómetro ? [à algouma tàrifà aou kilômetrou?]

L

là *(lieu)* aqui [aki]
> ▸ je suis là depuis deux jours já estou aqui há dois dias [jà chtou aki à doïch diàch]

là-bas ali [ali]
> ▸ il est là-bas ele está ali [éle chtà ali]

lac lago [làgou]
> ▸ y a-t-il un lac dans la région ? existe algum lago na região? [izichte algoum lagou na rejiàou?]

laisser deixar [déïchàr]
> ▸ est-ce que je peux laisser mon sac à dos à la réception ? posso deixar a minha mochila na recepção? [paussou déïchàr a mignà mouchilà na reçèssaou?]

lait leite [léïte]
> ▸ lait démaquillant leite desmaquilhante [léïte dechmakiliànte]
> ▸ pourriez-vous m'apporter un peu de lait ? pode(m)-me trazer um pouco de leite? [poude(éï) trazère-me oum pôoukou de léïte?]

lampe candeeiro [kãndiéïrou]
> ▸ la lampe de chevet ne fonctionne pas o candeeiro de cabeceira não funciona [ou kãndiéïrou de kabeçéïrà naou fünçiônà]

lampe de poche lâmpada de bolso [lãmpàdà de bolsou]
> ▸ éteins ta lampe de poche ! apaga a tua lâmpada de bolso! [apaga a toua lãmpàdà de bolsou!]

langer mudar a fralda [oudàr a fràldà]
> ▸ y a-t-il une table à langer ? têm uma mesa para mudar a fralda? [taï ouma méza pàrà moudàr a fràldà?]

langue língua [lïngouà]
> ▸ je l'ai sur le bout de la langue tenho-o na ponta da língua [tagnou ou na pontà da lïngouà]

▶ je me suis mordu la langue mordi a língua [mourdi a língouà]

large largo [làrgou]
▶ cette robe est trop large pour moi este vestido é largo demais para mim [echte vechtidou é largou demaïch pàrà mî]

lavable lavável [lavàvelle]
▶ est-ce lavable en machine ? é lavável à máquina? [é làvàvelle à màkinà?]

lavabo lavatório [lavatôriou]
▶ le lavabo est bouché o lavatório está entupido [ou lavatôriou chtà ëntoupidou]

lave-linge máquina de lavar roupa [màkinà de lavàr rôoupà]
▶ y a-t-il un lave-linge ? há uma máquina de lavar roupa? [à ouma màkinà de lavàr rôoupà?]

laver (se) lavar(-se) [lavàr(-se)]
▶ où puis-je me laver les mains ? onde é que posso lavar as mãos? [onde è ke paussou lavàr àch màouch?]

laverie lavandaria [lavãndarià]
▶ y a-t-il une laverie automatique près d'ici ? há alguma lavandaria automática aqui por perto? [à àlgoumà lavãndarià aoutômàtikà aki pour pèrtou?]

lave-vaisselle máquina de lavar louça [màkinà de lavàr lôouçà]
▶ y a-t-il un lave-vaisselle ? há alguma máquina de lavar louça? [à àlgoumà màkinà de làvàr lôouçà?]

légume legume [legoume]
▶ est-ce servi avec des légumes ? é servido com legumes? [è servidou kon legoumech?]

lendemain dia a seguir [dia à seguir]
▶ le lendemain de notre arrivée, il a plu no dia a seguir à nossa chegada choveu [nou dia à seguir da nôçà chegàdà chouvéou]

lentement devagar [devagàr]
▶ pourriez-vous parler plus lentement, s'il vous plaît ? podia(m) falar mais devagar, se faz favor? [paudia(ou) falàr maïch devagàr?]

lentille (verre de contact) lente de contacto [lënte de kontàktou]
▶ j'ai perdu une lentille perdi uma lente de contacto [perdi ouma lënte de kontàktou]
▶ je voudrais une solution de rinçage pour lentilles queria uma solução/ um producto para a limpeza de lentes de contacto [keria ouma soulùçaou/ oum prôdoutou pàrà à lïmpèzà de lëntech de kontàktou]

lessive *(nettoyage)* lavar a roupa [lavàr a rôoupà] ; *(produit)* detergente [detergênte]
> ▸ il faut absolument que je fasse une lessive mesmo que lavar a roupa [tagnou méchmou ke lavàr a rôoupà]
> ▸ je dois acheter de la lessive que comprar detergente [tagnou ke konpràr detergênte]

lettre *(courrier)* carta [kàrta] ; *(littérature)* letras [létràch]
> ▸ lettre recommandée carta registada [kàrta regichtàda]
> ▸ je voudrais envoyer cette lettre en France queria enviar esta carta para França [keria ênvïàr échtà kàrta pàrà frãnçà]
> ▸ je fais des études de lettres sou estudante de letras [sôou chtoudãnte de létràch]

lever (se) levantar(-se) [levãntàr(-se)]
> ▸ à quelle heure vous levez-vous ? a que horas é que se levanta(m)? [a ke ôràch è ke se levãnta(aou)?]
> ▸ je me suis levé très tôt levantei-me muito cedo [levãntéï-me mouytou cédou]

lèvres lábios [làbiouch]
> ▸ j'ai les lèvres gercées os lábios gretados [tagnou ouch làbiouch gretàdouch]

librairie livraria [livràrià]
> ▸ y a-t-il une librairie internationale ? existe alguma livraria internacional? [izichte ouma livràrià ïnternacionàl?]

libre vago [vagou]
> ▸ avez-vous des chambres libres ? tem quartos vagos? [taï kouartouch vagouch?]

ligne *(TRANSPORTS)* linha [ligna] ; *(communication)* ligação [ligassaou]
> ▸ quelle ligne dois-je prendre pour... ? qual é a linha que devo apanhar para...? [kouàl è a ligna ke dévou apagnàr pàrà?]
> ▸ je t'entends mal, la ligne est mauvaise ouço-te muito mal, a ligação não está boa [ôïçou-te mouytou màl a ligaçaou naou chtà bôà]

limitation limite [limite]
> ▸ quelle est la limitation de vitesse sur cette route ? qual é o limite de velocidade nesta estrada? [kouàl è ou limite de velôcidàde néchta chtràdà?]

linge roupa [rôoupà]
> ▸ y a-t-il un endroit pour laver et faire sécher le linge ? há algum sítio para lavar e secar a roupa? [à àlgoum sitiou pàrà lavàr i sekàr a rôoupà?]

liquide líquido [likidou]
> ▸ je vais payer en liquide vou pagar em liquido [vôou pâgàr aï likidou]

lit cama [kâma]
- ▶ lits jumeaux camas gémeas/iguais [kâmàch jémyàch/igouaïch]
- ▶ lits superposés beliche [beliche]
- ▶ la chambre a-t-elle un grand lit ? o quarto tem uma cama grande ? [ou kouartou taï ouma kàma grãnde?]
- ▶ nous préférerions deux lits simples preferíamos duas camas simples [preferiàmouch douàch kàmàch sïmplech]
- ▶ avez-vous un lit pour enfant ? tem uma cama para criança ? [taï ouma kàma parà kriànça?]
- ▶ est-il possible d'ajouter un lit dans la chambre ? será possível pôr mais uma cama no quarto ? [seurià paussivelle pôr maïch ouma kàma nou kouàrtou?]

litre litro [litrou]
- ▶ un litre de lait, s'il vous plaît um litro de leite, se faz favor [oum litrou de léïte se fach favaur]

livre livro [livrou]
- ▶ pourriez-vous me prêter un livre ? podia emprestar-me [paudia ēmprechtàr-me]

location aluguer [alouguère]
- ▶ quel est le prix de la location à la semaine ? qual é o preço do aluguer por semana ? [kouàl è ou préssou dou alouguère pour semànà?]

loger (habiter) hospedar [ôchpedàr] ; (héberger) alojar [aloujàr]
- ▶ où logez-vous ? onde é que estão hospedados ? [onde è ke chtaou ôchpedà-douch?]
- ▶ je pourrai vous loger pendant votre séjour à Paris poderia alojá-los na minha casa durante a vossa estadia em Paris [pauderià aloujà-louch dourãnte a vôçà chtàdià aï pàrich]

loin longe [lonje]
- ▶ est-ce que c'est loin à pied ? fica longe a pé ? [fika lonje à pè?]

long comprido [kõumpridou]
- ▶ ce pantalon est trop long estas calças são muito compridas [échtàch kàlçàch saou mouytou kõumpridàch]

longtemps muito tempo [mouytou tẽmpou]
- ▶ ça fait longtemps qu'on ne s'est pas vus ! não nos vemos há muito tempo ! [naou nouch vémouch à mouytou tẽmpou!]
- ▶ tu ne m'as pas attendu trop longtemps ? esperaste muito tempo por mim ? [chperàchte mouytou tẽmpou pour mï?]

louer alugar [alougar]

▸ ça revient à combien de louer à la semaine ? quanto custa alugar à semana? [kouãntou kouchta alougar a sèmana?]

▸ peut-on louer un bateau à la demi-journée ? pode-se alugar um barco por meio dia? [pôde-se alougar oum barkou pour méyou dia?]

▸ où peut-on louer des planches ? onde é que se pode alugar pranchas? [onde è ke se pôde alougar prãnchach?]

louer alugar [alougàr]

▸ je voudrais louer une voiture pour une semaine queria alugar um carro por uma semana [keria alougàr oum karrou pour ouma semànà]

lourd *(poids)* pesado [pezàdou] ; *(orageux)* abafado [abafàdou] ; *(sans finesse)* grosseiro [grouçéirou]

▸ pouvez-vous m'aider, ma valise est très lourde podia(m)-me ajudar, a minha mala está muito pesada [poudia(aou)-me ajoudàr a mignà màlà chtà mouytou pezàda]

▸ il fait lourd o tempo está abafado [ou têmpou chtà abafàdou]

▸ il est gentil, mais un peu lourd ele é simpático, mas um pouco grosseiro [éle è sîmpàtikou mach oum pôoukou grousséirou]

lui ele [éle]

▸ lui ? il préfère la rando ele? ele prefere o passeio [éle? éle preufère ou passéiou]

lumière luz [louch]

▸ où allume-t-on la lumière ? onde é que se acende a luz? [onde è ke se açènde a louch?]

▸ la lumière ne fonctionne pas a luz não funciona [a louch naou fôunçiônà]

lundi segunda-feira [segûndà féirà]

▸ nous partons lundi prochain partimos segunda-feira que vem [partimouch a partir de segûndà féirà ke véï]

lunettes óculos [ôkoulouch]

▸ lunettes de soleil óculos de sol [ôkoulouch de sôl]

▸ j'ai cassé mes lunettes parti os óculos [pàrti ouch ôkoulouch]

M

magasin loja [lôjà]

▸ je cherche un magasin de... procuro uma loja de... [prokourou ouma lôjà de...]

M ma

▶ à quelle heure ferment les magasins ? a que horas fecham as lojas ? [a ke oràch féchaou ach lôjàch?]

magnifique magnífico [maguenifikou]
▶ c'est magnifique ! é realmente magnífico! [è riàlmènte maguenifikou!]
▶ tu as des yeux magnifiques tens uns olhos magníficos [taïch ounch oliouch maguenifikouch]

mai Maio [mayou]
▶ je suis arrivée le 15 mai cheguei no dia 15 de Maio [cheguéï nou dià quînze de mayou]

maigre magro [magrou]
▶ tu ne me trouves pas trop maigre ? achas-me muito magro(a)? [àchàch me mouytou magrou(à)?]

maillot de bain fato de banho [fâtou de bagnou]
▶ j'ai oublié mon maillot de bain esqueci-me do fato de banho [échkéçi-me dou fâtou de bagnou]

main mão [maou]
▶ est-ce que c'est fait à la main ? é fabricado à mão? [è fabrikadou à maou?]
▶ où puis-je me laver les mains ? onde é que posso lavar as mãos? [onde è ke pôssou làvàr ach maouch?]

maintenant neste momento [néchte moumèntou]
▶ vous faites quelque chose maintenant ? neste momento estão a fazer alguma coisa? [néchte moumèntou chtaou a fazère algouma koïza?]

mairie Câmara Municipal [kâmâra mounicipàl]
▶ où se trouve la mairie ? onde é que fica a Câmara Municipal? [onde è ke fika a kâmâra mounicipàl?]

mais mas [mach]
▶ aujourd'hui je ne peux pas, mais demain si tu veux hoje não posso, mas amanhã se quiseres [ôje naou paussou mach àmagnà se quizèrech]

maison casa, caseiro [kazà, kazéïrou]
▶ j'adore cette maison adoro esta casa [adarou echta càza]
▶ c'est fait maison ? é caseiro? [è kazéïrou?]

mal ▶ mal de mer enjoo [ènjaouo]
▶ ça fait mal isso dói [issou dôï]
▶ je me suis fait mal aleijei-me [alé·jéï-me]

▶ j'ai mal à la tête dói-me a cabeça [dôî-me a kabéçà]

malade doente [douènte]

▶ mon fils est malade o meu filho está doente [ou méou filiou chtà douènte]

manège *(attraction)* carrossel [karoussèle]

▶ combien coûte un tour de manège ? quanto custa uma volta no carrossel? [kouàntou kouchta ouma vôltà nou karoussèle?]

manger comer [koumère]

▶ où pouvons-nous manger ? onde é que podemos comer? [onde è ke poudémouch koumère?]

manifestation *(culturelle)* manifestação [manifechtassaou]

▶ quelles sont les manifestations intéressantes en ce moment ? actualmente, quais são as manifestações culturais interessantes? [atouàlmènte kouaïch saou ach manifechtassoïch koultouraïch ïnteressàntech?]

manquer faltar [fàltàr]

▶ il me manque une valise falta-me uma mala [falta-me ouma màlà]

▶ tu m'as manqué tive saudades tuas [tive saoudàdech touach]

marche *(à pied)* marcha [marcha] ; *(escalier)* degrau [degraou]

▶ j'adore la marche à pied adoro fazer marcha [adorou fazère marcha]

▶ j'ai glissé sur une marche escorreguei num degrau [chkouregueï noum degraou]

marché mercado [merkàdou]

▶ bon marché barato [baràtou]

▶ y a-t-il un marché sympa dans le quartier ? há algum mercado fixe no bairro? [a algoum merkàdou fiche nou baïrou?]

marcher *(personne)* andar ; *(appareil)* funcionar [fünçiounàr]

▶ j'aime bien marcher gosto muito de andar [gochtou mouitou de andar]

▶ comment marche la douche ? como é que funciona o duche? [koumou è ke fünçiônà ou douche?]

mardi terça-feira [térçà féïrà]

▶ on pourrait se revoir mardi podíamos voltar a ver-nos na terça-feira [poudiamouch vôltàr a verre-nouch na térçà féïrà]

marée maré [marè]

▶ à quelle heure est la marée haute ? a que horas é a maré alta? [a ke ôràch è à marè alta?]

▶ et la marée basse ? e a maré baixa? [i a marè baïcha?]

marié casado [kazàdou] ; noivo [noïvou]

▶ es-tu mariée ? és casada? [èche kazadà?]

▶ vive les mariés ! viva os noivos! [viva ouch noïvouch!]

marron castanho [kâstàgnou]
> ▶ je ne trouve plus mon pull marron não consigo encontrar o meu pulôver castanho [naou konssigou ēnkontràr ou méou poulôvère kâstàgnou]

mars Março [mârçou]
> ▶ je suis arrivé le 10 mars cheguei no dia 10 de Março [cheguéï nou dià dèche de mârçou]

masque *(pour plonger)* máscara de mergulhar [machkara de mergouliàr]
> ▶ je voudrais louer un masque et un tuba queria alugar uma máscara de mergulho e um tubo de respiração [keria alougar ouma machkara de mergouliou i oum toubou de rechpiraçaou]

matelas colchão [kôlchaou]
> ▶ mon matelas est défoncé o meu colchão está deteriorado [ou méou kôlchaou chtà deteriouràdou]

matériel material [materiàl]
> ▶ louez-vous du matériel de plongée? alugam material de mergulho? [alougaou materiàl de mergouliou?]

matière material [materiàl]
> ▶ c'est en quelle matière? é fabricado em que material? [è fabrikadou aï ke materiàl?]

matin manhã [magnà]
> ▶ le musée est-il ouvert le matin? o museu está aberto de manhã? [ou mouzéou chtà àbèrtou de magnà?]

mec gajo [gajou]
> ▶ c'est vraiment un beau mec é um gajo muito giro [è oum gajou mouytou girou]

médecin médico [médikou]
> ▶ pouvez-vous appeler un médecin, s'il vous plaît? pode(m) chamar um médico, se faz favor? [paude(aï) châmar oum médikou se fach favôr?]
> ▶ je dois absolument voir un médecin preciso de ver um médico urgentemente [preussizou de verre oum médikou ourjèntemènte]

médicament medicamento [medikamēntou]
> ▶ auriez-vous un médicament contre... teria(m) um medicamento contra... [teria(aou) oum medikamēntou kontrà...]
> ▶ j'ai oublié mes médicaments esqueci-me dos meus medicamentos [chkéçi-me douch méouch medikamēntouch]
> ▶ je ne prends pas d'autres médicaments en ce moment neste momento não estou a tomar mais nenhum medicamento [néchte moumēntou naou chtou a toumàr maïch negnoum medikamēntou]

Attention aux amuse-gueules apportés d'office avant le repas, ils ne sont pas gratuits! Eau, pain et beurre sont payants également. Les mentions refeição completa *ou* ementa turística *désignent un menu à prix fixe (soupe, poisson et/ou viande, pommes de terre ou riz et parfois dessert ou café). Les plats du jour (* prato do dia*) sont souvent des spécialités locales. On trouve souvent deux tailles de plats:* uma dose = une portion *(suffisante pour deux personnes);* meia dose = demi-portion *(suffisante pour une personne). Si vous ne précisez pas, on vous apporte d'office* uma dose.

méduse alforreca [àlfourékà]
 ▶ est-ce qu'il y a des méduses sur cette plage? há alforrecas nesta praia? [à àl-fourékàch néchtà praïà?]

meilleur melhor [meliôr]
 ▶ il est meilleur que moi aux échecs ele joga xadrês melhor do que eu [éle jôgà chàdrêch meliôr dou ke éou]
 ▶ il n'y a rien de meilleur qu'un bon thé! não há nada melhor que um bom chá! [naou à nàdà meliôr ke oum bon chà!]

melon melão [melaou]
 ▶ deux melons bien mûrs, s'il vous plaît dois melões bem maduros, se faz favor [doïch meloïch baï madourouch se fach favôr]

membre *(adhérent)* membro/sócio [mêmbrou/sôçiou]
 ▶ doit-on être membre pour entrer? é preciso ser membro/sócio para entrar? [è preussizou sère mêmbrou/sôçiou pàrà ên-tràr?]
 ▶ j'ai une carte de membre des auberges de jeunesse um cartão de membro das pousadas da juventude [tagnou oum kartaou de mêmbrou dach pôouzadàch dà jouvêntoude]

même mesmo [méchmou]
 ▶ la même chose pour moi o mesmo para mim [ou méchmou para mï]
 ▶ bon appétit! – vous de même bom apetite! – para si também [bon apetite! - parà si tàmbéï]
 ▶ je participerai à l'excursion même s'il ne fait pas beau participarei na excursão mesmo se o tempo não estiver bom [partiçiparéï nà chkourçaou méchmou se ou têmpou naou chtivère bon]

ménage limpeza [lïmpéza]
 ▶ est-ce qu'il y a un service de ménage? há algum serviço de limpeza? [à algoum sèrviçou de lïmpéza?]
 ▶ faut-il faire le ménage avant de partir? é preciso fazer a limpeza antes de partir? [è preussizou fazère a lïmpéza äntech de pàrtir?]

mener *(aller)* ir dar a [ir dàr à]
 ▶ cette route mène bien à la gare? esta estrada vai mesmo dar à gare? [èchta chtràdà vaï méchmou dàr à gàre?]

menu menu/ementa [menou/imèntà]
- avez-vous un menu en français ? tem uma ementa em francês ? [taï ouma imèntà aï frànssèch?]
- vous avez un menu enfant ? tem um menu para crianças ? [taï oum menou pàrà àch kriàngàch?]
- nous prendrons le menu vamos querer o menu [vamouch kerère ou menou]

mer mar [marre]
- la mer Méditerranée o mar Mediterrâneo [ou marre mediteràniou]
- la mer est bonne ? o mar está bom? [ou marre chtà bon?]
- la mer est un peu froide o mar está um pouco frio [ou marre chtà oum pôoukou friou]
- la mer est agitée o mar está agitado [ou marre chtà ajitàdou]
- j'ai le mal de mer estou enjoado(a) [chtou ènjouàdou(a)]

merci ! obrigado! [ôbrigadou!]
- merci beaucoup ! muito obrigado(a)! [mouytou ôbrigadou(à)!]
- merci pour tout ! obrigado(a) por tudo! [ôbrigadou(à) pour toudou!]

mercredi quarta-feira [kouàrtà féïra]
- je suis arrivée mercredi dernier cheguei na quarta-feira passada [cheguéï na kouàrtà féïra passàdà]

message mensagem [mènsagéï]
- vous pourrez lui transmettre mon message ? poderia transmitir-lhe a minha mensagem? [pauderia trânsmitir-ieu a mignà mènsagéï?]
- tu as eu mon message ? recebeste a minha mensagem? [reçebéchte a migna mènsagéï?]

météo meteorologia [meteouroulojia]
- (bulletin) météo buletim meteorológico [bouletĩm meteouroulôgikou]
- météo marine meteorologia marítima [meteouroulojia maritima]

---

remerciements   INFO

- je vous remercie agradeço-lhe [agradéçou-lieu]
- merci, c'est très gentil à vous obrigado(a), é muito simpático da sua parte [ôbrigadou(à) è mouytou sĩmpàtikou dà souà pàrte]
- je ne sais comment vous remercier não sei como lhe(s) hei-de agradecer [naou séï lômou lieu(ch) éï-de agradeçère]
- je vous remercie de votre aide obrigado(a) pela sua/vossa ajuda [ôbrigadou(à) pélà souà/vôçà ajoudà]

BON-PLAN
métro

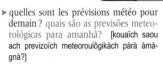

Le métro de Lisbonne fonctionne de 6 h 30 à 1 h du matin sur 4 lignes. Attention, les rames n'ont que deux voitures le week-end. Au choix, carnet de 10 tickets, forfait journée, ticket aller-retour ou pour deux voyages, ou encore pass touristiques de 4 ou 7 jours. Chouette, les stations sont de vrais petits musées d'art contemporain !

▶ quelles sont les prévisions météo pour demain ? quais são as previsões meteorológicas para amanhã ? [kouaïch saou ach previzoïch meteoroulôgikàch pàrà àmàgnà?]

mètre metro [mètrou]
▶ je mesure 1 mètre 75 meço 1 metro e 75 [mèçou oum mètrou i setèntà i sïnkou]

métro metro [mètrou]
▶ où est le métro le plus proche ? onde é que fica o metro mais próximo ? [onde è ke fikà ou mètrou maïch prôçimou?]
▶ est-ce que je peux avoir un plan du métro ? será que me podia arranjar um mapa do metro ? [seurà ke me pôdià arànjàr oum màpà dou mètrou?]
▶ à quelle heure est le dernier métro ? a que horas é o último metro ? [a ke ôràch è ou oultimou mètrou?]

mettre *(placer, poser)* pôr [paur] ; *(vêtement)* vestir [vechtir] ; *(temps)* levar [levàr]
▶ je peux mettre mes bagages quelque part ? onde é que posso pôr a minha bagagem ? [onde è ke pôssou paur à mignà bagajéï?]
▶ je n'ai vraiment rien à me mettre ! não nada para vestir ! [naou tagnou nàdà pàrà vechtir!]
▶ combien de temps met-on pour aller à Sintra ? quanto tempo levamos para ir a Sintra ? [kouàntou têmpou levamouch pàrà ir a sïntrà?]

midi meio-dia [méyou dià]
▶ il est midi vingt é meio-dia e vinte [è méyou dià i vïnte]

mieux melhor [meliôr]
▶ il vaut mieux... é melhor... [è meliôr...]
▶ quel est le mieux situé des deux hôtels ? dos dois hoteis, qual é que está mais bem situado ? [douch doïch ôtéïch kouàl è ke chtà maïch baï sitouàdou?]
▶ est-ce que tu te sens mieux ? sentes-te melhor ? [sêntech-te meliôr?]

mince magro [magrou]
▶ elle est très mince ela é muito magra [èlà è mouytou magrà]

minuit meia-noite [méyà noïte]
▶ il est minuit é meia-noite [è méyà noïte]

minute minuto [minoutou]
- ▶ le train part dans dix minutes o comboio parte dentro de dez minutos [ou konbôyou pàrte dēntrou de dèch minoutouch]

mi-temps meio-tempo [méyou têmpou]
- ▶ la mi-temps a-t-elle déjà eu lieu ? já passou o meio-tempo? [jà passo ou méyou têmpou?]

mobylette motocicleta [môtôçiklèta]
- ▶ je voudrais louer une mobylette queria alugar uma motocicleta [keria alougàr ouma môtôçiklèta]

moi eu [éou]
- ▶ bonjour, moi c'est Olivier bom dia, eu sou o Olivier [bon dia éou sôou ou olivié]
- ▶ c'est pour moi ? é para mim? [è para mĩ?]
- ▶ moi aussi eu também [éou tãmbéï]
- ▶ moi non plus eu também não [éou tãmbéï naou]

moins menos [ménouch]
- ▶ il est neuf heures moins vingt são nove horas menos vinte [saou nôve ôràch ménouch vĩnte]
- ▶ il y a au moins trois heures de route temos pelo menos três horas de estrada [témouch pélou ménouch trèch ôràch de chtràdà]
- ▶ elle a deux ans de moins que moi ela tem dois anos a menos que eu [èlà taï doïch anouch a ménouch ke éou]

mois mês [mèche]
- ▶ au mois de... no mês de... [nou mèche]
- ▶ je repars dans un mois volto daqui a um mês [vôltou daki à oum mèche]

moment momento [moumēntou]
- ▶ pour le moment... de momento... [de moumēntou]
- ▶ il paraît qu'il y a une très bonne expo en ce moment parece que neste momento há uma óptima exposição [parèce ke nèchte moumēntou à ouma ôtimà chpouziçaou]

monde gente [jēnte]
- ▶ il y a beaucoup de monde há muita gente [à mouytà jēnte]

moniteur *(professeur)* monitor [mounitor]
- ▶ il y a un moniteur par niveau ? há monitores para cada nível? [à mounitorech pàrà kada nivèle?]

monnaie troco [trôkou]
- ▶ pourriez-vous me faire de la monnaie ? podia(m)-me trocar dinheiro? [paudia(aou)-me troukàr dignéïrou?]

▶ gardez la monnaie fique com o troco [fike kon ou trôkou]

▶ je crois que vous vous êtes trompé en me rendant la monnaie penso que se enganou no troco [pênsou ke se ênganôou nou trôkou]

montagne montanha [montagnà]

▶ nous allons passer quelques jours à la montagne vamos passar alguns dias na montanha [vamouch pàssàr àlgouch diàch na montagnà]

monter subir [soubir] ; *(chauffage)* aumentar [aoumêntàr] ; *(à cheval, une tente)* montar [montàr]

▶ la mer est en train de monter a maré está a subir [a marè chtà a soubir]

▶ combien de personnes peuvent monter dans un bateau ? quantas pessoas podem subir para o barco? [kouāntach pessoàch pôdéï soubir pàrà ou barkou?]

▶ tu peux monter le chauffage ? podes aumentar o aquecimento? [paudech aoumêntàr ou akèçimêntou?]

▶ tu sais monter à cheval ? sabes montar a cavalo? [sabech montàr a kavalou?]

▶ pouvons-nous monter notre tente ici ? podemos montar a nossa tenda aqui? [poudémouch montàr a nôssa tênda aki?]

montre relógio [relôjiou]

▶ on m'a volé ma montre roubaram-me o relógio [rôoubaraou-me ou relôjiou]

montrer mostrar [mochtràr]

▶ pourriez-vous me montrer où ça se trouve sur la carte ? podia(m) mostrar-me onde isso se encontra no mapa? [paudia(aou) mochtràr-me onde issou se ênkontrà nou màpà?]

monument monumento [monoumêntou]

▶ quels sont les monuments à voir absolument ? quais são os monumentos a ver imperativamente? [kouaïch saou ouch monoumêntouch a verre împeràtivamênte?]

morceau *(part)* pedaço [pedàçou]

▶ je vais en reprendre un morceau vou comer mais um pedaço [vôou kômère maïch oum pedaçou]

mordre morder [mordère]

▶ je me suis fait mordre par un chien fui mordido(a) por um cão [fouï mourdidou(à) pour oum kaou]

mort *(figuré)* descarregado [dechkaregàdou] ; morto [môrtou]

▶ la batterie est morte a bateria está descarregada [a baterià chtà dechkaregàdà]

▶ je suis mort(e) de fatigue estou morto(a) de cansaço [chtou môrtou(à) de kãnçassou]

— 97 —

mosquée mesquita [mechkita]
> ▸ cette mosquée est magnifique ! esta mesquita é magnífica! [echta mechkita è maguenifika!]

mot palavra [palavra]
> ▸ je ne sais pas quel est le mot en portugais não sei qual é a palavra em português [naou séï kouàl è a palavra aï pourtouguèch]

moteur motor [moutôr]
> ▸ le moteur fume o motor está a deitar fumo [ou moutôr chta a déitàr foumou]
> ▸ le moteur fait un drôle de bruit o motor faz um barulho esquisito [ou moutôr fach oum barouliou chkezitou]

moto mota [môta]
> ▸ je voudrais louer une moto queria alugar uma mota [kerià àlougàr ouma môtà]

mouchoir lenço [lênçou]
> ▸ auriez-vous un mouchoir en papier ? será que tem um lenço de papel? [seurà ke taï oum lênçou de papelle?]

moustiquaire mosquiteiro [mouchkitéïrou]
> ▸ la moustiquaire est déchirée o mosquiteiro está rasgado [ou mouchkitéïrou chta rachgadou]

moutarde mostarda [mouchtàrda]
> ▸ avec de la moutarde, s'il vous plaît com mostarda, se faz favor [kon mouchtàrda se fach favôr]

moyen *(acceptable, passable)* mais ao menos [maïch aou ménouch] ; *(TRANSPORTS)* meio [méyou]
> ▸ le restaurant était moyen o restaurante era mais ao menos [ou rechtaourãnte èra maïch aou ménouch]
> ▸ quel est le moyen le plus rapide pour se rendre en ville ? qual é o meio de transporte mais rápido para irmos à cidade? [koual è ou méyou de trãnchpôrte maïch ràpidou pàrà irmouch à çidàde?]

musculation musculação [mouchkoulaçaou]
> ▸ je fais de la musculation faço musculação [façou mouchkoulaçaou]

musée museu [mouzéou]
> ▶ à quelle heure ouvre le musée ? a que horas abre o museu? [a ke ôràch abre ou mouzéou?]
> ▶ où se trouve le musée d'art contemporain ? onde é que fica o museu de arte contemporânea? [onde è e fikà ou mouzéou de arte kõntẽmpourania?]

musique música [mouzika]
> ▶ on passe quel genre de musique dans cette boîte ? qual é o tipo de música que passam nesta discoteca? [kouàl è ou tipou de mouzika ke passaou néchta dichkoutèka?]

N

nager nadar [nadàr]
> ▶ mon fils ne sait pas nager o meu filho não sabe nadar [ou méou filiou naou sabe nadàr]
> ▶ peut-on nager dans la rivière ? pode-se nadar no rio? [pôde-se nadàr nou riou?]

naître nascer [nachcère]
> ▶ je suis né(e) le 2 août 1974 nasci no dia 2 de Agosto de 1974 [nachçi nou dia doïch de agochtou de mil nôveçẽntouch i setẽnta i kouàtrou]

nana miúda [mioudà]
> ▶ ça manque un peu de nanas ! faltam as miúdas! [faltaou ach mioudàch!]

nase *(fatigué)* morto [môrtou]
> ▶ je suis complètement nase estou morto [chtou môrtou]

nature natureza [nàtourézà] ; *(alimentation)* natural [nàtouràl]
> ▶ vous aimez la nature ? gostam da natureza? [gôchtaou dà nàtourézà?]
> ▶ avez-vous des yaourts nature ? tem iogurtes naturais? [taï iôgourtech natouraïch?]

nausée náusea [naouzià]
> ▶ j'ai des nausées estou com náuseas [chtau kon naouziàch]

navet *(film)* fiasco [fiachkou]
> ▶ c'est un vrai navet é um verdadeiro fiasco [è oum verdadéïrou fiachkou]

navette vaivém [vaïvéï]
> ▶ y a-t-il une navette pour aller à l'aéroport ? há algum vaivém para o aeroporto? [à algoum vaïvéï pàra ou aèrôpôrtou?]

neiger nevar [nevàr]
> ▶ il neige está a nevar [chtà a nevàr]

nettoyer limpar [límpàr]
- ▶ est-ce qu'il faut nettoyer l'appartement avant de partir ? é preciso limpar o apartamento antes de partirmos ? [è preussizou límpàr ou àpàrtamëntou ãntech de pàrtirmouch?]
- ▶ pourriez-vous nettoyer le pare-brise ? podia limpar o pára-brisas ? [pôdia límpàr ou pàrà-brizàch?]

neuf *(nouveau)* novidade [nôvidàde] ; *(chiffre)* nove [nôve]
- ▶ quoi de neuf ? quais são as novidades ? [kouaïch saou àch nôvidàdech?]
- ▶ je voudrais faire une réservation pour neuf personnes queria fazer uma reserva para nove pessoas [kerià fazère oume rezèrva pàrà nôve pessôàch]

nez nariz [nàrich]
- ▶ tu as un coup de soleil sur le nez tens uma queimadura no nariz [taïch ouma kéïmadoura nou nàrich]

niveau nível [nivelle]
- ▶ j'ai un assez bon niveau en planche à voile um bom nível de prancha à vela [tagnou oum bon nivelle de prãncha à vélà]
- ▶ pouvez-vous vérifier le niveau d'huile ? pode(m) verificar o nível do óleo ? [pôde(aï) verifikàr ou nivelle dou auleou?]

Noël Natal [nàtàl]
- ▶ joyeux Noël ! Feliz Natal ! [felich nàtàl!]

noir preto [prétou]
- ▶ je voudrais une pellicule noir et blanc queria um rolo a preto e branco [kerià oum rôlou a prétou i brãnkou]

nom nome [nôme]
- ▶ nom de famille apelido [apelidou]
- ▶ j'ai réservé une chambre au nom de Salet reservei um quarto ao nome de Salet [rezervéï oum kouartou aou nôme de Salet]

non não [naou]
- ▶ non, merci ! não, obrigado(a) ! [naou ôbrigàdou(à)!]
- ▶ je crois que non acho que não [achou ke naou]

non-fumeur não-fumador [naou foumàdôr]
- ▶ y a-t-il une zone non-fumeur ? há uma zona não-fumador ? [à ouma zônà naou foumàdôr?]

note *(facture)* conta [konta]
- ▶ mettez ça sur ma note ponha na minha conta [pogna nà mignà kontà]
- ▶ vous pouvez préparer ma note, s'il vous plaît ? pode preparar a minha conta, se faz favor ? [pôde preparàr a migna kontà se fach favôr?]

nouvelle *(information)* notícia [noutìçià]
> ▶ quelle bonne nouvelle ! que boa notícia! [ke bôà noutìçià!]
> ▶ tu as des nouvelles de Marie ? tens notícias da Marie? [taïch noutìçiàch dà màri?]

novembre Novembro [nouvémbrou]
> ▶ je suis arrivé au début du mois de novembre cheguei no início do mês de Novembro [cheguéï nou iniçiou dou mèch de nouvémbrou]

noyer (se) afogar(-se) [afougàr(-se)]
> ▶ il est en train de se noyer, il faut appeler de l'aide ! está-se a afogar, é preciso chamar ajuda! [chtà-se à afougàr è preussizou chàmàr àjoudà!]

nuit noite [noïte]
> ▶ bonne nuit ! boa noite! [bôà noïte!]
> ▶ je voudrais rester une nuit supplémentaire gostaria de ficar mais uma noite [gouchtarià de fikàr maïch ouma noïte]
> ▶ y a-t-il des bus de nuit ? há autocarros de noite? [à aoutokarouch de noïte?]

nul péssimo [pèssimou]
> ▶ je suis nul(le) en cuisine sou péssimo(a) na cozinha [sôou pèssimou(a) nà kouzignà]
> ▶ ce film est vraiment nul este filme é péssimo [échte filme è pèssimou]

numéro número [noumerou]
> ▶ quel est le numéro des pompiers ? qual é o número dos bombeiros? [kouàl è ou noumerou douch bonbéïrouch?]
> ▶ je te laisse mon numéro ? dou-te o meu número? [dôou-te ou méou noumerou?]
> ▶ tu as un numéro de portable ? tens um número de telemóvel? [taïch oum noumerou de télémôvelle?]

O

objet objecto [ôbjètou]
> ▶ où se trouve le bureau des objets trouvés ? onde fica a secção de perdidos e achados? [onde fika à seksaou de perdidouch i achàdouch?]

obligatoire obrigatório [ôbrigàtôriou]
> ▶ la visite est-elle obligatoire ? a visita é obrigatória? [a vizità è ôbrigàtôria?]

occupé ocupado [ôkoupadou]
> ▶ cette place est occupée ? este lugar está ocupado? [échte lougàr chtà ôkoupadou?]

▶ ça sonne occupé está a dar sinal de ocupado [chtà à dàr sinàl de ôkoupàdou]

occuper (s') *(se charger de)* ocupar(-se)/atender [ôkoupàr(-se)/atèndère]

▶ pourriez-vous vous occuper de mes bagages ? poderia ocupar-se das minhas bagagens? [pôderia ôkoupàr-se dàch mignàch bagàjéich?]

▶ on s'occupe de moi, merci já estou a ser atendido(a), obrigado(a) [jà chtou a sère atèndidou(a) ôbrigadou(à)]

octobre Outubro [ôoutoubrou]

▶ je reviendrai au mois d'octobre voltarei em Outubro [vôltàréï aï ôoutoubrou]

œil olho [ôliou]

▶ il a de très beaux yeux verts ele tem uns olhos verdes lindos [éle taï ounch oliouch vèrdech líndouch]

œuf ovo [ovou]

▶ je n'aime pas les œufs não gosto de ovos [naou gochtou de ôvouch]

office du tourisme posto de turismo [pochtou de tourichmou]

▶ où se trouve l'office du tourisme ? onde é que fica o posto de turismo? [onde è ke fika ou pochtou de tourichmou?]

offrir oferecer/pagar [ôfereçère/pàgàr]

▶ je peux vous offrir une cigarette ? posso-lhe oferecer um cigarro? [pôssou lieu ôfereçère oum çigarou?]

▶ je t'offre un verre pago-te um copo [pagou-te oum kôpou]

ombre sombra [sonbra]

▶ je préférerais me mettre à l'ombre preferia pôr-me à sombra [preferià pôr-me à sonbrà]

on *(ne se dit pas)* ▶ on y est ? já chegámos? [jà chegàmouch?]

▶ on y va ? vamos? [vamouch?]

opinion opinião [ôpiniaou]

▶ je ne partage pas votre opinion não partilho a vossa opinião [naou pàrtiliou à vôçà ôpiniaou]

---

opinions   INFO

▶ je pense qu'il a raison acho que ele tem razão [achou ke éle taï ràzaou]

▶ franchement, je trouve qu'il exagère francamente, acho que ele exagera [frànkamènte achou ke éle ijagérà]

▶ je ne sais pas trop não sei grande coisa [naou séï grande koïza]

▶ aucune idée ! não faço a mínima ideia! [naou façou a minimà idéyà!]

---

orage trovoada [trouvouàdà]
▸ vous croyez vraiment qu'il va y avoir de l'orage ? acha realmente que vai fazer trovoada? [àchà ke vaï riàlmènte fazère trouvouàdà?]

orange laranja [làrãnjà]
▸ un jus d'orange, s'il vous plaît um sumo de laranja, se faz favor [oum soumou de làrãnjà se fach favôr]

ordinateur computador [konpoutàdôr]
▸ où pourrais-je trouver un ordinateur pour consulter mes mails ? onde é que posso encontrar um computador para consultar os meus e-mails? [onde è ke pòssou ènkontràr oum konpoutàdôr pàrà konsoultàr ouch méouch i-méïlch?]

ordonnance receita (médica) [reçéïtà (mèdikà)]
▸ délivrez-vous ce médicament sans ordonnance ? vende(m) este medicamento sem receita? [vènde(aï) échte medikamèntou saï reçéïtà?]

oreille ouvido [ôvidou]
▸ j'ai mal aux oreilles doem-me os ouvidos [dôéï-me ouch ôvidouch]

oreiller almofada [àlmoufadà]
▸ pourrais-je avoir un autre oreiller ? podia(m) trazer-me outra almofada? [pôdia(aou) trazère-me ôoutra àlmoufadà?]

organiser organizar [ôrganizàr]
▸ y a-t-il des visites organisées ? há/fazem visitas organizadas? [à/fazéï vizitàck ôrganizadàch?]

otite otite [ôtite]
▸ j'ai une otite uma otite [tagnou ouma ôtite]

où onde [onde]
▸ excusez-moi, où se trouve la gare desculpe(m), onde é que fica a gare? [dechkoulpe(éï) onde è ke fika a gare?]
▸ où habitez-vous ? onde é que mora(m)? [onde è ke môra(aou)?]

oublier esquecer [chkèçère]
▸ j'ai oublié mon passeport esqueci-me do passaporte [chkèçi-me dou passapôrte]
▸ j'ai oublié quelque chose dans l'avion esqueci-me de algo no avião [chkèçi-me de àlgou nou aviaou]
▸ n'oublie pas notre rendez-vous ! não te esqueças do nosso encontro! [naou te chkèçàch dou nôssou ènkontrou!]

oursin ouriço-do-mar [ôouriçou dou marre]
▸ attention, il y a des oursins ! cuidado, há ouriços-do-mar! [kouidàdou à ôouriçouch dou marre!]

───────── 103 ─────────

ouvert aberto [abèrtou]
- le musée est-il ouvert ? o museu está aberto ? [ou mouzéou chta abèrtou?]
- est-ce que c'est ouvert le dimanche ? está aberto ao domingo ? [chta abèrtou aou doumïngou?]

ouvrir abrir [abrir]
- puis-je ouvrir la fenêtre ? posso abrir a janela ? [pôssou abrir a janèlà?]
- à quelle heure ouvrez-vous ? a que horas abre(m) ? [a ke ôràch abre(éï)?]

Pages Jaunes® Páginas Amarelas [pàjinàch amàrèlàch]
- il faut regarder dans les Pages Jaunes® é preciso ver nas Páginas Amarelas [è preussizou vère nach pàginach amarélàch]

P

pain pão [paou]
- où peut-on trouver du pain ? onde é que podemos encontrar pão ? [onde è ke poudémouch ënkontràr paou?]
- je peux avoir encore du pain ? posso ter mais pão ? [paussou tère maïch paou?]

palmes barbatanas [barbatanach]
- combien coûte la location de palmes ? quanto custa o aluguer das barbatanas ? [kouãntou kouchta ou alouguère dach barbatanach?]

panier *(au basket)* cesto [çéchtou]
- j'ai mis sept paniers ! marquei sete cestos! [markéï sète çéchtouch!]

panne avaria [àvàrià]
- panne de courant corte de electricidade [kôrte de ilètriçidàde]
- l'avion a eu une panne technique o avião teve uma avaria técnica [ou aviaou téve ouma àvàrià tèknika]
- je suis en panne d'essence fiquei sem gasolina [fikéï saï gazoulinà]
- ma voiture est en panne o meu carro está avariado [ou méou karou chtà àvàriàdou]

pansement penso [pënsou]
- je voudrais des pansements pour mes ampoules queria pensos para as minhas bolhas [kerià pënsouch pàrà àch mignàch bôliàch]

papier *(document)* documento [doukoumëntou]; *(feuille)* papel [papelle]
- papier cadeau papel de embrulho [papelle de ëmbrouliou]
- papiers d'identité documentos (de identidade) [doukoumëntouch (de idëntidàde)]

▶ papier toilettes papel higiénico [papelle ijiènikou]

Pâques Páscoa [pachkouà]
▶ joyeuses Pâques ! Boa Páscoa! [bôà pachkouà!]

paquet *(colis)* encomenda [ēnkoumēnda] ; *(de cigarettes)* maço [maçou]
▶ paquet de cigarettes maço de cigarros [maçou de cigarouch]
▶ je voudrais envoyer ce paquet en France gostaria de enviar esta encomenda para França [gouchtaria de ēnviàr échta ēnkoumēndà pàrà à frānçà]
▶ pourriez-vous me faire un paquet-cadeau ? será que me podia(m) fazer um embrulho? [serà ke me pôdià(aou) fazère oum ēmbrouliou?]

paracétamol paracetamol [paraçètàmôl]
▶ je voudrais un médicament avec du paracétamol queria um medicamento com paracetamol [keria oum medikamēntou kon paraçètàmôl]

parachute paraquedas [pàrakèdach]
▶ on peut faire du parachute dans le coin ? pode-se fazer paraquedas aqui? [pôde-se fazère pàrakèdach aki?]

parapluie guarda-chuva [gouàrdà chouva]
▶ pourriez-vous me prêter un parapluie ? será que me podia(m) emprestar um guarda-chuva? [serà ke pôdià(aou) ēmprechtàr oum gouàrdà chouva?]

parasol guarda-sol [gouàrdà sôl]
▶ est-il possible de louer un parasol ? é possível alugar um guarda-sol? [è poussivelle alougàr oum gouàrdà sôl?]

parcours *(de golf)* percurso [perkourçou]
▶ on pourrait se faire un parcours de 18 trous podiamos fazer um percurso de 18 buracos [poudiamouch fazère oum perkourçou de dezoïtouch bourakouch]

pardon desculpe [dechkoulpe]
▶ pardon ! desculpe! [dechkoulpe!]

pardonner perdoar [perdouàr]
▶ pardonnez mon mauvais portugais desculpe o meu português não ser melhor [dechkoulpe ou méou pourtouguèch naou sère meliôr]

pare-brise pára-brisas [pàrà brizàch]
▶ pourriez-vous me nettoyer le pare-brise ? será que podia(m) limpar o pára-brisas? [serà ke me pôdia(aou) lĩmpàr ou pàrà brizàch?]

parfum perfume [perfoume] ; *(goût)* sabor [sabôr]
▶ j'adore ton parfum adoro o teu perfume [perfoume]
▶ j'aimerais une glace avec trois parfums queria um gelado com três sabores [keria oum jelàdou kon trèch sabôrech]

parking estacionamento [chtaçiounamẽntou]
> ▶ le parking est-il payant ? o estacionamento é pago? [ou chtaçiounamẽntou è pàgou?]

parler falar [falàr]
> ▶ allô, bonjour, je voudrais parler à M. Lebras, s'il vous plaît estou sim, bom dia, gostaria de falar com o senhor Lebras, se faz favor [chtou sï bon dia gouchtaria de falàr kon ou segnôr lebra se fach favôr]
> ▶ je parle à peine le portugais falo muito mal em português [falou mouytou màl aï pourtouguèch]
> ▶ pourriez-vous parler plus lentement ? poderia(m) falar mais devagar? [pôderià(aou) fàlàr maïch devagare?]
> ▶ y a-t-il quelqu'un qui parle français ? há aqui alguém que fale francês? [à aki àlgaï ke fâle frãncèch?]
> ▶ vous parlez très bien français fala(m) muito bem francês [fàlà(aou) mouytou baï frãncèch]

part (au téléphone) parte [pàrte] ; (portion) fatia [fatià]
> ▶ c'est de la part de qui ? é da parte de quem? [è da pàrte de kaï?]
> ▶ une part de gâteau, s'il vous plaît uma fatia de bolo, se faz favor [ouma fatià de bôlou se fach favôr]

partager dividir [dividir]
> ▶ on va partager, pouvez-vous nous apporter 2 assiettes ? vamos dividir, pode(m) trazer-nos dois pratos? [vamouch dividir pôde(éï) trazère-nouch doïch pratouch?]

partie jogo [jogou]
> ▶ qui veut faire une partie de foot ? quem quer jogar futebol? [kaï kère jougàr foutebol?]
> ▶ on se fait une autre partie ? fazemos outro jogo? [fazémouch otrou jogou?]

partir partir [partir]
> ▶ de quel quai part le train pour... ? de que linha parte o comboio para...? [de ke lignà pàrte ou konboyou pàrà?]
> ▶ quand part le prochain train pour... ? quando é que parte o próximo comboio para...? [kouàndou è ke pàrte ou prossimou konboyou pàrà?]
> ▶ je partirai demain matin vers 9 heures parto amanhã de manhã por volta das 9 horas [partou àmàgnà de màgnà pour vôltà dàch nôve ôràch]
> ▶ excuse-moi, je dois partir desculpa, mas que partir/que me ir embora [dechkoulpa mach tagnou ke partir/tagnou ke me ir ẽmbôrà]

pas adverbe não
> ▶ je n'aime pas les épinards não gosto de espinafres [naou gôchtou de spinàfrech]

▶ ça ne me plaît pas du tout isto não me agrada mesmo nada [issou naou me agradà méchmou nàdà]

▶ tu viens ou pas ? vens ou não? [vaïch ôou naou?]

passage passagem [passajéï]

▶ passage clouté passadeira [passadéïrà]

▶ je suis seulement de passage ici estou apenas de passagem por aqui [chtou apénàch de passajéï pour aki]

passager passageiro [passéjéïrou]

▶ c'est bien ici qu'arrivent les passagers du vol en provenance de Paris ? é aqui que chegam os passageiros do voo proveniente de Paris ? [è aki ke chégaou ouch passéjéïrouch dou vôou prouveniènte de pàrich?]

passeport passaporte [passapôrte]

▶ j'ai perdu mon passeport perdi o passaporte [peurdi ou passapôrte]

▶ on m'a volé mon passeport roubaram-me o passaporte [rôoubaraou-me ou passapôrte]

passer passar [passàr]

▶ à quelle heure passe le bus ? a que horas passa o autocarro? [a ke ôràch passà ou aoutôkarou?]

▶ j'ai déjà passé une semaine ici já passei aqui uma semana [jà passéï aki ouma semana]

▶ pouvez-vous me passer Madame Lamé ? pode(m)-me passar a senhora Lamé? [pôde(aï)-me passàr a segnorà lamè?]

▶ tu peux me passer le sel ? podes passar-me o sal? [pôdech passàr me ou salle?]

passer (se) *(arriver)* acontecer [akonteçère]

▶ que s'est-il passé ? o que é que aconteceu? [ou ke è ke akontéçéou?]

▶ ça se passe très bien está tudo a correr muito bem [chtà toudou a kôrère mouytou baï]

pâtes massa [mâssà]

▶ on fait des pâtes ? fazemos massa? [fazémouch mâssà?]

pause pausa [pàouzà]

▶ on fait une pause ? fazemos uma pausa? [fazémouch ouma pàouzà?]

payant a pagar [a pàgàre]

▶ l'exposition est-elle payante ? a exposição é a pagar? [a chpouziçaou è à pàgàre?]

payer pagar [pàgàre]

▶ est-ce que je peux payer avec ma Carte Bleue® ? posso pagar com Multibanco? [pôssou pàgàre kon moultibànkou?]

▶ on va payer séparément vamos pagar separadamente [vamouch pàgàre separàdàmènte]

pays país [païch]
▶ tu es originaire de quel pays ? és oriundo de que país? [èch ôrioûndou de ke païch?]

PCV a cobrar no destino [a koubràr nou dechtinou]
▶ je voudrais appeler en PCV gostaria de fazer uma chamada a cobrar no destino [gouchtaria de fazère ouma chamàdà a koubràr nou dechtinou]

péage *(taxe)* portagem [pourtàjéi]
▶ cette autoroute est-elle à péage ? esta autoestrada tem portagem? [échtà aoutôchtràdà taï pourtàjéi?]

peau pele [pelle]
▶ j'ai la peau sensible a pele sensível [tagnou à pelle sènsivèle]
▶ elle a les nerfs à fleur de peau ela tem os nervos à flor da pele [èla taï ouch nèrvouch à flôre dà pelle]

pêche pesca [pèchka]
▶ quels sont les bons coins pour la pêche ? onde é que é bom para a pesca? [onde è ke è bon pàrà a pèchka?]

pédale pedal [pedàl]
▶ les pédales sont bloquées os pedais estão/travados [ouch pedaïch chtaou travadouch]

pédalo gaivota [gaïvôta]
▶ peut-on faire du pédalo ? pode-se andar de gaivota? [pôde-se àndar de gaïvôta?]
▶ combien coûte une heure de pédalo ? quanto custa uma hora de gaivota? [kouàntou kouchta ouma ôra de gaïvôta?]

peine *(effort)* pena; *(chagrin)* tristeza
▶ non, merci, ce n'est pas la peine, je vais me débrouiller não, obrigada (o), não vale a pena, eu desenrasco-me [naou ôbrigàdà(aou) naou vale a pénà éou dezènràchkou-me]
▶ je ne voudrais pas lui faire de la peine não queria que ele(a) ficasse triste [naou keria ke éle(à) fikasse trichte]

pellicule rolo [rôlou]
▶ avez-vous des pellicules noir et blanc ? tem rolos a preto e branco? [taï rôlouch a prétou i bränkou?]
▶ je voudrais faire développer cette pellicule queria mandar revelar este rolo [keria mändàr revelàr échte rôlou]

pellicules caspa [kàchpà]
▸ auriez-vous un shampooing contre les pellicules ? têm um champô contra a caspa? [taÎ oum chãmpou kontrà à kàchpà?]

pendant durante [dourãnte]
▸ j'ai rencontré pas mal de gens pendant mon séjour encontrei bastantes
pessoas durante a minha estadia [ênkontréï bàchtãntech pessôàch dourãnte à
mignà chtàdià]

pénicilline penicilina [peniçilinà]
▸ je suis allergique à la pénicilline sou alérgico(a) à penicilina [sôou alèrji-
kou(à) à peniçilinà]

penser pensar [pênsàr], achar [àchàr]
▸ je pense rester ici quelques jours penso ficar aqui alguns dias [pênsou fikàr aki algouch diàch]
▸ qu'est-ce que tu en penses ? o que é que tu achas? [ou ke è ke tou àchàch?]

pension *(hôtel)* pensão [pênsaou]
▸ demi-pension meia-pensão [méyà-pênsaou]
▸ pouvez-vous m'indiquer une petite pension pas trop chère ? pode(m)-
-me indicar uma pensão barata? [pôde(éï)-me ïndikàr ouma pênsaou baràtà?]

perdre perder [peurdère]
▸ j'ai perdu mes bagages, à qui dois-je m'adresser ? perdi a minha bagagem, a quem é que me devo dirigir? [peurdi à mignà bagajéï a kaï è ke me
dévou dirijir?]

perdre (se) perder-se [peurdère-se]
▸ pourriez-vous m'aider ? je crois que je me suis perdu podia(m)-me ajudar? acho que me perdi [pôdià(aou)-me ajoudàr? achou ke me peurdi]

périmé caducado [kadoukàdou]
▸ mon passeport est périmé o meu passaporte está caducado [ou méou pas-
sapôrte chtà kadoukàdou]

permis de conduire carta de condução [kàrtà de kondouçaou]
▸ je n'ai pas mon permis de conduire sur moi não a carta de condução comigo [naou tégnou a kàrtà de kondouçaou]

personne pessoa [pessôà]
ninguém [nïngaï]
▸ je voudrais réserver une chambre pour deux personnes queria reservar
um quarto para duas pessoas [kerià rezervàr oum kouàrtou pàrà douàch pes-
sôàch]
▸ combien ça coûte par personne ? quanto é por pessoa? [kouàntou è pour
pessôà?]

> il n'y a personne não está cá ninguém
  [naou chtà kà nïngaï]

perte perda [pérdà]
> déclaration de perte declaração de perda
  [deklàràçaou de pérdà]
> je voudrais signaler la perte de ma carte
  de crédit gostaria de assinalar a perda do
  meu cartão de crédito [gouchtarià de assinàlàr a pérdà dou méou kàrtaou de krèdïtou]

pétanque petanca [petänka]
> tu veux faire une partie de pétanque ? queres jogar à petanca? [kèrech
  jougàr petänka?]

petit pequeno [pekénou]
> c'est trop petit pour moi é muito pequeno para mim [è mouytou pekénou
  pàrà mï]

peu pouco [pôkou]
> puis-je avoir encore un peu de vin ? pode(m)-me servir mais um pouco
  de vinho? [pôde(aï)-me servir maïch oum pôkou de vignou?]
> un peu plus, s'il vous plaît mais um pouco, se faz favor [maïch oum pôkou
  se fach favôr]
> je suis un peu fatigué estou um pouco cansado [chtou oum pôkou känçadou]

peur medo [médou]
> j'ai horriblement peur des serpents um medo terrível das serpentes [ta-
  gnou oum médou terrivelle dàch serpëntech]

peut-être talvez [talvèch]
> il s'est peut-être perdu talvez ele se tenha perdido [talvèch éle se tagnà per-
  didou]

phares faróis [faroïch]
> vous avez oublié d'éteindre vos phares esqueceu-se de desligar os faróis
  [chkèsséou-se de dechligàre ouch faroïch]

pharmacie farmácia [farmàcià]
> pharmacie de garde farmácia de serviço [farmàcià de serviçou]
> où se trouve la pharmacie la plus proche ? onde é que se encontra a far-
  mácia mais próxima? [onde è ke se ënkontrà à farmàcià maïch prossimà?]

photo fotografia [foutougrafià]
> est-ce que je peux prendre des photos ici ? posso tirar fotografias aqui?
  [pôssou tiràr foutougrafiàch aki?]

▶ pourriez-vous nous prendre en photo? poderia tirar-nos uma fotografia? [pôderià tiràr-nouch ouma foutougrafià?]

▶ quand les photos seront-elles prêtes? quando é que as fotografias estão prontas? [kouãndou è ke ach foutougrafiàch chtaou prontàch?]

pichet jarro [jarou]

▶ un pichet de vin blanc, s'il vous plaît um jarro de vinho branco, se faz favor [oum jarou de vignou brãnkou se fach favôr]

pièce *(spectacle)* (MÉCANIQUE) peça [pèça]; *(de monnaie)* moeda [mouèdà]

▶ pièce de théâtre peça de teatro [pèça de tiàtrou]

▶ savez-vous où je pourrais trouver une pièce de rechange? sabe(m) onde poderei encontrar uma peça sobresselente? [sabe(éi) onde pôderéï ênkontràr ouma pèça sôbressélênte?]

▶ je n'ai que des pièces só moedas [sô tagnou mouèdàch]

pied pé [pè]

▶ ce n'est pas trop loin à pied? a pé não fica muito longe? [à pè naou fika mouito lonje?]

▶ j'ai mal aux pieds dói-me os pés [doï-me ouch pèch]

▶ c'était vraiment le pied! foi bestial! [foï bechtiàl!]

pile pilha [pilia]

▶ j'ai besoin d'une pile pour ma montre preciso de uma pilha para o meu relógio [pressizou de ouma pilia]

pilule pílula [piloulà]

▶ pilule du lendemain pílula do dia seguinte [piloulà dou dià seguînte]

▶ est-ce que tu prends la pilule? tomas a pílula? [tômàch a piloulà?]

▶ je ne prends pas la pilule não tomo a pílula [naou tômou a piloulà]

à la pharmacie INFO

▶ je voudrais un médicament contre le mal de gorge/les maux de tête queria um medicamento contra a dor de garganta/de cabeça [kerià oum medikamêntou kontrà à dôr de gàrgãntà/de kabéçà]

▶ j'aurais besoin d'un sirop contre la toux precisava de um xarope contra a tosse [preçizàvà de oum charôpe kontrà à tôsse]

▶ je voudrais de l'aspirine queria uma aspirina [kerià ouma àchpirinà]

▶ je me suis fait piquer par une guêpe fui picado(a) por uma vespa [fouï pikadou(à) pôr oumà vèchpà]

▶ pourriez-vous me recommander un médecin? poderia(m) aconselhar-me um médico? [pôderià(aou) akonseliàr-me oum médikou?]

---

pince pinça [pïnçà]
> ▶ j'ai besoin d'une pince à épiler preciso de uma pinça [pressizou de ouma pïnçà]

ping-pong pingue-pongue [ping pong]
> ▶ est-ce qu'il y a des tables de ping-pong ? há mesas de pingue-pongue? [à mézàch de ping pong?]

pique-nique piquenique [pikenike]
> ▶ et si on faisait un pique-nique ? e se fizéssemos um piquenique? [i se fizèssemouch oum pikenike?]

piquer *(insecte)* picar [pikàr] ; *(voler)* roubar [rôbàr]
> ▶ je me suis fait piquer par une guêpe fui picado(a) por uma vespa [fouï pikàdou(à) pour ouma vèchpà]
> ▶ on m'a piqué mon portefeuille roubaram-me a carteira [rôbaraou-me a kàrtéïrà]

piquet estaca [chtàka]
> ▶ il nous manque un piquet, vous en auriez ? falta-nos uma estaca, têm alguma? [falta-nouch ouma chtàka?]

piqûre *(d'insecte)* picada [pikàdà]
> ▶ auriez-vous une crème contre les piqûres de moustique ? têm um creme contra as picadas de mosquito? [taï oum krème kontrà ach pikàdàch de mouchkitou?]

piscine piscina [pichçina]
> ▶ piscine olympique piscina olímpica [pichçina oulïmpika]
> ▶ y a-t-il une piscine en plein air ? há alguma piscina ao ar livre? [a algouma pichçina aou ar livre?]
> ▶ la piscine est-elle chauffée ? a piscina é aquecida? [a pichçina è àkèçida?]

piste pista [pichta]
> ▶ piste cyclable ciclopista [çiklôpichta]

pizza pizza [pizà]
> ▶ je voudrais une pizza aux champignons queria uma pizza com cogumelos [kerià ouma pizà kon kougoumèlouch]

place *(billet)* bilhete [biliette] ; *(siège)* lugar [lougàr] ; *(d'une ville)* praça [pràçà]
> ▶ je voudrais 3 places pour... queria três bilhetes para... [kerià trèch biliettech pàrà]
> ▶ est-ce qu'il vous reste de la place ? ainda tem lugares vagos? [aïndà taï lougàrech vagouch?]

- ▶ je voudrais une place côté fenêtre queria um lugar do lado da janela [kerià oum lougàr dou ladou da janèlà]
- ▶ cette place est-elle prise ? este lugar está ocupado? [échte lougàr chtà okoupàdou?]
- ▶ où se trouve la place principale ? onde fica a praça principal? [onde fikà a pràçà prïncipàl?]

plage praia [prayà]
- ▶ cette plage est-elle surveillée ? esta praia está vigiada? [échtà prayà chtà vijïàdà?]
- ▶ c'est une plage tranquille ? é uma praia tranquila? [è ouma prayà trãnkouïla?]

plainte queixa [kéïchà]
- ▶ je voudrais porter plainte pour vol queria apresentar queixa por roubo [kerià aprezëntàr kéïchà pour rôbou]

plaire agradar [agradàr]
- ▶ ça m'a beaucoup plu agradou-me imenso [agradô-me imẽnsou]
- ▶ tu me plais énormément agradas-me muito [agradàch-me mouytou]
- ▶ un verre de vin, s'il vous plaît um copo de vinho, se faz favor [oum kôpou de vignou se fach favôr]

plaire (se) sentir(-se) bem [sẽntir(-se) baï]
- ▶ tu te plais ici ? sentes-te bem aqui? [sẽntech-te baï aki?]

plaisanter brincar [brïnkàr]
- ▶ tu plaisantes ? estás a brincar? [chtàch a brïnkàr?]

plaisir gosto [gochtou]
- ▶ avec plaisir ! com muito gosto! [kon mouytou gochtou!]
- ▶ ça me fait plaisir de vous revoir muito gosto em voltar a vê-lo(a) [tagnou mouytou gochtou aï vôltàr a vé-lou(à)]

---

plaintes INFO

- ▶ je voudrais voir le directeur, s'il vous plaît queria ver o director, se faz favor [keria verre ou dirètôr de fach favôr]
- ▶ j'ai une réclamation à faire que fazer uma reclamação [tagnou ke fazère ouma reklamaçaou]
- ▶ je compte sur vous pour régler ce problème conto convosco para me ajudarem a resolver este problema [kontou konvôchkou pàrà me ajoudaréï a rezolverre échte prôblémà]
- ▶ j'exige le remboursement intégral de mon billet exijo o reembolso integral do meu bilhete [izijou ou reẽmbôlsou ïntégràl dou méou biliette]

---

plan plano [planou]
▸ auriez-vous un plan de la ville ? têm um plano da cidade ? [taï oum planou da çidàde?]
▸ pouvez-vous me montrer sur le plan où nous sommes ? pode(m)-me mostrar no plano onde estamos ? [pôde(aï)-me moustràr nou planou ondeu chtámouch?]

planche à voile prancha à vela [prãncha à vèla]
▸ peut-on faire de la planche à voile par ici ? pode-se fazer prancha à vela aqui ? [pôde-se fazère prãncha à vèla aki?]

planche de surf prancha de surf [prãncha de serf]
▸ où peut-on louer des planches de surf ? onde é que se pode alugar pranchas de surf ? [onde é ke se pôde alougar prãnchach de serf?]

plat *(dans un menu)* prato [pratou] ; *(pneu, batterie)* vazio [vaziou]
▸ plat du jour prato do dia [pratou dou dià]
▸ plat principal prato principal [pratou prïncipàl]
▸ avez-vous un plat à me recommander ? será que me pode(m) aconselhar um prato ? [serà ke me pôde(aï) akonseliàr oum pràtou?]
▸ avec quoi ce plat est-il servi ? este prato é servido com o quê ? [échte pratou è servidou kon ôké?]
▸ les pneus sont à plat os pneus estão vazios [ouch penéouch chtaou vaziouch]
▸ la batterie est à plat a bateria está descarregada [a baterià chtà dechkaregàdà]

plein cheio [chéiou]
▸ le bus était plein à craquer o autocarro estava cheio [ou aoutôkarou chtava chéyou]
▸ le plein, s'il vous plaît é para atestar, se faz favor [è pàrà atechtàr se fach favôr]

pleuvoir chover [chouvèr]
▸ vous croyez qu'il va pleuvoir ? acha(m) que vai chover ? [acha(aou) ke vaï chouvèr?]

plomb *(essence)* chumbo [choûmbo] ; *(fusible)* fusível [fouzivelle]
▸ essence sans plomb gasolina sem chumbo [gazoulina saï choûmbou]
▸ les plombs ont sauté os fusíveis rebentaram [ouch fouzivéïch rebëntàraou]

plombage chumbo [choûmbou]
▸ j'ai un plombage qui a sauté perdi o chumbo de um dente [perdi ou choûmbou de oum dënte]

plongée mergulho [mergouliou]
▸ plongée sous-marine mergulho submarino [mergouliou soubmarinou]

> ▸ j'aimerais prendre des cours de plongée queria ter aulas de mergulho [keria tèr aoulàch de mergouliou]
> ▸ quel est le meilleur endroit pour faire de la plongée ? qual é o melhor sítio para fazer mergulho ? [kouàl è ou melior sitiou pà-rà fazère mergouliou?]
> ▸ je voudrais m'inscrire pour le stage de plongée queria inscrever-me num está-gio de mergulho [keria ïnchkrevèr-me noum chtàgiou de mergouliou]

plonger mergulhar [mergouliàr]
> ▸ peut-on plonger de nuit ? pode-se mergulhar à noite? [pôde-se mergouliàr à noïte?]

plus mais [maïch]
> ▸ un peu plus, s'il vous plaît um pouco mais, se faz favor [oum pôkou maïch se fach favôr]
> ▸ est-il possible de rester une nuit de plus ? será possível ficar mais uma noite? [serà poussivele fikar maïch ouma noïte?]
> ▸ je n'en veux plus, merci não quero mais, obrigado(a) [naou kérou maïch ôbrigadou(à)]
> ▸ elle est plus grande que lui ela é mais alta do que ele [èlà è maïch alta dou ke éle]

pneu pneu [penéou]
> ▸ le pneu est crevé o pneu está furado [ou penéou chtà fouràdou]

poignet pulso [poulsou]
> ▸ je me suis foulé le poignet torci o pulso [torçi ou poulsou]

point *(cuisson)* bem passado [baï passadou] ; *(jeu, sport)* pontos [pontouch]
> ▸ à point, s'il vous plaît ! bem passado, se faz favor! [baï passadou se fach favôr!]
> ▸ tu comptes les points ? contas os pontos? [kontàch ouch pontouch?]

point de côté pontada [pontàda]
> ▸ j'ai un point de côté [tagnou ouma pontàda]

point de départ partida [partida]
> ▸ où est le point de départ de la course ? onde é a partida da corrida? [õnde è a partida da kourida?]

poisson peixe [péiche]
  ▸ j'adore le poisson ! gosto muito de peixe! [gôchtou mouytou de péïche!]

police polícia [poulíçià]
  ▸ il faut appeler la police é preciso chamar a polícia [è pressizou chamàr a poulíçià]
  ▸ quel est le numéro de la police ? qual é o número da polícia? [kouàl è ou noumerou da poulíçià?]
  ▸ où se trouve le poste de police le plus proche ? onde é que fica a esquadra mais próxima? [onde è ke fika à échkouàdra maïch prôssimà?]

INFO
police

Dans les villes portugaises, la sécurité publique est assurée par la PSP (Polícia de Segurança Pública). Dans les zones rurales, c'est la GNR (Guarda Nacional Republicana) qui remplit cette fonction. Une de ses divisions, la BT (Brigada de Trânsito), est responsable de la police des routes, reconnaissable à son brassard rouge.

pommade pomada [poumàda]
  ▸ avez-vous de la pommade contre les brûlures ? tem pomada para as queimaduras? [taï poumàda pàrà ach kéïmadouràch?]

pomme maçã [maçã]
  ▸ un jus de pomme, s'il vous plaît um sumo de maçã, se faz favor [oum soumou de maçã se fach favôr]

pompe *(à vélo)* bomba [bomba]; *(exercice)* abdominais [abdouminaïch]
  ▸ vous avez une pompe à vélo ? tem uma bomba de bicicleta? [taï ouma bomba de biçiklèta?]
  ▸ on fait une série de pompes ? fazemos uma série de abdominais? [fazémouch ouma sèri de abdouminaïch?]

pompiers bombeiros [bonbéïrouch]
  ▸ appelez les pompiers ! chamem os bombeiros! [chaméï ouch bonbéïrouch!]

pont *(sur un fleuve, une rivière)* ponte [ponte]; *(de bateau)* convés [konvèch]
  ▸ où se trouve le Pont du 25 avril ? onde é que fica a Ponte 25 de Abril? [onde è ke fika a ponte vïnte çïnkou de abril?]
  ▸ comment se rend-on sur le pont ? como é que podemos aceder ao convés? [komou è ke poudémouch acedère aou konvèch?]
  ▸ pouvons-nous rester sur le pont ? podemos ficar no convés? [poudémouch fikàr nou konvèch?]

porc *(CUISINE)* carne de porco [karne de porkou]
  ▸ je ne mange pas de porc não como carne de porco [naou komou karne de porkou]

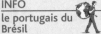

INFO
le portugais du Brésil

Le « brésilien » n'existe pas. Il s'agit du portugais du Brésil. Tout Portugais est sensible à cette confusion, même si les liens communautaires entre les deux pays sont restés très forts. Cela dit, au Brésil, la langue est plus décontractée, plus imagée, l'accent et les expressions étant spécifiques à chaque pays. Bref, un peu comme l'anglais d'Angleterre et celui des États-Unis.

portable *(ordinateur)* portátil [portàtil] ; *(téléphone)* telemóvel [tèlèmôvelle]
  ▶ ordinateur portable computador portátil [konpoutador portàtil]
  ▶ tu as un portable ? tens telemóvel? [taïch tèlèmôvelle?]

porte porta [pôrta]
  ▶ où se trouve la porte d'embarquement du vol pour Paris ? onde é que fica a porta de embarque do voo para Paris? [onde è ke fika a pôrta dou vôou pàrà parich?]
  ▶ je n'arrive pas à ouvrir la porte não consigo abrir a porta [naou konsigou abrir a pôrta]

portefeuille carteira [kartéïrà]
  ▶ j'ai perdu mon portefeuille perdi a carteira [perdi a kartéïrà]

porter *(tenir)* carregar [karegàr] ; *(apporter)* dar [dàr]
  ▶ pourriez-vous m'aider à porter mes bagages ? pode(m)-me ajudar a carregar a minha bagagem? [pôde(éï)-me ajoudàr a karegàr a migna bagajéï?]
  ▶ ça porte bonheur ! dá sorte! [dà sôrte!]

portugais português [pourtouguèche]
  ▶ comment dit-on « de rien » en portugais ? como se diz "de rien" em português? [koumou se dich "de rien" aï pourtouguèche?]
  ▶ je ne parle pas bien portugais não falo muito bem português [naou fâlou mouytou baï pourtouguèche]

poser *(question)* fazer [fazère] ; *(difficulté)* causar [kaouzàr]
  ▶ je peux vous poser une question ? posso fazer-lhe uma pergunta? [pôssou fazère-lieu ouma pergüntà?]
  ▶ ça ne me pose aucun problème não me causa nenhum problema [naou ma kaouzà negnoûm prôbléma]

possible possível [poussivelle]
  ▶ serait-il possible de rester une nuit supplémentaire ? será possível ficar mais uma noite? [serà poussivelle fikar maïch ouma noïte?]

poste correios [kouréïouch]
  ▶ où se trouve le bureau de poste le plus proche ? onde é que fica a estação dos correios mais próxima? [onde è ke fika a chtaçaou douch kouréïouch maïch prôssima?]

pot *(AUTOMOBILE)* tubo [toubou] ; *(verre)* copo [kôpou]

▸ le pot d'échappement fait un drôle de bruit o tubo de escape faz um barulho esquisito [ou toubou de chkàpe fach oum barouliou chkizitou]

▸ on va boire un pot ? vamos beber um copo? [vamouch bebère oum kôpou?]

potable potável [poutàvelle]

▸ cette eau est-elle potable ? esta água é potável? [échta àgouà è poutàvelle?]

poubelle caixote do lixo [kaïchôte dou lichou]

▸ où sont les poubelles ? onde é que está o caixote do lixo? [onde è ke chtà ou kaïchôte dou lixou?]

▸ ça va dans quelle poubelle, ça ? ponho isto em que caixote? [pôgnou ichtou aï ke kaïchôte?]

pour *(exprime la destination, la durée)* para/por [pàrà/pour]

▸ à quelle heure est le prochain train pour Coimbra ? a que horas parte o próximo comboio para Coimbra? [a ke ôràch parte ou prôssimou konboyou pàrà kouïmbra?]

▸ je suis là pour deux semaines estou aqui por duas semanas [chtou aki pour douach semanach]

pourboire gorjeta [gourjèta]

▸ faut-il laisser un pourboire ? é preciso deixar gorjeta? [è pressizou déïchàr gourjèta?]

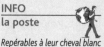

INFO
la poste

Repérables à leur cheval blanc sur fond rouge et à leur sigle CTT, les bureaux de poste (Correios) *sont ouverts de 8 h 30 à 18 h 30 du lundi au vendredi. On trouve deux types de boîtes à lettres : rouges pour les envois normaux et bleues pour le service rapide* (correio azul). *Timbres* (selos) *en vente également dans les commerces affichant le logo.*

---

au bureau de poste INFO

▸ je voudrais dix timbres pour la France queria dez selos para França [keria dèch sélouch pàrà à frànçà]

▸ je voudrais envoyer ce paquet en recommandé queria registar esta encomenda [keria regichtàr échtà ènkoumèndà]

▸ combien de temps ça va mettre pour arriver en France ? quanto tempo é que vai levar a chegar a França? [kouàntou tèmpou è ke vaï levar à chegàr a frànçà?]

▸ je voudrais consulter l'annuaire gostaria de consultar a lista telefónica [gouchtaria de konsultàr a lichta telefônikà]

---

pourquoi porque [pourké]
  ▶ pourquoi tu ne viendrais pas avec nous ? porque é que não hás-de vir connosco? [pourke è ke naou ach-de ir kounôchkou?]
  ▶ pourquoi pas ? porque não? [pourke naou?]

pousser *(déplacer)* empurrar [ēmpouràr]
  ▶ pouvez-vous nous aider à pousser la voiture ? pode(m)-nos ajudar a empurrar o carro? [pôde(ai)-nouch ajoudar a ēmpouràr ou karou?]

pouvoir poder [poudère]
  ▶ pourriez-vous... ? podia(m)/poderia(m)...? [pôdia(aou)/pôderia(aou)?]
  ▶ je ne suis pas sûr de pouvoir venir não estou certa(o) de poder vir [naou chtou cèrtou(à) de poudère vir]
  ▶ je n'en peux plus *(je suis fatigué)* não aguento mais [naou agouēntou maïch]
  ▶ je n'en peux plus *(j'ai trop mangé)* estou cheio(a) [chtou chéyou(à)]
  ▶ je n'y peux rien não nada a ver com isso [naou tagnou nada a verre kon issou]

préféré preferido [preferidou]
  ▶ c'est mon auteur préféré ! é o meu autor preferido! [è ou méou aoutôr preferidou!]

préférer preferir [preferir]
  ▶ je préfère la mer à la montagne prefiro o mar à montanha [prefirou ou marre à montàgnà]
  ▶ je préférerais qu'on aille se promener preferia que fôssemos dar um passeio [preferià ke fôssemouch dàr oum passéyou]

premier primeiro [priméïrou]
  ▶ c'est la première fois que tu viens ici ? é a primeira vez que aqui vens? [è a priméïrà vèch ke aki vaïch?]

---

préférence INFO

  ▶ plutôt que de prendre le bus, on pourrait y aller à pied em vez de apanharmos o autocarro podíamos ir a pé [aï vèche de apagnàr-mouch ou aoutôkarou poudiàmouch ir à pè]
  ▶ samedi me conviendrait mieux dava-me mais jeito no sábado/preferia que fosse no sábado [dàvà-me maïch jéïtou nou sabàdou/preferià ke fôsse nou sabàdou]
  ▶ ça m'arrangerait qu'on se retrouve ailleurs preferia que nos encontrássemos noutro local [preferià ke nouch ēnkontràssemouch nôtrou loukàl]
  ▶ j'ai un faible pour le chocolat uma queda por chocolate [tagnou ouma kèdà pour choukoulàte]

119

première (TRANSPORTS) primeira classe [priméïrà klasse]
▶ nous avons voyagé en première classe viajámos em primeira classe [vià-jàmouch aï priméïrà klasse]

prendre (TRANSPORTS) apanhar [apagnàr] ; (boisson) tomar [toumàr] ; (photo) tirar [tiràr]
▶ je préfère prendre l'avion prefiro apanhar o avião [prefirou apagnàr ou aviaou]
▶ quelle route dois-je prendre ? qualé a estrada que devo apanhar? [kouàlé à chtràdà ke dévou apagnàr?]
▶ ça te dit d'aller prendre un verre ? apetece-te ir tomar um copo? [ape-tèce-te ir toumàr oum kôpou?]
▶ est-ce que vous pourriez nous prendre en photo ? podia(m) tirar-nos uma fotografia? [pôdià(aou) nouch tiràr ouma foutougrafia?]

préparer preparar [prepàràr] ; (CUISINE) confeccionar [konféçiounàr]
▶ vous pouvez préparer ma note, s'il vous plaît ? pode(m) preparar a mi-nha conta, se faz favor? [pôde(éï) me prepàràr à migna kontà se fach favôr?]
▶ comment ce plat est-il préparé ? como é que este prato é confeccionado? [komou è ke èchte pràtou chtà konféçiounàdou?]

préparer (se) preparar(-se) [prepàràr(-se)]
▶ je me prépare et j'arrive ! estou-me a preparar, já vou! [chtou-me a prepa-ràr jà vô!]

près ao pé [aou pè]
▶ c'est tout près de la gare é mesmo ao pé da gare [è méchmou aou pè da gare]

présentations apresentações [aprezäntàçoïch]
▶ je vais faire les présentations vou fazer as apresentações [vô fazère ach aprezäntàçoïch]

présenter apresentar [aprezäntàr]
▶ je me présente, je m'appelle Aurélie apresento-me, chamo-me Aurélie [aprezäntou-me chamou-me oréli]
▶ Marc, je te présente Cédric Marc, apresento-te o Cédric [mark aprezäntou-te ou sédrik]

préservatif preservativo [prezervativou]
▶ tu as des préservatifs ? tens preservativos? [taïch prezervativouch?]
▶ je ne ferai rien sans préservatif não faço nada sem preservativo [naou fa-çou nada saï prezervativou]

presque quase [kouàze]
▶ il est presque minuit é quase meia-noite [è kouàze méyà noïte]

pressé apressado [àprèssadou]
▸ excusez-moi, je suis pressé(e) desculpa, mas estou apressado(a) [dechkoulpa mach chtou àprèssadou(à)]

pressing lavandaria [lavãndarià]
▸ y a-t-il un pressing dans le quartier ? existe alguma lavandaria no bairro? [izichte algouma lavãndarià nou baïrou?]

pression *(bière)* fino/imperial [finou/ïmperiàl] ; *(AUTOMOBILE)* pressão [pressaou]
▸ une pression, s'il vous plaît ! um fino/uma imperial, se faz favor! [oum finou/ouma ïmperiàl se fach favôr!]
▸ pourriez-vous vérifier la pression des pneus ? poderia(m) verificar a pressão dos pneus? [pôderia(aou) verifikàr a pressaou douch penéouch?]

prêt pronto [prontou]
▸ ce sera prêt quand ? quando é que estará pronto? [kouãndou è ke chtarà prontou?]
▸ je serai prêt dans 10 minutes estou pronto daqui a dez minutos [chtou prontou(à) daki à dèch minoutouch]

prêter emprestar [ẽmprechtàr]
▸ pourriez-vous me prêter votre stylo ? poderia(m) emprestar-me a sua caneta? [pôderia(aou) ẽmprechtàr-me a souà kanétà?]

prévenir prevenir [prevenir]
▸ pourrez-vous me prévenir quand on arrivera à la station ? podia(m) prevenir-me quando chegarmos à estação? [pôdia(ao) prevenir-me koãndou a chtàçaou?]

prévoir prever [prevèr]
▸ combien de temps faut-il prévoir ? quanto tempo é necessário prever? [kouãntou tẽmpou è necessàriou prevèr?]
▸ tu as quelque chose de prévu ce soir ? tens alguma coisa prevista para esta noite? [taïch algouma koïza previchta?]

prier fazer [fazère] ; favor [favôr]
▸ je vous en prie se faz favor [se fach favôr]
▸ je vous prie d'accepter mes excuses por favor, aceite as minhas desculpas [pour favôr açéïte ach mignàch dechkoulpàch]

priorité prioridade [priouridàde]
▸ il n'a pas respecté la priorité ele não respeitou a prioridade [éle naou rechpéïtô a priouridàde]

prise tomada [toumada]
▸ prise de courant tomada [toumada]

▶ y a-t-il une prise pour que je recharge mon portable ? há uma tomada para recarregar o meu telemóvel? [à ouma toumada parà rekaregàr ou méou tèlèmôvelle?]

privé privado [privàdou]

▶ c'est une plage privée ? é uma praia privada? [è ouma prayà privàdà?]

prix preço [préçou]

▶ quel est le prix de la chambre pour une nuit ? qual é o preço do quarto por noite? [kouàl è ou préçou dou kàrtou pour noïte?]

▶ auriez-vous une liste des prix ? será que tem a lista dos preços? [serà ke taï a lichtà douch préçouch?]

problème problema [problémà]

▶ nous avons un gros problème temos um grave problema [témouch oum grave prôblémà]

▶ pas de problème ! não há problema! [naou à prôblémà!]

prochain próximo [prôssimou]

▶ à quelle heure est le prochain train pour Lagos ? a que horas é o próximo comboio para Lagos? [a ke ôràch è ou prôssimou konboyou pàrà làgouch?]

proche próximo [prôssimou]

▶ où se trouve la station de métro la plus proche ? onde é que se encontra a estação de metro mais próxima? [onde è ke se ênkontra a chtaçaou de métrou maïch prôssima?]

prof professor [proufessôr]

▶ je suis prof sou professor [sô proufessôr]

profondeur profundidade [proufoûndidàde]

▶ quelle est la profondeur de l'eau ? qual é a profundidade da água? [kouàl è a proufoûndidàde dà agouà?]

promenade passeio [passéyou]

▶ y a-t-il des promenades sympas à faire dans les environs ? podemos dar passeios fixes nos arredores? [poudémouch dàr passéyouch fichech nouch aredôrech?]

prononcer (se) pronunciar(-se) [prounûnçiàr-sé]

▶ comment ça se prononce ? como é que se pronuncia? [kômou è ke se prounûnçià?]

proposer propor [proupôr]

▶ je propose qu'on aille boire un verre proponho irmos beber um copo [proupôgnou irmouch bebère oum kôpou]

▶ auriez-vous autre chose à me proposer ? tem outra coisa a propor-me? [taï ôtrà koïzà a proupôr-me?]

propre limpo [līmpou]
▶ l'eau est-elle propre ? a água está limpa? [a àgouà chtà līmpà?]

protection protecção [proutèçaou]
▶ quel est l'indice de protection de cette crème solaire ? qual é o índice de protecção deste protector solar? [kouàl è ou īndiçe de proutèçaou déchte protètôr soulàr?]

public público [poublikou]
▶ le château est-il ouvert au public ? o castelo está aberto ao público? [ou kachtélou chtà abèrtou aou poublikou?]

Q

quai *(de gare)* cais [kaïch]
▶ de quel quai part le train pour Évora ? de que cais parte o comboio para Évora? [de ke kaïch parte ou konboyou pàrà èvourà/]

quand quando [kouãndou]
▶ quand part le prochain train pour Cascais ? quando é que parte o próximo comboio para Cascais? [kouãndou è ke parte ou prôssimou konboyou pàrà kachkaïch?]

quart quarto [kouàrtou]
▶ il est une heure et quart é uma e um quarto [è ouma i oum kouàrtou]
▶ il est une heure moins le quart é uma hora menos um quarto [è ouma ôrà ménouch oum kouàrtou]
▶ je serai de retour d'ici un quart d'heure estarei de volta daqui a um quarto de hora [chtaréï de vôltà daki a oum kouàrtou de ôrà]

quartier *(d'une ville)* bairro [baïrou]
▶ est-ce qu'il y a un supermarché dans le quartier ? há algum supermercado no bairro? [à algoum soupèrmerkadou nou baïrou?]
▶ on a trouvé un petit hôtel dans un quartier super sympa descobrimos um hotelzinho num bairro super fixe [dechkoubrimouch oum ôtèlzignou noum baïrou soupèr fiche]

quatre quatro [kouatrou]
▶ nous sommes quatre somos quatro [somouch kouatrou]
▶ je voudrais louer un 4X4 queria alugar um gipe [keria alougàr oum jipe]

quel que/qual [ke/kouàl]
▶ quelle heure est-il ? que horas são? [ke ôrach saou?]

▸ quel hôtel nous recommandez-vous ? qual é o hotel que nos recomenda (m) ? [kouàl è ou ôtèl ke nouch rekoumẽnda(aou)?]

quelque chose alguma coisa [algouma koïza]

▸ je peux faire quelque chose pour vous aider ? posso fazer alguma coisa para os ajudar? [pôssou fazère algouma koïza pàrà ouch ajoudàr?]

▸ tu as déjà quelque chose de prévu ce soir ? já tens alguma coisa prevista para esta noite? [jà taïch algoumà koïza previchta pàrà échtà noïte?]

quelques *(plusieurs)* alguns [algouch]

▸ j'ai passé un mois au Brésil il y a quelques années passei um mês no Brasil há alguns anos atrás [passéï oum mèch nou braasil à algouch anouch atràch]

quelqu'un alguém [alguéï]

▸ il y a quelqu'un ? está alguém? [chtà alguéï?]

question pergunta [pergũntà]

▸ je peux vous poser une question ? posso-lhe fazer uma pergunta? [pôssou fazère lieu ouma pergũntà?]

▸ il n'en est pas question ! nem penses! [naï pẽnçech!]

queue *(file d'attente)* bicha [bicha]

▸ on a dû faire la queue pendant un quart d'heure tivemos que fazer a bicha durante um quarto de hora [tivèmouch ke fazère a bicha dourãnte oum kouàrtou de ôrà]

queue de billard taco de bilhar [takou de biliàr]

▸ il n'y a pas assez de queues de billard pour tout le monde não há tacos de bilhar para todos [naou à takouch de biliàr pàrà todouch]

qui *(personne)* quem [kaï] ; *(chose)* que [ke]

▸ à qui dois-je m'adresser ? a quem é que me devo dirigir? [a kaï è ke me dévou dirijir?]

▸ c'est de la part de qui ? é da parte de quem? [è da pàrte de kaï?]

▸ c'est bien la route qui mène à l'Algarve ? é esta a estrada que leva ao Algarve ? [è échta a chtràda ke lèvà aou algàrve?]

quitter *(un lieu)* deixar [déïchàr] ; *(au téléphone)* desligar [dechligàr]

▸ à quelle heure faut-il quitter l'hôtel ? a que horas temos que deixar o hotel? [a ke ôràch témouch ke déïchàr ou ôtèl?]

▸ ne quittez pas não desligue [naou dechligue]

quoi que/quê [ke/ké]

▸ quoi ? *(pour faire répéter)* o quê ? [ou ké?]

▸ c'est quoi ? o que é? [ou ke è?]

▸ il n'y a pas de quoi não tem de quê [naou taï de kê]

▶ quoi de neuf ? o que há de novo? [ou ke a de nôvou?]

quotidien *(journal)* diário [diàriou]
  ▶ avez-vous des quotidiens français ? tem jornais diários franceses? [taï journaïch diàriouch frãnçèzech?]

R

raccompagner acompanhar [akonpàgnàr]
  ▶ pourriez-vous me raccompagner ? podia(m) acompanhar-me? [pôdia (aou) akonpàgnàr-me?]
  ▶ je te raccompagne ? acompanho-te? [akonpàgnou-te?]
raccourci atalho [ataliou]
  ▶ y a-t-il un raccourci ? existe algum atalho? [izichte algoum ataliou?]
raconter contar/dizer [kontàr/dizère]
  ▶ je te raconterai ! logo te conto! [lôgou te kontou-te!]
  ▶ ne raconte pas de bêtises ! não digas asneiras! [naou digach achnéïràch!]
radiateur *(d'automobile)* radiador [radiàdôr] ; *(de chauffage)* aquecedor [akèçedôr]
  ▶ il y a une fuite dans le radiateur há uma fuga no radiador [a ouma fouga nou radiàdôr]
  ▶ auriez-vous un radiateur électrique ? será que tem um aquecedor eléctrico? [serà ke taï oum akèçedôr ilètrikou?]
radio *(station)* estação [chtaçaou] ; *(MÉDECINE)* radiografia [radiougrafià]
  ▶ est-ce qu'on peut capter des radios françaises ? podemos apanhar estações de rádio francesas? [poudémouch apagnàr chtaçoïch de ràdiou frãnçèzach?]
  ▶ croyez-vous que je doive passer une radio ? acha que deva fazer uma radiografia? [acha ke dévà fazère ouma radiougrafià?]
raisin uva [ouvà]
  ▶ un jus de raisin, s'il vous plaît um sumo de uva, se faz favor [oum soumou de ouvà se fach favôr]
raison razão [razaou]
  ▶ vous avez raison tem razão [taï razaou]
rallonge *(électrique)* extensão [chtênçaou]
  ▶ auriez-vous une rallonge ? será que tem uma extensão? [serà ke taï ouma chtênçaou?]

rame remo [rémou]
  ▶ il manque une rame falta um remo [falta oum rémou]

randonnée passeio, marcha [passéyou, marcha]
  ▶ randonnée pédestre passeio a pé [passéyou a pè]
  ▶ randonnée à vélo passeio de bicicleta [passéyou de biçiklèta]
  ▶ où peut-on faire de la randonnée ? aonde é que podemos fazer marcha? [aonde è ke poudémouch fazère marcha?]
  ▶ est-ce qu'il y a des sentiers de randonnée ? há circuitos de marcha? [à çirkouïtouch de marcha?]
  ▶ combien de temps dure la randonnée ? quanto tempo dura o passeio? [kouántou tẽmpou doura ou passéyou?]

rappel (escalade) rappel [rapèl]
  ▶ est-ce qu'on peut faire du rappel ici ? pode-se fazer rappel aqui? [pôde-se fazère rapèl aki?]

rappeler (au téléphone) telefonar mais tarde [telefonàr maïch tàrde]
  ▶ pouvez-vous lui demander de me rappeler ? podia(m) pedir-lhe para me telefonar mais tarde? [pôdià(aou) pedir-lieu pàrà me telefonàr maïch tàrde?]
  ▶ je rappellerai plus tard depois volto a telefonar [depoïch vôltou a telefonàr]

rappeler (se) (se souvenir) lembrar(-se) [lẽmbràr(-se)]
  ▶ je ne me rappelle plus le chemin já não me lembro do caminho [jà naou me lẽmbrou dou kamignou]

raquette (de tennis, de ping-pong) raquete [rakète]
  ▶ peut-on louer des raquettes de tennis ? pode-se alugar raquetes de ténis? [pôde-se alougar rakètech de tènich?]
  ▶ nous avons des raquettes de badminton temos raquetes de badminton [témouch rakètech de badmîntône]

rasoir gilete [jilette]
  ▶ y a-t-il une prise pour mon rasoir électrique ? há alguma tomada para a minha máquina de barbear? [à algouma toumàdà pàrà à mignà jilette?]
  ▶ il faut que j'achète un rasoir jetable que comprar ouma gilete [tagnou ke konpràr ouma jilete]

rater (train) perder [perdère]
  ▶ j'ai raté ma correspondance perdi a correspondência [perdi a kourechpondẽnçià]
  ▶ on va rater le train ! vamos perder o comboio! [vamouch perdère ou konboyou!]

rayon *(de grand magasin)* secção [sekçaou]
  ▸ je cherche le rayon hommes estou à procura da secção para homens [chtou à prôkourà da sekçaou parà ômèïch]
  ▸ où se trouve le rayon alimentation ? onde é que se encontra a secção da alimentação ? [onde è ke se ênkontrà a sekçaou da alimêntaçaou?]

réception *(d'un hôtel)* recepção [reçèçaou]
  ▸ est-ce que je peux laisser mon sac à dos à la réception ? posso deixar a minha mochila na recepção? [pôssou déichàr a migna mouchilà na reçèçaou?]

recevoir *(colis, lettre)* receber [reçèbère] ; *(accueillir)* acolher [akoulière]
  ▸ je n'ai pas reçu votre mail não recebi o seu mail [naou reçebi ou séou méïl]
  ▸ merci de me recevoir si gentiment chez vous obrigado(a) por me acolher na vossa casa [ôbrigadou(à) pour me akoulière na vôssà kàzà]

rechange ▸ de rechange sobresselente [soubresselênte]
  ▸ savez-vous où je pourrais trouver une pièce de rechange ? sabe(m) onde poderei encontrar uma peça sobresselente ? [sabe(éï) onde pôderéï ênkontràr ouma pèçà soubresselênte?]
  ▸ est-ce qu'il y a des draps de rechange ? há lençóis para poder mudar ? [à lênçoïch pàrà poudère moudàr?]

réclamation reclamação [reklamaçaou]
  ▸ je voudrais faire une réclamation queria fazer uma reclamação [keria fazère ouma reklamaçaou]

recommandé *(lettre, paquet)* registado [regichtàdou]
  ▸ recommandé avec accusé de réception registada com aviso de recepção [regichtàdà kon avizou de reçèçaou]
  ▸ je voudrais envoyer ce courrier en recommandé queria enviar este correio registado [keria ênviàr echte kouréïo regichtàdou]

recommander aconselhar/recomendar [akonseliàr/rekoumêndàr]
  ▸ pourriez-vous nous recommander un hôtel sympa ? poderia(m) aconselhar-nos um hotel simpático? [pôderià(aou) akonseliàr-nouch oum ôtèl sîmpàtikou?]
  ▸ qu'est-ce que vous nous recommandez ? o que é que nos recomenda ? [ou ke è ke nouch rekoumêndà?]

reconnaître reconhecer [rekougneçère]
  ▸ je ne t'avais pas reconnu ! não te tinha reconhecido ! [naou te tignà rekougneçidou!]

reçu recibo [reçibou]
  ▸ puis-je avoir un reçu, s'il vous plaît ? pode-me dar o recibo, se faz favor ? [pôde-me dàr ou reçibou?]

récupérer recuperar [rekouperàr]
  ▶ quand pourrai-je récupérer ma voiture ? quando é que poderei recuperar o meu carro? [kouăndou è ke pouderéï rekouperàr ou méou karou?]
  ▶ ces petites vacances vont me permettre de récupérer estas férias curtas vão-me permitir recuperar [échtàs fériàch kourtàch vaou-me permitir rekouperàr]

réduction desconto [dechkontou]
  ▶ faites-vous des réductions pour les étudiants ? fazem descontos para estudantes? [fazéï dechkontouch pàrà chtoudăntech?]

réduit reduzido [redouzidou]
  ▶ y a-t-il des billets de train à tarif réduit ? há bilhetes de comboio com tarifa reduzida? [à biliettech de konboyou kon tàrifà redouzidà?]

regarder olhar [ôliàr]
  ▶ non, merci, je regarde seulement não, obrigado(a), estava só a olhar [naou ôbrigadou(à) chtàvà sô à ôliàr]

région região [rejiaou]
  ▶ je visite la région estou a visitar a região [chtou a vizitàr a rejiaou]
  ▶ de quelle région êtes-vous ? de que região é/são? [de ke rejiaou è/saou?]

régler *(un appareil)* regular [regoulàr] ; *(un problème)* resolver [rezôlvère] ; *(payer)* pagar [pàgàr]
  ▶ je n'arrive pas à régler les chaînes de la télé não consigo regular os canais da televisão [naou konssigou regoulàr ouch kanaïch da televizaou]
  ▶ j'aimerais que ce problème soit réglé au plus vite gostaria que este problema fosse resolvido o mais rápidamente possível [gouchtaria ke échte proubléma fôsse rezôlvidou ou maïch ràpidàmĕnte poussivelle]
  ▶ je voudrais régler, s'il vous plaît gostaria de pagar, se faz favor [gouchtaria de pàgàr se fach favôr]

regretter *(déplorer)* ter pena [tère pénà] ; *(se repentir)* lamentar [lamĕntàr]
  ▶ je regrette de ne pas pouvoir rester plus longtemps pena de não poder ficar mais tempo [tagnou pénà de naou poudère fikar maïch tĕmpou]
  ▶ je regrette ce que j'ai dit lamento aquilo que disse [lamĕntou akilou ke disse]

rejoindre *(une personne)* ir ter com [ir tère kon] ; *(un endroit)* chegar a [chegàr a]
  ▶ je dois rejoindre des amis à midi que ir ter com amigos meus ao meio-dia [tagnou ke ir tère kon amigouch méouch aou méyou dia]

▶ comment puis-je rejoindre l'autoroute ? como é que posso chegar à autoestrada ? [kômou è ke pôssou chegàr à aoutôchtràdà?]

rembourser reembolsar [riẽmbôlsàr]
▶ les billets peuvent-ils être remboursés ? os bilhetes podem ser reembolsados? [ouch biliettech pôdéï sère riẽmbôlsàdouch?]

remercier agradecer [agradeçère]
▶ je vous remercie de votre aide agradeço-lhe a sua ajuda [agradeçou-lieu a souà ajoudà]
▶ je ne sais pas comment vous remercier não sei como lhe hei-de agradecer [nau séï kômou lieu éï-de agradeçère]

remorquer rebocar [reboukàr]
▶ pourriez-vous nous remorquer jusqu'à un garage ? poderia(m) rebocar--nos até à oficina ? [pôderia(aou) reboukàr-nouch àtè à ôfiçinà?]

rencontrer encontrar [ẽnkontràr]
▶ il me semble vous avoir déjà rencontré(e) quelque part parece-me tê-lo (a) já encontrado nalgum sítio [pàrèce-me té-lou(à) jà ẽnkontràdou nalgoum sitiou]

rendez-vous *(rencontre)* marcar consulta [markàr konsoulta] ; *(lieu)* encontro marcado [ẽnkontrou markadou]
▶ faut-il prendre rendez-vous ? é preciso marcar consulta? [è pressizou markàr konsoulta?]
▶ est-il possible d'avoir un rendez-vous dans la journée ? é possível ter uma consulta durante o dia? [è poussivelle tère ouma konsoulta dourànte ou dia?]
▶ j'ai rendez-vous avec le Docteur Fournier consulta com o Doutor Fournier [tagnou konsoulta kon ou dôoutôr fourniè]
▶ rendez-vous à 11 heures devant l'hôtel de ville ! encontro marcado às 11 horas em frente à câmara! [ẽnkontrou markadou àch onze òràch!]

rendre *(restituer)* deixar [déïchàr]
(rejoindre) dirigir-se a [dirijir-se à]
▶ est-il possible de rendre la voiture à l'aéroport ? é possível deixar o carro no aeroporto? [è poussivelle déïchàr ou karou nou aèrôportou?]
▶ comment puis-je me rendre au centre-ville ? como é que me posso dirigir ao centro da cidade? [kômou è ke me pôssou dirijir aou çêntrou da cidàde?]

renseignement informação [infourmaçaou]
▶ les renseignements téléphoniques as informações [ach infourmaçoïch]
▶ je voudrais des renseignements sur... queria informações sobre... [keria infourmaçoïch sôbre]

> ▶ je peux vous demander un renseignement ? posso pedir-lhe uma informação? [pôssou pedir-lieu ouma infourmaçaou?]

renseigner informar [ïnfourmàr]

> ▶ pourriez-vous me renseigner sur les horaires des trains ? poderia(m) informar-me sobre os horários dos comboios? [pôderia(aou) ïnfourmàr-me sôbre ouch ôràriouch dou konboyou?]

rentrer (chez soi) chegar, regressar [chegàr, regressàr]

> ▶ ne m'attendez pas pour dîner, je rentrerai tard não me esperem para o jantar, vou chegar tarde [naou me chpéraï pàrà ou jäntàr vô chegàr tàrde]
> ▶ je rentre en France le 5 août regresso a França no dia cinco de Agosto [regréssou à fräçà nou dia sïnkou de agôchtou]

renverser (liquide) entornar [ënnàr] ; (piéton) atropeladar [atroupelàdar]

> ▶ attention, j'ai renversé du café cuidado, entornei café [kouïdàdou ëntournéï ou kafè]
> ▶ mon ami s'est fait renverser par une moto o meu amigo foi atropelado por uma moto [ou méou amigou foï atroupelàdou pour ouma môtou]

réparations (AUTOMOBILE) reparações [reparaçaou]

> ▶ pourrez-vous faire les réparations dans la journée ? será que podia(m) fazer as reparações durante o dia? [sera ke pôdia(aou) fazère àch reparaçoïch dourànte ou dia?]

réparer reparar [reparàr]

> ▶ pouvez-vous me réparer ça ? pode(m)-me reparar isto? [pôde(éï) reparàrme ichtou?]

repas refeição [refeïçaou]

> ▶ les repas sont-ils compris ? as refeições estão incluídas? [ach refeïçoïch chtaou ïnklouïdach?]
> ▶ merci pour cet excellent repas ! obrigado(a) por esta excelente refeição! [ôbrigàou(à) pour échta échçelènte refeïçaou!]

repasser (passer à nouveau) voltar [voltàr] ; (linge) passar a ferro [passàr a férou]

> ▶ je repasserai plus tard voltarei mais tarde [vôltàréï maïch tàrde]
> ▶ j'aimerais repasser ma chemise gostaria de passar a minha camisa a ferro [gouchtaria de passàr a migna kamisa a férou]

INFO
repas

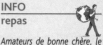

Amateurs de bonne chère, le Portugal devrait vous plaire. Les Portugais se contentent rarement d'une salade, ils aiment manger et rester à table, notamment en famille. Apprenez donc le nom des trois repas : pequeno almoço : *petit déjeuner ;* almoço : *déjeuner ;* jantar : *dîner.*

répéter repetir [repetir]
> ▸ vous pouvez répéter, s'il vous plaît ? não se importa(m) de repetir, se faz favor? [naou se ĩmpôrta(aou) de repetir se fach favôr?]

répondeur atendedor de chamadas [atẽndedor de chamadàch]
> ▸ j'ai laissé un message sur ton répondeur deixei uma mensagem no teu atendedor de chamadas [déïchéï ouma mẽnsajéï nou téou atẽndedor de chamadàch]

répondre *(au téléphone)* atender [atẽndère]
> ▸ ça ne répond pas ninguém atende [nĩngaï atẽnde]

reposer (se) descansar [dechkãnsàr]
> ▸ je suis venu ici pour me reposer vim aqui para descansar [vĩ aki pàrà dechkãnsàr]

reprendre *(se resservir)* repetir [repetir] ; *(recommencer)* recomeçar [rekoumeçàr]
> ▸ j'en reprendrais bien un peu ! eu vou repetir! [éou vô repetir!]
> ▸ le spectacle reprend dans combien de temps ? o espectáculo recomeça daqui a quanto tempo? [o chpétàkoulou rekoumeça daki a ke tẽmpou?]

représentation representação [reprezẽntaçaou]
> ▸ à quelle heure commence la représentation ? a que horas começa a representação? [a ke ôràch koumèça a reprezẽntaçaou?]

réseau *(téléphone portable)* rede [réde]
> ▸ il n'y a pas de réseau não há rede [naou à réde]

réservation reserva [rezèrva]
> ▸ la réservation est-elle obligatoire ? é obrigatório reservar? [à ôbrigàtôriou rezervàr?]
> ▸ est-ce que je peux changer ma réservation ? posso modificar a minha reserva? [pôssou moudifikàr a migna rezèrva?]

réserver reservar [rezervàr]
> ▸ je voudrais réserver un billet pour... queria reservar um bilhete para... [keria rezervàr oum biliette pàrà]
> ▸ est-ce qu'il faut réserver ? é preciso reservar? [è preussizou rezervàr?]
> ▸ j'ai réservé une chambre au nom de Fournier reservei um quarto em nome de Fournier [rezervéï oum kouàrtou aï nôme de fourinié]
> ▸ nous n'avons pas réservé nós não reservamos [nôch naou rezervàmouch]

réservoir *(à essence)* depósito [depôzitou]
> ▸ il y a une fuite dans le réservoir o depósito tem uma fuga [ou depôzitou taï ouma fouga]

respirer respirar [rechpiràr]

> ▸ j'ai des difficultés à respirer dificuldades em respirar [tagnou difikouldàdech aï rechpiràr]

responsable responsável [rechponsàvelle]

> ▸ je ne suis pas responsable de ce qui est arrivé não sou responsável por aquilo que se passou [naou sô rechponsàvelle pour akilou ke se passô]
> ▸ c'est moi qui suis responsable sou eu o responsável [sô éou ou rechponsàvelle]
> ▸ je voudrais parler au responsable de l'établissement gostaria de falar com o responsável do estabelecimento [gouchtaria de fàlàr kon ou rechponsàvelle dou chtabeleçimẽntou]

ressembler parecer [pareçér]

> ▸ ça ressemble pas mal au français é bastante parecido com o francês [è bachtãnte pareçidou kon ou frãnçêch]

restaurant restaurante [rechtaourãnte]

> ▸ pouvez-vous nous recommander un bon restaurant dans le quartier ? podia(m) aconselhar-nos um bom restaurante no bairro? [pôdia(aou) akonseliàr-nouch oum bon rechtaourãnte nou baïrou?]

rester ficar [fikàr]

> ▸ nous pensons rester 2 nuits pensamos ficar 2 noites [pẽnsàmouch fikàr douàch noïtech]
> ▸ est-il possible de rester une nuit supplémentaire ? é possível ficar mais uma noite? [è poussivelle fikàr maïch ouma noïte?]
> ▸ est-ce qu'il vous reste des places ? ainda há lugares? [aIndà à lougarech?]

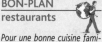
---

au restaurant INFO

> ▸ je voudrais réserver une table pour ce soir queria reservar uma mesa para esta noite [keria rezervàr ouma mézà pàrà échta noïte]
> ▸ pouvons-nous voir la carte ? podemos ver a ementa? [poudémouch vère a imẽnta?]
> ▸ pourriez-vous nous recommander un bon vin ? poderia(m) recomendar-nos um bom vinho? [pôderia(aou) rekoumẽndàr-nouch oum bon vignou?]
> ▸ l'addition, s'il vous plaît ! a conta, se faz favor! [a konta se fach favôr!]

---

retard atraso [atrazou]
- ▶ je suis désolé d'être en retard lamento imenso o meu atraso [lamèntou ou méou atrazou]
- ▶ savez-vous si le train a du retard ? sabe(m) se o comboio está atrasado? [sabe(éï) se ou konboyou chtà atrazadou?]

retirer levantar [leväntàr]
- ▶ il faut absolument que je retire de l'argent preciso de levantar dinheiro com urgência [pressizou de leväntàr diniéïrou kon ourjênça]
- ▶ je viens retirer le billet que j'ai réservé par téléphone venho levantar o bilhete que reservei por telefone [vagnou leväntàr ou biliette ke rezervéï pour telefône]

retour *(chez soi, au point de départ)* voltar/regressar [voltàr/regressàr] ; *(trajet)* volta [voltà]
- ▶ il sera de retour dans une demi-heure ele vai voltar daqui a meia hora [éle vaï voltàr daki a méyà ôrà]
- ▶ je t'appellerai dès mon retour en France telefono-te assim que regressar a França [telefono-te assïm ke regressàr a fränça]
- ▶ je voudrais un aller-retour pour Lisbonne queria um bilhete de ida e volta para Lisboa [keria oum biliette de ida i voltà a lichbôà]

retraite reforma [refôrma]
- ▶ je suis à la retraite estou reformado(a) [chtou refourmadou(a)]

retrouver *(rejoindre)* encontrar [ênkontràr]
- ▶ je dois retrouver quelqu'un à l'intérieur que encontrar uma pessoa lá dentro [tagnou ke ênkontràr ouma pessôà là dêntrou]

retrouver (se) *(dans un lieu)* encontrar(-se) [ênkontràr(-se)]
- ▶ on se retrouve à quelle heure ? a que horas é que nos encontramos? [a ke ôràch è ke nouch ênkontràmouch?]

réussir conseguir [konseguir]
- ▶ je n'ai pas réussi à le joindre não consegui entrar em contacto com ele [naou konsegui êntràr aï kontàktou kon éle]

revanche desforra [dechfôra]
- ▶ tu veux prendre ta revanche ? queres a desforra? [kèrech a dechfôra?]

rêve sonho [sognou]
- ▶ j'ai fait un rêve étrange tive um sonho estranho [tive oum sognou chtràgnou]
- ▶ bonne nuit, fais de beaux rêves ! boa noite, bons sonhos! [bôà noïte bonch sognouch!]
- ▶ dans tes rêves ! nem em sonhos! [naï aï sognou!]

réveil *(horloge)* despertador [dechpertàdôr]
- ► auriez-vous un réveil à me prêter ? será que me pode(m) emprestar um despertador? [sera ke me pôde(éï) êmprechtàr oum dechpertàdôr?]

réveiller acordar [akourdàr]
- ► pourriez-vous me réveiller à 7 heures ? podia(m) acordar-me às sete horas? [pôdia(aou) akourdàr-me àch sète òràch?]

réveiller (se) acordar [akourdàr]
- ► je dois me réveiller très tôt demain matin pour prendre l'avion que acordar bem cedo amanhã de manhã para apanhar o avião [tagnou ke akourdàr baï çédou amagnã de magnã pàrà apagnàr ou aviaou]

revenir *(venir de nouveau)* voltar [voltàr] ; *(figuré)* custar a/parecer [kouchtàr a/pàreçère]
- ► je reviens tout de suite ! volto já! [voltou jà!]
- ► je n'en reviens pas ! custa-me a acreditar! [kouchta-me a akreditàr!]

rêver sonhar [sougnàr]
- ► j'ai rêvé que... sonhei que... [sougnéï ke]
- ► j'ai toujours rêvé d'aller au Brésil sempre sonhei em ir ao Brasil [sêmpre sougnéï aï ir aou brasil]
- ► ça fait rêver ! quem me dera! [kaï me dèra!]
- ► non, mais je rêve ! não, mas incrivel! [naou mach è ïnkrivelle!]

revoir (au) adeus [adéouch]
- ► au revoir, Madame ! até logo/adeus, minha senhora! [atè lôgue/adéouch migna segnorà!]
- ► ce n'est qu'un au revoir é apenas uma despedida [è apénach ouma dechpedidà]

revoir (se) *(se retrouver)* voltar (se) a ver [voltàr(se) a vère]
- ► j'espère qu'on se reverra bientôt espero que nos voltemos a ver brevemente [chpèrou ke nouch volémouch a vère brèvemênte]

rhume constipação [konchtipaçaou]
- ► j'ai attrapé un rhume apanhei uma constipação [apagnéï ouma konchtipaçaou]

rien nada [nàda]
- ► je ne comprends rien não percebo nada [naou perçébou nàda]
- ► ça ne fait rien não faz mal [naou fach mal]
- ► merci – de rien ! obrigado(a) – de nada! [ôbrigadou(à) - de nàda!]

rire brincar/graça [brïnkàr/gràça]
- ► j'ai dit ça pour rire disse isto a brincar [disse ichtou a brïnkàr]

▶ ça ne me fait pas rire não acho graça nenhuma [naou achou gràça negnouma]

risqué arriscado [arichkadou]

▶ ce n'est pas risqué de plonger par ici ? não é arriscado mergulhar aqui? [naou è arichkadou mergoulhàr aki?]

risques riscos [richkouch]

▶ assurance tous risques seguro contra todos os riscos [segourou kontrà todouch ouch richkouch]

▶ quels risques sont couverts par l'assurance ? quais são os riscos cobertos pelo seguro? [kouaïch saou ouch richkouch koubèrtouch pélou segourou?]

romantique romântico [roumãntikou]

▶ cet endroit est très romantique ! este sítio é muito romântico! [échte sitiou é mouytou roumãntikou!]

rose cor-de-rosa [kaure de rôza]

▶ la fille avec les ongles roses a rapariga com as unhas cor-de-rosa [a rapariga kon ougnàch kaure de rôza]

roue pneu/roda [penéou/rôdà]

▶ roue de secours pneu sobresselente [penéou soubresselénte]

▶ ma roue est crevée a minha roda está furada [a migna rôda chtà fouràdà]

▶ vous pouvez m'aider à changer la roue ? pode(m)-me ajudar a mudar a roda? [pôde(aï) me ajoudàr à moudàr à rôdà?]

rouge tinto [tïntou]

▶ pouvez-vous nous recommander un bon vin rouge ? pode(m)-nos recomendar um bom vinho tinto? [pôde(éï) rekoumëndàr-nouch oum bon vignou tïntou?]

rouler (véhicule) circular [çirkoulàr] ; (escroquer) enganar [ënganàr]

▶ ne roule pas trop vite ! não circules muito depressa! [naou çirkoulech moytou deprèssa!]

▶ je me suis fait rouler ! fui enganado(a)! [fouï ënganàdou(à)!]

route estrada [chtràdà]

▶ à combien la vitesse est-elle limitée sur cette route ? a velocidade é limitada a quanto nesta estrada? [a velouçidàde èlimitàdà a kouãntou néchta chtràdà?]

▶ quelle route dois-je prendre pour aller à Sintra ? qual é a estrada que devo apanhar para ir a Sintra? [koualè a chtràdà ke dévou apagnar pàrà ir a sïntra?]

roux ruivo [rouïvou]

- il a les cheveux roux ele tem os cabelos ruivos [éle taï ouch kabélouch rouï-vouch]
- c'est une grande rousse avec des lunettes é uma rapariga alta e ruiva com óculos [è ouma rapariga àlta i rouïva kon ôkoulouch]

rue rua [roua]

- excusez-moi, je cherche la rue... desculpe, procuro a rua... [dechkoulpe prô-kourou a roua]
- c'est une rue piétonne ? é uma rua pedonal? [è ouma roua pedounàl?]
- il faut prendre la première rue à gauche après le feu é preciso apanhar a primeira rua à esquerda após o semáforo [è pressizou apagnàr a priméïrà roua à chkèrdà apôche ou semafourou]

S

sac saco [sakou]

- sac de couchage saco-cama [sakou kama]
- sac à main carteira [kartéïrà]
- puis-je avoir un sac en plastique, s'il vous plaît ? pode(m)-me dar um saco de plástico, se faz favor? [pôde(éï)-me dàr oum sakou de plachtikou se fach favôr?]

sac à dos mochila [mouchila]

- la bretelle de mon sac à dos est cassée a correia da minha mochila par-tiu-se [a kouréyà da migna mouchila pàrtiou-se]
- mon sac à dos contient 20 litres a minha mochila contém vinte litros [a migna mouchila kontéï vïnte litrouch]

saignant *(cuisson)* mal passado [mal passàdou]

- saignant, s'il vous plaît ! mal passado, se faz favor! [mal passàdou se fach favôr!]

saigner sangrar [sãngràr]

- ça n'arrête pas de saigner não deixa de sangrar/não pára de sangrar [naou déïcha de sãngràr/naou pàrà de sãngràr]

saison época [épouka]

- quelle est la meilleure saison pour visiter la région ? qual é a melhor época para visitar a região? [kouàl è a meliôr époka pàrà vizitàr a rejiaou?]
- les prix augmentent-ils en haute saison ? os preços aumentam na época alta? [ouch préçouch aoumëntaou na époka àlta?]

▶ nous reviendrons en basse saison voltaremos na época baixa [vôltàrémouch na épouka baïchà]

salade salada [salada]

▶ salade composée salada composta [salada konpôchtà]
▶ salade de fruits salada de fruta [salada de frouta]
▶ je vais prendre une salade vou comer uma salada [vô koumère ouma salada]

sale *(pas propre)* sujo [soujou] ; *(mauvais, désagréable)* horrível [ôurivelle]

▶ le lavabo est sale o lavatório está sujo [ou lavatôriou chtà soujou]
▶ quel sale temps ! que tempo horrível! [ke tẽmpou ôurivelle!]

salé salgado [salgadou]

▶ ce n'est pas assez salé está sonso/tem pouco sal [chtà sonsou/taï pôkou sal]

salle casa/sala [kaza/sala]

▶ salle de bains casa de banho [kaza de bagnou]
▶ salle d'embarquement sala de embarque [sala de ẽmbàrke]
▶ est-ce qu'il y a une salle de jeu pour les enfants ici ? aqui existe alguma sala de recreio para as crianças? [aki izichte algouma sala de rekréyou pàrà àch kriãnçàch?]

salon *(boutique)* salão [salaou] ; *(séjour)* sala [sala]

▶ salon de coiffure salão de cabeleireira [salaou de kabeléïréïrà]
▶ ça ne me dérange pas de dormir dans le salon não me incomoda nada dormir na sala [naou me ĩnkoumôda nàdà dourmir na sala]

salut *(bonjour)* olá [ôlà]

▶ salut ! olá! [ôlà!]
▶ salut, ça va ? olá,tudo bem? [ôlà toudou baï?]

samedi sábado [sàbadou]

▶ je suis arrivée samedi cheguei no sábado [cheguéï nou sàbadou]
▶ on dîne ensemble samedi prochain ? jantamos juntos sábado que vem? [jãntàmouch jũntouch nou sàbadou ke vaï?]

SAMU SMU serviço médico de urgências [serviçou médikou de ourjẽnçiàch]

▶ quel est le numéro du SAMU ? qual é o número do SMU? [kouàl è ou noumerou dou serviçou médikou de ourjẽnçiàch?]

sandwich sandes [sãndech]

▶ un sandwich au poulet, s'il vous plaît uma sandes de frango, se faz favor [ouma sãndech de frãngou se fach favôr]

S sa

sans plomb sem chumbo [saï chôumbou]

▶ le plein de sans plomb, s'il vous plaît ateste sem chumbo, se faz favor [àtèchte saï chôumbou se fach favôr]

santé saúde [saoude]

▶ à ta santé ! à tua ! [à touà!]

sardine *(poisson)* sardinha [sardignà] ; *(piquet)* estaca [chtàka]

▶ il reste une boîte de sardines resta-nos uma lata de sardinhas [rechta-nouch ouma làtà de sardignàch]

▶ on est serrés comme des sardines ! estamos apertados como sardinhas! [chtàmouch apertadouch kômou sardignàch!]

▶ il nous manque des sardines pour planter la tente faltam-nos estacas para instalarmos a tenda [fàltaou-nouch chtàkàch pàrà ïnchtalàrmouch a tëndà]

sauce molho [môliou]

▶ sauce tomate molho de tomate [môliou de toumàte]

▶ la sauce n'est pas trop piquante ? o molho não está muito picante? [ou môliou naou chtà mouytou pikànte?]

saut à l'élastique salto de elástico [saltou d'ilachtikou]

▶ nous voudrions faire du saut à l'élastique queriamos fazer salto de elástico [keriamouch fazère saltou d'ilachtikou]

savoir saber [sabère]

▶ si j'avais su... se eu tivesse sabido... [se éou tivèsse sàbidou]

▶ je n'en sais rien não faço ideia [naou façou idéyà]

▶ je ne sais pas ce que c'est não sei o que é [naou séï ou ke è]

savon sabão [sabaou]

▶ il n'y a pas de savon não há sabão [naou à sabaou]

scooter [skoutère] ; *(des mers)* mota [môta]

▶ je voudrais louer un scooter queria alugar uma scooter [keria alougàr ouma skoutère]

▶ peut-on faire du scooter des mers ici ? pode-se andar de mota de água aqui? [pôde-se àndar de môta de agoua aki?]

score resultado [rezoultadou]

▶ quel est le score du match ? qual é o resultado do jogo? [kouàl è ou rezoultadou dou jogou?]

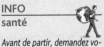

sèche-cheveux secador de cabelo [sekador de kabélou]
- ▶ auriez-vous un sèche-cheveux ? será que tem um secador de cabelo? [sera ke taï oum sekador de kabélou?]

sécher secar [sekàr]
- ▶ où puis-je faire sécher mes vêtements ? onde é que posso pôr a minha roupa a secar? [onde è ke pôssou pôr a migna rôpa a sekàr?]

séchoir secador de cabelo [sekador de kabélou]
- ▶ j'ai oublié mon séchoir esqueci-me do meu secador de cabelo [chkèçi-me dou méou sekador de kabélou]

seconde (TRANSPORTS) segunda [segûnda] ; *(unité de temps)* segundo [segûndou]
- ▶ seconde classe segunda classe [segûnda klasse]
- ▶ un aller simple pour Montpellier en seconde, s'il vous plaît uma ida simples para o Porto em segunda classe, se faz favor [ouma idà sîmplech pàrà ou pôrtou aï segûnda klasse se fach favôr]
- ▶ attends une seconde ! espera só um segundo! [chpèra sô oum segûndou!]

secours socorro [soukorou]
- ▶ trousse de secours estojo de primeiros socorros [chtôjou de priméïrouch soukorouch]
- ▶ au secours ! socorro! [soukorou!] acudam! [akoudaou]
- ▶ il faut appeler les secours ! é preciso chamar ajuda! [è pressizou chamar ajoudà!]

séjour estadia [chtàdià]
- ▶ j'ai passé un séjour très agréable tive uma estadia muito agradável [tive ouma chtàdià mouytou agradàvelle]

sel sal [sal]
- ▶ tu peux me passer le sel ? podes passar-me o sal? [pôdech passàr me ou sal?]

selle *(d'un vélo)* selim [selîm] ; *(équitation)* sela [sèla]
- ▶ est-ce que je peux baisser la selle ? posso baixar o selim? [pôssou baïchar ou selîm?]
- ▶ la selle ne tient pas bien a sela não está bem posta [a sèla naou chtà baï pochta]

— 139 —

semaine semana [semàna]
  ▸ combien ça coûte pour une semaine? quanto é por uma semana? [kouàntou è pour ouma semàna?]
  ▸ je repars dans une semaine volto a partir dentro de uma semana [vôltou a pàrtir dēntrou de ouma semàna]

sentier circuito [çirkouïtou]
  ▸ est-ce qu'il y a des sentiers de randonnée? há circuitos de marcha? [à çirkouïtouch de marcha?]
  ▸ le sentier est-il balisé? o circuito está marcado? [ou çirkouïtou chtà markadou?]
  ▸ où démarre le sentier? onde é que começa o circuito? [onde è ke koumèça ou çirkouïtou?]

sentir *(odeur)* cheirar [chéïràr]; *(corps)* sentir [sēntir]; *(avoir l'impression)* sentir [sēntir]; *(figuré)* suportar [soupourtàr]
  ▸ qu'est-ce que ça sent bon! cheira muito bem! [chéïra mouytou baï!]
  ▸ je ne sens plus mes jambes já não sinto as pernas [jà naou sïntou àch pèrnàch]
  ▸ je sens que c'est bien parti! sinto que começamos bem! [sïntou ke koumeçàmouch baï!]
  ▸ je ne peux pas le sentir! não o consigo suportar! [naou ou konssigou soupourtàr!]

sentir (se) sentir(-se) [sēntir(-se)]
  ▸ je ne me sens pas très bien não me sinto lá muito bem [naou me sïntou mouytou baï]

septembre Setembro [setēmbrou]
  ▸ nous rentrons en France début septembre regressamos a França no início de Setembro [regressàmouch à frànça nou iníçiou de setēmbrou]

¹ **service** *(faveur)* favor [favôr]; *(au restaurant)* serviço [serviçou]
  ▸ je peux vous demander un service? posso pedir-lhe um favor? [possou pedir-lieu oum favôr?]
  ▸ le service est-il compris? o serviço está incluído? [ou serviçou chtà ïnklouidou?]

² **service** *(au tennis)* serviço [serviçou]
  ▸ tes services sont de vrais boulets de canon! os teus serviços são verdadeiras balas de canhão! [ouch téouch serviçouch saou verdadéïràch balach de kagnaou!]

serviette *(hygiénique)* penso [pēnsou]; *(de toilette)* toalha [toualià]; *(de table)* guardanapo [gouàrdanàpou]
- ▶ serviette hygiénique penso higiénico [pēnsou ijiènikou]
- ▶ nous n'avons pas de serviettes de toilette não temos toalhas [naou té-mouch toualiàch]
- ▶ puis-je avoir une serviette en papier ? pode trazer-me um guardanapo? [pôde trazère me oum gouàrdanàpou?]

servir *(plat, repas)* servir [servir]
- ▶ à partir de quelle heure le petit déjeuner est-il servi ? o pequeno-almoço é servido a partir de que horas? [ou pekénou àlmôçou è servidou a pàrtir de ke ôràch?]
- ▶ avec quoi ce plat est-il servi ? este prato é servido com o quê? [èchte pratou è servidou kon ou ké?]

servir (se) *(à table)* servir(-se) [servir(-se)]; *(utiliser)* utilizar [outilizàr]
- ▶ je peux me servir ? posso-me servir? [pôssou-me servir?]
- ▶ je peux me servir de votre téléphone portable ? posso utilizar o seu/vosso telemóvel? [pôssou outilizàr ou séou/vôssou tèlèmôvelle?]

set set [sète]
- ▶ elle a gagné les deux premiers sets ela ganhou os dois primeiros sets [èla gagno ouch doïch sètech]

seul sozinho [sôzignou]
- ▶ je voyage seul(e) viajo sozinho(a) [viàjou sôzignou(à)]

shampooing champô [chāmpo]
- ▶ je voudrais un shampooing et un brushing queria fazer um champô e brushing [keria fazère oum chāmpo i brashing]

si se [se]
- ▶ si j'avais su... se eu tivesse sabido... [se éou tivèsse sabidou]
- ▶ si tu veux, on y va se quiseres, vamos [se kizèrech vamouch]
- ▶ si seulement il pouvait arrêter de pleuvoir ! se ao menos pudesse parar de chover! [se aou ménouch poudèsse pàràr de chouvère!]

siège lugar [lougàr]
- ▶ ce siège est-il pris ? este lugar está ocupado? [èchte lougàr chtà ôkoupàdou?]

sieste sesta [sèchtà]
- ▶ j'aime bien faire une petite sieste l'après-midi gosto muito de fazer uma sesta de tarde [gôchtou mouytou de fazère ouma sèchtà de tàrde]

signaler assinalar [assinàlàr]
- ▶ je voudrais signaler la perte de mes cartes de crédit queria assinalar a perda dos meus cartões de crédito [keria assinàlàr a pèrda douch méouch kàrtoïch de kréditou]
- ▶ nous devons le signaler à la police devemos assinalá-lo à polícia [devémouch assinàlà-lou à pouliçià]

signer assinar [assinàr]
- ▶ je dois signer ici ? que assinar aqui ? [tagnou ke assinàr aki?]

simple *(billet, chambre)* simples [sĩmplech] ; *(facile)* fácil [fàçil]
- ▶ un aller simple pour Toulouse s'il vous plaît uma ida simples para Lisboa se faz favor [ouma idà sĩmplech pàrà lichboà se fach favôr]
- ▶ je voudrais une chambre simple queria um quarto simples [keria oum kouàrtou sĩmplech]
- ▶ c'est très simple é muito fácil [è mouytou fàçil]

sinon senão [senaou]
- ▶ partons maintenant, sinon on va être en retard vamos agora, senão chegamos atrasados [vamouch agôrà senaou chegamouch atrazàdouch]

sinusite sinusite [sinouzite]
- ▶ j'ai une sinusite uma sinusite [tagnou ouma sinouzite]

site *(lieu)* local [loukal] ; *(INFORMATIQUE)* sítio [sitiou]
- ▶ site archéologique local arqueológico [loukal arkiolôgikou]
- ▶ site touristique local turístico [loukal tourichtikou]
- ▶ pouvez-vous me donner l'adresse de votre site Internet ? pode(m) dar-me a morada do vosso sítio na Internet? [pôde(aï) dàr-me a mouràdà dou vôssou sitiou na ĩntèrnet]

skate-board skate-board [skéïte bord]
- ▶ tu sais faire du skate ? sabes fazer skate? [sabech fazère skéïte]

ski nautique esqui aquático [echki akouàtikou]
- ▶ c'est la première fois que je fais du ski nautique é a primeira vez que faço esqui aquático [è a priméïra vèch ke façou echki akouàtikou]

sms sms [èsse ème ièsse]
- ▶ je t'envoie un sms pour te dire à quelle heure on se retrouve envio-te um sms para te dizer a que horas nos encontramos [ĩnviou-te oum èsse ème ièsse pàrà te dizère a ke ôràch nouch ẽnkontràmouch]

sœur irmã [irmà]
- ▶ j'ai deux sœurs duas irmãs [tagnou douach irmàch]

soif sede [séde]
- ▶ je meurs de soif estou a morrer de sede [chtou a mourère de séde]

soir noite [noïte]

▶ vous reste-t-il des chambres pour ce soir ? ainda tem quartos para esta noite? [aïndà taï kouàrtouch pàrà échta noïte?]

▶ y a-t-il des magasins ouverts tard le soir ? há lojas abertas até a noite? [à lôjàch abèrtàch atè à noïte?]

▶ que peut-on faire le soir ici ? o que é que podemos fazer aqui durante a noite? [ou è ke poudémouch fazère aki dourànte a noïte?]

▶ qu'est-ce que tu fais ce soir ? o que é que vais fazer esta noite? [ou ke è ke vaïch fazère échta noïte?]

soirée *(moment de la journée)* noite [noïte]; *(fête)* festa [fèchtà]

▶ bonne fin de soirée ! um fim de noite agradável! [oum fĩ de noïte agradàvelle!]

▶ nous avons passé une excellente soirée passámos uma noite excelente [passamouch ouma noïte chçelènte]

▶ on n'a qu'à se retrouver à la soirée ! encontramo-nos na festa! [ẽnkontrà-mou-nouch na fèchtà!]

soleil sol [sol]

▶ chouette, il y a du soleil ! porreiro, está sol! [pourèïrou chtà sol!]

▶ je ne peux pas rester en plein soleil não posso ficar exposta(o) ao sol [naou pôssou fikar chpôchtou(à) aou sol]

▶ j'ai pris un coup de soleil apanhei uma queimadura solar [apagnéï ouma kéïmadoura soulàr]

solution solução [soulouçaou]

▶ ça me paraît être la bonne solution parece-me ser uma boa solução [arèce-me sère ouma boà soulouçaou]

sommeil sono [sonou]

▶ je n'ai pas sommeil não sono [naou tagnou sonou]

somnifère sonífero [souniferou]

▶ j'aurais besoin d'un somnifère vou precisar de um sonífero [vô preçizàr de oum souniferou]

sonner tocar [toukàr]

▶ ton téléphone sonne o teu telefone está a tocar [ou téou telefône chtà a toukàr]

▶ ça sonne occupé está ocupado [chtà ôkoupàdou]

sortie saída [saïda]; *(excursion)* excursão [chkourçaou]

▶ quelle est le nom de la sortie d'autoroute ? qual é o nome da saída da autoestrada? [kouàl è ou nome da saïda da aoutôchtràdà]

▶ nous avons raté la sortie falhámos a saída [faliàmouch a saïda]

▸ des sorties en bateau sont-elles organisées ? as excursões de barco são organizadas? [ach chkourçoïch de bàrkou saou organizadàch?]

▸ on pourrait se faire une sortie un de ces jours ! podíamos sair um dia destes! [podiàmouch saïr oum dià déhctech!]

sortir sair [saïr]

▸ à quel endroit dois-je sortir de l'autoroute ? em que sítio é que devo sair da autoestrada? [aï ke sitiou dévou saïr da aoutôchtràdà?]

▸ y a-t-il des endroits sympas pour sortir ? há sítios porreiros para sairmos? [à sitiouch pourèïrouch pàrà saïrmouch?]

▸ on pourrait sortir ce soir ! podíamos sair esta noite! [podiàmouch saïr échta noïte!]

▸ ce film n'est pas sorti en France este filme ainda não saiu em França [échte filme aïnda naou saïou aï frànça]

souhaiter desejar [dezejàr]

▸ je te souhaite un bon anniversaire ! desejo-te um feliz aniversário! [dezejou-te oum felich aniversàriou!]

soûl embriagado/bêbado [ëmbriagàdou/bébàdou]

▸ il est complètement soûl ele está completamente embriagado/bêbado [éle chtà konplètàmënte ëmbriagàdou/bébàdou]

soupe sopa [sopà]

▸ je vais prendre une soupe de légumes vou comer uma sopa de legumes [vô koumère ouma sopà de legoumech]

---

souhaits et regrets INFO

▸ j'espère qu'il n'y aura pas trop de monde espero que não haja muita gente [chpèrou ke nau àjà mouyta jënte]

▸ ce serait vraiment bien que tu restes ! era mesmo fixe se tu pudesses ficar! [èra méchmou fiche se tou poudèssech fikàr!]

▸ si seulement nous avions une voiture ! se ao menos tivéssemos um carro! [se aou ménouch tivèssemouch oum karou!]

▸ je regrette vraiment que vous n'ayez pas pu venir lamento imenso não terem podido vir [lamëntou imënsou naou téraï poudidou vir]

Le futebol *est quasiment la deuxième religion du pays. Les équipes les plus célèbres sont celles du* Benfica, *de* Porto *et du* Sporting. *Figo et Pauleta, ça vous dit quelque chose? (comment ça, non?) Autres sports en vogue: le hockey, l'athlétisme et surtout le golf, car on peut le pratiquer toute l'année.*

souvenir *(objet touristique)* lembrança [lēmbrãnça]; *(impression)* recordação [rekourdaçaou]

▶ où puis-je acheter des souvenirs? onde é que posso comprar lembranças? [onde è ke pôssou konpràr lēmbrãnçach?]

▶ je garderai un excellent souvenir de mon séjour ici guardarei uma excelente recordação da minha estadia aqui [gouàrdéï ouma chçelēnte rekourdaçaou da migna chtadià aki]

souvenir de (se) lembrar(-se) [lēmbràr(-se)]

▶ vous vous souvenez de moi? lembra(m)-se de mim? [lēmbra(aou)se de mï?]

▶ je ne me souviens plus de son nom já não me lembro do seu nome [jà naou me lēmbrou dou séou nome]

sparadrap penso [pēnsou]

▶ je voudrais du sparadrap queria um penso/ligadura [keria oum pēnsou/ouma ligadoura]

spécialiste especialista [chpeçialichta]

▶ pourriez-vous m'envoyer chez un spécialiste? podia(m) enviar-me a um especialista? [podia(aou) ēnviàr-me a oum chpeçialichta?]

spécialité especialidade [chpeçialidàde]

▶ quelle est la spécialité locale? qual é a especialidade local? [kouàl è a chpeçialidàde loukàl?]

spectacle espectáculo [chpètakoulou]

▶ est-ce qu'il y a un guide des spectacles? há algum guia dos espectáculos? [à algoum guià douch chpètakoulouch?]

▶ à quelle heure commence le spectacle? a que horas começa o espectáculo? [a ke ôrach koumèça ou chpètakoulou?]

sport desporto [dechpôrtou]

▶ sport individuel desporto individual [dechpôrtou ïndividouàl]

▶ pratiques-tu un sport? praticas algum desporto? [pratikach algoum dechpôrtou]

▶ je fais beaucoup de sport faço muito desporto [façou mouytou dechpôrtou]

▶ je préfère les sports collectifs prefiro os desportos colectivos [prefirou ouch dechpôrtouck koulètivouch]

sportif desportivo [dechpourtivou]
> je ne suis pas très sportif não sou muito desportivo [naou so dechpourtivou]

stade estádio [chtàdiou]
> où se trouve le stade ? onde fica o estádio? [onde è ke fika ou chtàdiou?]

stage estágio [chtàjiou]
> je voudrais faire un stage de voile queria fazer um estágio de vela [keria fazère oum chtàjiou de vèla]

station estação [chtàçaou]
> station balnéaire estação balnear [chtàçaou balniàr]
> station de métro estação de metro [chtàçaou de mètrou]
> station thermale termas [tèrmàch]
> pouvez-vous m'indiquer une station de taxi ? pode(m) indicar-me uma praça de táxis? [pode(aï) ïndikàr-me ouma pràçà de tàksich?]

station-service estação de serviço [chtàçaou de serviçou]
> où puis-je trouver une station-service ? onde é que posso encontrar uma estação de serviço? [onde è ke pôssou ênkontràr ouma chtàçaou de serviçou?]
> pouvez-vous m'emmener à la station-service la plus proche ? pode-me conduzir à estação de serviço mais próxima? [pôde-me kondouzir à chtàçaou de serviçou maïch prôssima?]
> est-ce qu'il y a des stations-service ouvertes 24h/24 ? existem estações de serviço abertas 24h/24h? [izichtéï chtàçoïch de serviçou abèrtàch vïnti kouàtrou ôràch sobre vïnti kouàrtou?]

style estilo [chtilou]
> quel est ton style de musique ? qual é o teu estilo de música? [kouàl è ou téou chtilou de mouzika?]
> ce n'est pas du tout mon style de mec ! não é nada o meu estilo de gajo! [naou è nada ou méou chtilou de gajou!]

stylo caneta [kanéta]
> pouvez-vous me prêter un stylo ? pode(m)-me emprestar uma caneta? [pode(aï)-me êmprechtàr ouma kanéta?]

sucre açúcar [açoukàr]
> sucre de canne açúcar de cana [açoukàr de kanà]
> sucre en morceaux açúcar em cubos [açoukàr aï koubouch]
> sucre en poudre açúcar [açoukàr]
> puis-je avoir du sucre ? pode-me trazer o açúcar? [pode-me trazère ou açoukàr?]

suffire bastar [bachtàr]
  ▶ ça suffit ! basta! [bachta!]
  ▶ il suffit d'appuyer sur ce bouton basta carregar no botão [bachta karegàr nou boutaou]

Suisse Suíça [souïça]
  ▶ j'habite en Suisse moro na Suíça [morou na souïça]
  ▶ je suis Suisse sou suíço(a) [so souïçou(a)]

suite continuação [kontinouaçaou]
  ▶ à tout de suite ! até logo!/até já! [atè lôgou!/atè jà!]

super *(formidable)* porreiro/fixe [pourèïrou/fiche] ; *(carburant)* super [soupèr]
  ▶ super ! porreiro!/fixe! [pourèïrou!/fiche!]
  ▶ c'était vraiment super ! foi mesmo fixe! [foï méchmou fiche!]
  ▶ je voudrais 20 litres de super queria 20 litros de gasolina super [keria vïnte litrouch de gazoulina soupèr]

supermarché supermercado [soupèrmerkàdou]
  ▶ est-ce qu'il y a un supermarché dans le quartier ? há algum supermercado no bairro? [à algoum soupèrmerkàdou nou baïrou?]

supplément suplemento [souplemẽntou]
  ▶ faut-il payer un supplément ? é preciso pagar um suplemento? [è pressizou pàgàr oum souplemẽntou?]
  ▶ combien coûte le supplément pour une assurance tous risques ? quanto é que custa o suplemento para um seguro contra todos os riscos? [kouãntou è ke kouchta oum souplemẽntou pàrà oum segourou kontrà tôdouch ouch richkouch?]

supplémentaire suplementar [souplemẽntàr]
  ▶ est-il possible de rester une nuit supplémentaire ? é possível ficar mais uma noite/uma noite suplementar? [è poussivèle fikar maïch ouma noïte/ouma noïte souplemẽntàr?]

supporter suportar [soupourtàr]
  ▶ je ne peux pas le supporter ! não o consigo suportar! [naou ou konssigou soupourtàr!]

sûr seguro [segourou]
  ▶ je suis sûr de moi estou seguro de mim [chto segourou de mï]
  ▶ je ne suis pas sûr/sûre de pouvoir venir não a certeza de poder vir [naou tagnou açertézà de poudère vir]
  ▶ tu es sûr/sûre que ça se dit comme ça ? tens a certeza que é assim que se diz? [taïch a çertézà ke è assï ke se dich?]

▶ bien sûr ! claro! [klarou!]

surf surf [serf]
  ▶ y a-t-il un endroit où louer des planches de surf ? há algum lugar onde se pode alugar pranchas de surf? [a algoum lougàr onde de se pôde alougàr pránchach de serf?]
  ▶ je voudrais apprendre à faire du surf gostava de aprender a fazer surf [gouchtava de aprêndèr a fazère serf]

surprise surpresa [sourpréza]
  ▶ quelle bonne surprise ! que boa surpresa! [ke boà sourpréza!]

surveiller guardar [gouardàr]
  ▶ pouvez-vous surveiller mes affaires un instant ? pode(m)-me guardar as minhas coisas por um bocadinho? [pode(aï)-me gouardàr ach mignach koïzach pour oum boukadignou?]

sympa simpático, fixe [sïmpàtikou, fiche]
  ▶ on a trouvé un petit hôtel très sympa encontrámos um hotel muito simpático [ênkontràmouch oum ôtèl mouytou sïmpàtikou]
  ▶ c'est vraiment sympa de ta part é muito gentil da tua parte [é mouytou jêntil dà toua pàrte]
  ▶ j'ai rencontré des gens super sympas encontrei pessoas super simpáticas [ênkontréï pessoàch soupèr sïmpàtikach]
  ▶ c'était très sympa foi muito fixe [foï mouytou fiche]

synagogue sinagoga [sinagôgà]
  ▶ où se trouve la synagogue ? onde é que fica a sinagoga? [onde è ke fika a sinagôgà?]

syndicat d'initiative centro de turismo [çêntrou de tourichmou]
  ▶ je cherche le syndicat d'initiative procuro o centro de turismo [prôkourou ou çêntrou de tourichmou]

T

table mesa [méza]
  ▶ j'ai réservé une table au nom de Lebras reservei uma mesa em nome de Lebras [rezervéï uma méza aï nome de lebrà]
  ▶ une table pour quatre, s'il vous plaît ! uma mesa para quatro, se faz favor! [uma méza pàrà kouàtrou se fach favôr!]
  ▶ je peux vous aider à mettre la table ? posso ajudá-lo(a) a pôr a mesa? [possou ajoudàlou(a) a por a méza?]

▶ à table ! para a mesa! [pàrà à méza!]

taille *(partie du corps)* cintura [çîntoura] ; *(d'un vêtement)* tamanho [tamagnou]

▶ c'est un peu serré à la taille está um pouco apertado na cintura [chtà oum pôkou apertàdou na çîntoura]

▶ est-ce que toutes les tailles sont en rayon ? todos os tamanhos estão expostos na loja? [todouch ouch tamagnouch chtaou chpôchtouch na lôja?]

talon *(de chaussure)* salto [saltou] ; *(du pied)* calcanhar [kalkàniàr]

▶ le talon de ma chaussure est cassé o salto do meu sapato está partido [ou saltou dou méou sapatou chtà pàrtidou]

▶ j'ai une ampoule au talon uma bolha no calcanhar [tagnou ouma bolià nou kalkàniàr]

tampon *(hygiénique)* tampão [tampaou]

▶ tu pourrais me passer un tampon ? podias-me passar um tampão? [podiàch-me passaàr oum tampaou?]

taper *(soleil)* esturar [chtouràr] ; *(code)* marcar [markar] ; *(figuré)* agradar [agradàr]

▶ le soleil tape fort aujourd'hui hoje o sol está muito quente/escaldante [oje ou sol chtà mouytou kênte/chkàldànte]

▶ je dois taper mon code ? que marcar o meu código? [tagnou ke markar ou méou kôdigou?]

▶ elle lui a tapé dans l'œil ! ela agradou-lhe logo à primeira vista! [èla agrado-lieu lôgou à priméíra vichta!]

▶ il me tape sur les nerfs ! ele enerva-me! [éle inèrva-me!]

tard tarde [tàrde]

▶ il est tard já é tarde [jà è tàrde]

▶ à plus tard ! até logo! [atè lôgou!]

▶ il n'y a pas de train plus tard ? não há um comboio mais tarde? [naou à oum konboyou maïch tàrde?]

▶ mieux vaut tard que jamais ! mais vale tarde que nunca! [maïch vale tàrde dou ke nünka!]

tarif tarifa [tarifà]

▶ y a-t-il des billets de train à tarif réduit ? há bilhetes de comboio a tarifa reduzida? [à biliettech de konboyou a tarifà redouzida?]

▶ 2 tarifs réduits et un plein tarif, s'il vous plaît 2 tarifas reduzidas e um preço normal, se faz favor [douàch tarifàch redouzidàch se fach favôr]

▶ avez-vous un tarif étudiant ? tem uma tarifa estudante? [taï oum tarifà chtoudànte?]

tasse chávena [chavena]

> ▶ je prendrais bien une autre tasse de thé
> apeteceia-me tomar mais uma chávena
> de chá [apeteçia-me toumàr maïch ouma
> chavena de cha]

> ▶ les films d'action, ce n'est pas ma tasse
> de thé ! os filmes de acção não são o
> meu forte [ouch filmech de açaou naou saou
> ou méou fôrte]

> ▶ j'ai bu la tasse bebi a chávena [bebi a cha-
> vena]

taxe imposto [ïmpochtou]

> ▶ le prix est-il toutes taxes comprises ? o preço inclui o IVA [ou préçou ïn-klouï ou iva]

> ▶ doit-on payer une taxe pour annuler la réservation ? é preciso pagar uma taxa para anular a reserva? [è pressizou pàgàr ouma tacha?]

> ▶ où se trouve la boutique hors taxes ? onde é que fica a loja sem IVA? [onde è ke fika a lôja saï iva?]

taxi táxi [tàksi]

> ▶ où se trouve la station de taxi la plus proche ? onde é que fica a praça de táxis mais próxima? [onde è ke fika a pràça de tàksi maïch prossima?]

> ▶ je voudrais réserver un taxi pour demain matin queria reservar um táxi para amanhã de manhã [kera rezervàr oum tàksi pàrà amàgnà de màgnà]

> ▶ pourriez-vous m'appeler un taxi, s'il vous plaît ? podia(m)-me chamar-me um táxi, se faz favor? [podia/(aou)-me chamar oum tàksi se fach favôr?]

> ▶ combien coûte un taxi d'ici à l'aéroport ? quanto custa o táxi daqui até ao aeroporto? [kouàntou kouchta ou tàksi daki àtè ou aèropôrtou?]

télé televisão [televizaou]

> ▶ je n'ai pas la télé não televisão [aou tagnou televizaou]

> ▶ à l'aéroport, s'il vous plaît ! para o aeroporto, se faz favor! [pàrà ou aèro-pôrtou se fach favôr!]

> ▶ arrêtez-vous au feu páre no semáforo [pàre nou semàfourou]

> ▶ pourriez-vous m'attendre quelques minutes ? podia esperar por mim alguns minutos? [podia chperàr pour mï algounch minoutouch?]

> ▶ combien je vous dois ? quanto é que lhe devo? [kouàntou é ke lieu dévou?]

> ▶ gardez la monnaie fique com o troco [fike kon ou trokou]

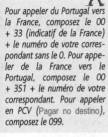
téléphérique teleférico [telefèrikou]
▶ à quelle heure descend le dernier téléphérique ? a que horas desce o último teleférico? [a ke òrach dèchçe ou oultimou teleferikou]

téléphone telefone [telfône]
▶ téléphone portable telemóvel [tèlèmôvelle]
▶ savez-vous où je peux trouver une recharge pour mon téléphone portable ? sabe(m) onde é que posso encontrar um cartão para o meu telemóvel? [sabe (éï) onde è ke pôssou ënkontràr oum kartaou pàrà ou méou tèlèmôvelle?]
▶ où puis-je acheter une carte de téléphone ? onde é que posso comprar um credifone/cartão telefónico? [onde è ke pôssou konpràr oum krèdifône/kartaou telefônikou?]
▶ nous n'avons pas utilisé le téléphone não utilizámos o telefone [naou outilizamouch ou telfône]

téléphoner telefonar [telfounàr]
▶ je voudrais téléphoner à l'extérieur queria telefonar lá fora [keria telfounàr là fôrà]
▶ je vais lui téléphoner vou-lhe telefonar [vô lieu telfounàr]

télévision televisão [telvizaou]
▶ y a-t-il la télévision dans la chambre ? há uma televisão no quarto? [à ouma telvizaou nou kouàrtou?]

---

au téléphone	INFO

▶ allô ? está? [chtà?]
▶ Henri Lebras à l'appareil é o Henri Lebras [è ou ënri lebrà]
▶ je voudrais parler à monsieur Salet queria falar com o senhor Salet [keria fàlàr kon ou segnôr salè]
▶ ne quittez pas, je vous le passe não desligue, vou passá-lo [naou dechlige vô passa-lou]
▶ je peux lui laisser un message ? posso deixar-lhe uma mensagem? [possou déïchar ouma mënsajéï?]
▶ je crois que vous faites erreur acho que se enganou de número [achou ke se ënganou de numerou]

---

tellement tanta [tãnta]

▶ il y a tellement de choix que je ne sais pas quoi prendre há tanta escolha que eu não sei (nem sei) o que hei-de levar [a tãnta skolïà ke éou naou séï (neï séï) ou ke éï de levàr]

température temperatura [tẽmperatoura]

▶ la température est très agréable a temperatura está muito agradável [a tẽmperatoura chtà mouytou agradàvelle]

▶ quelle est la température de l'eau ? qual é a temperatura da água? [kouàl è a tẽmperatoura da àgouà?]

temple (protestant) templo/igreja [tẽmplou/igrèjà]

▶ est-ce qu'il y a un temple protestant dans cette ville ? há um templo protestante nesta cidade? [à oum tẽmplou proutechtãnte nèchtà sidàde?]

temps tempo [tẽmpou]

▶ on ne sait pas combien de temps on va rester não sabemos quanto tempo é que vamos ficar [naou sabémouch kouãntou tẽmpou è ke vamouch fikar]

▶ combien de temps dure la visite ? quanto tempo é que dura a visita ? [kouãntou tẽmpou è ke doura a vizita?]

▶ combien de temps ça met pour arriver en France? quanto tempo é que leva a chegar a França? [kouãntou tẽmpou è ke lèvà a chegàr à frãnça?]

▶ j'ai tout mon temps não pressa [naou tagnou prèssa]

▶ il fait un temps magnifique está um tempo maravilhoso [chtà oum tẽmpou maraviliôzou]

tendance altamente [altàmẽnte]

▶ elles sont super tendance, tes tennis ! as tuas sapatilhas são altamente! [ach touàch sapatiliàch saou altàmẽnte!]

tenir (porter) segurar [segouràr] ; (résister à) resistir [rezichtir]

▶ tu veux bien tenir mon sac un instant ? podes segurar no meu saco um instante? [pôdech segouràr nou méou sakou oum ïnchtãnte?]

▶ il ne tient pas bien l'alcool ele não resiste ao álcool [éle naou rezichte aou àlkôl]

tennis (SPORT) ténis [tènich]

féminin pluriel (chaussures) sapatilhas, ténis [sapatiliàch, tènich]

▶ où peut-on jouer au tennis ? aonde é que se pode jogar ténis? [aonde è ke se pôde jougàr tènich?]

▶ c'est une vraie championne au tennis é uma verdadeira campeã de ténis [è ouma verdadéïra kãmpià de tènich]

▶ elles sont sympas, tes tennis ! as tuas sapatilhas/os teus ténis são fixes! [ach touàch sapatiliàch/ouch téouch tènich saou fichech!]

tension (MÉDECINE) tensão [tēnsaou]
  ▸ j'ai de la tension a tensão alta [tagnou a tēnsaou alta]

tente tenda [tēnda]
  ▸ tente igloo iglo [iglou]
  ▸ je voudrais réserver un emplacement pour une tente queria reservar um lugar para uma tenda [keria rezervàr oum lougar pàrà ouma tēnda]
  ▸ pouvons-nous monter notre tente ici? podemos instalar a nossa tenda aqui? [poudémouch īnchtàlàr a nôssa tēnda aki?]

tenter tentar [tēntàr]
  ▸ une partie de tennis, ça te tente? uma partida de ténis, tenta-te? [ouma partida de ténich tēntà-te?]

terminal terminal [terminal]
  ▸ de quel terminal part l'avion pour Paris? o avião para Paris parte de que terminal? [ou aviaou pàrà parich parte de ke terminal?]
  ▸ où se trouve le terminal 1? onde é que fica o terminal 1? [onde è ke fika ou terminal?]

terminus fim de linha [fī de ligna]
  ▸ est-ce que c'est le terminus? é o fim da linha? [è ou fī dà lignà?]

terrain terreno/campo [terénou/kãmpou]
  ▸ il y a un terrain de foot près d'ici? há algum campo/terreno de futebol por aqui? [à algoum terénou/kãmpou de foutebol pour aki?]

terre battue terra batida [tèra batida]
  ▸ je préfère jouer sur terre battue prefiro jogar em terra batida [prefirou jougàr na tèra batida]

terrible (fantastique) incrível [incrivelle]
  ▸ ce restaurant n'est pas terrible este restaurante não é lá grande coisa [èchte rechtaurante naou è là grãnde koïza]

tétanos tétano [tètanou]
  ▸ je suis vacciné contre le tétanos estou vacinado contra o tétano [chtou vaçinadou/à kontra ou tètànou]

tête cabeça [kabéça]
  ▸ j'ai mal à la tête dói-me a cabeça [doï-me a kabéça]
  ▸ auriez-vous quelque chose contre les maux de tête? têm qualquer coisa para as dores de cabeça? [taï kouàlkère koïza pàrà ach dôrech de kabéça?]
  ▸ je n'ai vraiment pas envie de me prendre la tête não me apetece nada preocupar-me com isso [naou me apetèçe nada priôkoupàr-me kon issou]

thé chá [cha]
  ▸ thé au citron chá de limão [cha de limaou]

▶ thé glacé ice tea/chá gelado [aïçe ti/cha jelàdou]
▶ thé au lait chá com leite [cha kon léïte]
▶ thé nature chá [cha]
▶ je vais prendre un thé vou tomar um chá [vô toumàr oum cha]

théâtre teatro [tiàtrou]
▶ j'irais bien au théâtre apetecia-me ir ao teatro [apeteçià-me ir aou tiàtrou]

thermomètre termómetro [termômetrou]
▶ je crois que j'ai de la fièvre, auriez-vous un thermomètre ? acho que febre, será que tem um termómetro? [achou ke tagnou fèbre sera ke taï oum termômetrou?]
▶ le thermomètre indique 18 degrés (Celsius) o termómetro marca dezoito graus (Celsius) [ou termômetrou marka dezoïtou degraouch]

ticket (TRANSPORTS) bilhete [biliette] ; (exposition) bilhete/entrada [biliette/êntrada]
▶ ticket de métro bilhete de metro [biliette de métro]
▶ je voudrais un ticket pour ... queria um bilhete para... [keria oum biliette pàrà]
▶ un carnet de tickets, s'il vous plaît um módulo de bilhetes, se faz favor [oum môdoulou de biliettech se fach favôr]
▶ peut-on acheter les tickets dans le bus ? podemos comprar os bilhetes no autocarro? [poudémouch konpràr biliettech nou aoutokarou?]
▶ le ticket est-il également valable pour l'exposition ? o bilhete também é válido para a exposição? [ou biliette tàmbéï e validou pàrà a chpouziçaou?]
▶ je crois que tu as un ticket avec elle ! acho que estás a curtir com ela [achou ke chtàch a kourtir kon èla!]

timbre selo [sélou]
▶ six timbres pour la France, s'il vous plaît seis selos para a França, se faz favor [séïch sélou pàrà afrãnça se fach favôr]

tisane infusão [înfouzaou]
▶ je prendrais volontiers une tisane tomo com muito gosto uma infusão [tomou kon mouytou gochtou ouma înfouzaou]

toi contigo [kontigou]
▶ je reste avec toi fico contigo [fikou kontigou]

toilette (soins de propreté) lavar-se [lavar-se] ; (papier) higiénico [ijiènikou]
▶ elle est en train de faire sa toilette ela está-se a lavar [èla chtà-se a lavar]
▶ il n'y a pas de papier toilette não há papel higiénico [naou à pàpelle ijiènikou]

toilettes wc [wc]
▶ toilettes pour dames wc para senhoras [wc para segnoràch]

▶ toilettes pour hommes wc para homens [wc pàrà ôméïch]

▶ où sont les toilettes, s'il vous plaît ? onde é a casa-de-banho, se faz favor? [onde è a kaza de bagnou se fach favôr?]

▶ y a-t-il des toilettes pour handicapés ? há wcs/casas-de-banho para deficientes? [à wcs/kazach de bagnou pàrà defiçiẽntech?]

tomate tomate [toumate]

▶ je vais prendre un jus de tomate vou tomar um sumo de tomate [vô toumar oum soumou de toumate]

tomber *(sens propre)* cair [caïr] ; *(figuré)* morrer, calhar, deixar [mourèr, kaliàr, déïchar]

▶ je suis tombé(e) sur le dos caí de costas [caï de kochtach]

▶ je tombe de fatigue estou morto(a) de cansaço [chtou môrtou(à) de kãnçaçou]

▶ ça tombe bien ! calha bem! [kalià baï!]

▶ laisse tomber ! deixa estar! [déïcha chtàr!]

topless topless [toplèçe]

▶ peut-on faire du topless ? pode-se/podemos fazer topless? [pôde-se fazère/poudémouch fazère toplèçe?]

tordre (se) torcer [tourçèr]

▶ je me suis tordu la cheville torci o tornozelo [tourçi ou tournouzélou]

tort ▶ j'ai eu tort de lui parler comme ça não lhe devia ter falado daquela maneira/não tinha razão em lhe falar assim [naou lieu devia tèr faladou dàkéla manéïra/naou tigna razaou aï lieu falàr assi]

▶ c'est moi qui suis en tort sou eu que não razão [sô éou ke naou tagnou razaou]

▶ tu n'as pas tort ! és capaz de ter razão! [èch kapach de tèr razaou!]

tôt cedo [çédou]

▶ je partirai tôt demain matin parto cedo amanhã de manhã [partou çédou àmàgnàde màgnà]

▶ il n'y a pas un train plus tôt ? não há um comboio mais cedo? [naou à oum konboyou maïch çédou?]

toucher tocar/mexer [toukar/mechèr]

▶ je peux toucher ? posso tocar?/posso mexer? [pôssou toukar?/pôssou mechèr?]

▶ nous n'avons touché à rien não tocamos em nada [naou toukamouch aï nada]

toujours *(tout le temps)* sempre [sẽmpre] ; *(encore)* ainda [aïnda]
  ▶ je l'ai toujours sur moi trago-o(a) sempre comigo [tragou-ou(à) sẽmpre koumigou]
  ▶ je ne sais toujours pas si je vais y aller ainda não sei se hei-de ir [aïnda naou séï se éï de ir]

tour vez [vèch] ; *(promenade)* volta, passeio [voltà, passéyou]
  ▶ c'est à ton tour de jouer é a tua vez de jogar [è a toua vèch de jougàr]
  ▶ on va faire un tour? vamos dar uma volta? [vamouch dar ouma voltà?]
  ▶ je t'emmène faire un tour sur ma moto ? levo-te a dar uma volta na minha moto? [lèvou-tea dar ouma voltà na migna motou?]

touriste turista [tourichta]
  ▶ vous êtes touriste ? é/são turista(s)? [è/saou tourichta(ach)?]
  ▶ c'est un attrape-touriste ! é um chamariz para turistas! [è oum chamarich pàrà tourichtach!]

touristique turístico [tourichtikou]
  ▶ guide touristique guia turístico [guïa tourichtikou]
  ▶ c'est une ville très touristique é uma cidade muito turística [è ouma çidàde mouytou tourichtika]

tournée *(au bar)* rodada [roudada] ; *(tour)* volta [vôlta]
  ▶ c'est ma tournée ! esta rodada é minha! [èchta roudada è migna!]
  ▶ la prochaine tournée est pour moi a próxima rodada pago eu [a prossima roudada pagou éou]
  ▶ on a fait la tournée des bars demos a volta aos bares [dèmouch a vôlta aouch barech]

tourner *(changer de direction)* virar [virar] ; *(figuré)* andar à roda [ãndàr à rôdà]
  ▶ c'est bien ici que je dois tourner pour aller à Évora ? é aqui que que virar para ir a Évora? [è aki ke tagnou ke virar pàrà ir pàrà èvoura?]
  ▶ il faut tourner à droite é preciso virar à direita [è pressizou virar à diréïta]
  ▶ j'ai la tête qui tourne a cabeça a andar à roda [tagnou a kabéça a ãndàr à rôdà]

tousser tossir [toussir]
  ▶ je tousse depuis plusieurs jours tusso já há vários dias [toussou a variouch diach]

tout tudo [toudou]
  ▶ on a marché toute la journée andámos o dia inteiro [ãndàmouch ou dia ïntéïrou]

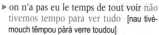

BON-PLAN
train

Les trains sont bon marché par rapport au reste de l'Europe : gratuité pour les enfants jusqu'à 4 ans et demi-tarif de 4 à 11 ans, promotions pour les groupes, les étudiants et les retraités, ou billet touristique pour un nombre illimité de voyages pendant 7, 14 ou 21 jours consécutifs (sur réservation). Enfin, le pass Euro domino *offre des prix réduits pour les moins de 26 ans.*

▶ on n'a pas eu le temps de tout voir não tivemos tempo para ver tudo [nau tivè-mouch têmpou pàra ver toudou]

▶ ça ne me dérange pas du tout não me incomoda nada [naou me înkoumôda nada]

▶ ce sera tout, merci é tudo, obrigado(a) [è toudou ôbrigàdou(à)]

▶ merci pour tout ! obrigado(a) por tudo! [ôbrigadou/à pour toudou!]

▶ à tout à l'heure ! até logo! [atè lôgou!]

toux tosse [tôsse]

▶ j'aurais besoin de quelque chose contre la toux preciso de algo para a tosse [pres-sizou de algou pàra a tôsse]

train comboio [konboyou]

▶ quand part le prochain train pour Zambujeira do Mar ? quando é que parte o próximo comboio para a Zambujeira do Mar? [kouàndou è ke parte ou konboyou pàra zänboujéïrà dou marre?]

▶ de quel quai part le train pour Figueira da Foz ? de que cais é que parte o comboio para a Figueira da Foz? [de ke kaïch parte ou konboyou pàra a figuéï-rà dà fôch?]

▶ où se trouve le départ des trains internationaux ? aonde é que ficam as partidas dos comboios internacionais? [aonde è ke fikaou ach partidach douch konboyouch înternaçiounaïch?]

▶ ce train va bien à Ericeira ? este comboio vai mesmo para a Ericeira? [échte konboyou vaï méchmou para a iriçéïra?]

trajet trajecto [trajètou]

▶ combien de temps dure le trajet ? quanto tempo é que dura o trajecto? [kouàntou têmpou doura ou trajètou?]

tramway eléctrico [ilètrikou]

▶ il faut prendre quelle ligne de tramway ? qual é a linha do eléctrico que é preciso apanhar? [kouàl è a lignà dou ilètrikou ke è pressizou apagnar?]

▶ est-ce qu'on peut acheter les billets dans le tramway ? podemos comprar os bilhetes no eléctrico? [poudémouch konpràr ouch biliettech nou ilètrikou?]

tranquille tranquilo [tränkouïlou]

▶ est-ce que c'est une plage tranquille ? é uma praia tranquila? [è ouma prayà tränkouïla?]

▶ laissez-nous tranquilles ! deixem-nos em paz! [déïchéï-nouch aï pach!]

INFO
trains

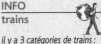

Il y a 3 catégories de trains :
- les Interregiões *(omnibus)*
- les Intercidades *(équivalent*
du RER) : plus rapides, ils as-
surent la liaison entre les prin-
cipales villes
*- l'*Alfa *(équivalent du TGV)*
est le train rapide qui relie Lis-
bonne à Porto.

transat espreguiçadeira [chpreguiçadéïra]
▶ peut-on louer des transats ? podemos/podem-se alugar espreguiçadeiras? [poudémouch/podéï-se alougar chpreguiçadéïrach?]

transmettre transmitir [trănchmitir]
▶ vous pourrez lui transmettre mon message ? pode-lhe transmitir a minha mensagem? [pode-lieu trănchmitir a migna mênsajéi?]

travailler trabalhar [trabaliàr]
▶ tu travailles dans quoi ? em que é que trabalhas? [aï ke trabaliàch?]
▶ je travaille dans l'édition trabalho na edição/trabalho numa editora [trabaliou na idiçaou/trabaliou nouma iditorà]

traveller's cheque cheque de viagem/traveller's cheque [chèke de viàjéï/traveleurse chèke]
▶ vous acceptez les traveller's cheques ? aceita(m) os cheques de viagem?//aceita(m) os traveller's cheques? [açéïta(aou) ouch chékech de viàjéï?/açéïta(aou) traveleurse chèkech?]

traversée travessia [traveçia]
▶ combien de temps dure la traversée ? quanto tempo dura a travessia? [kouăntou têmpou doura a traveçia?]

tribord estibordo [échtibordou]
▶ c'est un vent de tribord é um vento de estibordo [è oum vêntou de échtibordou]

tromper (se) enganar(-se) [ênganàr(-se)]
▶ j'ai dû me tromper de numéro enganei-me no número/acho que me enganei no número [ênganéï-me nou noumerou/achou ke me ênganéï nou noumerou]
▶ je crois que vous vous êtes trompé(e) en me rendant la monnaie acho que se enganou no troco [achou ke se ênganou nou traukou]

trop demais [demaïch]
▶ il y a un peu trop de monde há gente demais [à jênte demaïch]
▶ j'ai trop bu hier soir ontem à noite bebi demais [ntéï à noïte bebi demaïch]
▶ je suis arrivée trop tard cheguei tarde demais [cheguéï tarde demaïch]

trou buraco [bourakou]

> il y a des trous dans la route há buracos na estrada [à bourakouch na chtràdà]

> j'ai un trou de mémoire a minha memória está a falhar [a migna memôrià chtà a faliàr]

trouille medo [médou]

> j'étais morte de trouille ! estava cheia de medo!/estava morta de medo! [chtava chéyà de médou/chtava môrta de médou!]

trousse estojo [chtojou]

> trousse de toilette estojo de toilette [chtojou de toilette]

> avez-vous une trousse de secours ? tem um estojo de primeiros socorros? [taï oum chtojou de priméïrouch sokôrouch?]

trouver *(découvrir)* encontrar [ënkontrar] ; *(juger)* achar [achar]

> savez-vous où je pourrais trouver... ? sabe(m) aonde é que podia/poderia encontrar...? [sabe(éï) aonde è ke podia/pouderia ënkontrar?]

> comment tu me trouves ? como é que me achas? [komou è ke me achach?]

> je la trouve très sympathique acho-a muito simpática [achou-a mouytoy sïmpatika]

trouver (se) encontrar(-se) [ënkontrar(-se)]

> où se trouve le terminal 1 ? aonde é que se encontra o terminal 1? [aonde è ke se ënkontra ou terminal oum]

> pourriez-vous m'indiquer où je me trouve sur la carte ? poderia(m) indicar-me aonde é que eu me encontro no mapa? [poderia(aou) ïndikar-me aonde è ke éou me ënkontrou nou mapa?]

truc coisa [koïza]

> c'est quoi, ce truc ? o que é istou? [ou ke è ichtou?]

> c'est un truc marrant é uma coisa engraçada [é ouma koïza ëngràçàda]

tu tu [tou]

> comment tu t'appelles ? como é que te chamas? [komou é ke te chamach?]

tuba tubo de respiração [toubou de rechpiraçaou]

> je voudrais louer un masque et un tuba, s'il vous plaît queria alugar uma máscara de mergulho e um tubo de respiração, por favor [keria alougàr ouma machkara de mergouliou i oum toubou de rechpiraçaou pour favôr]

turista diarréia [diaréïa]

> j'ai la turista diarréia [tagnou diaréïa]

TVA *(taxe sur la valeur ajoutée)* IVA (imposto sobre o valor acrescentado) [ivà (ïmpochtou sobre ou valor akrechçëntàdou)]

> la TVA est-elle comprise ? o IVA está incluído? [ou iva chtà ïnklouidou?]

INFO
urgences

En cas d'urgence, appelez le 112, qui vous mettra en contact avec l'équivalent portugais de SOS Médecins. Attention, vérifiez que vous avez contracté une assurance pour le rapatriement sanitaire (notamment avec votre carte bancaire), car il n'est pas couvert par la Sécurité sociale.

typique típico [tipikou]
  ▶ quels sont les produits typiques de la région? quais são os produtos típicos da região? [kouaïch saou ouch proudoutouch tipikouch da rejiaou?]

U

ULM UL/ultraleve [ouèl/oultralève]
  ▶ est-ce qu'on peut faire de l'ULM ici? pode-se fazer UL aqui? [pôde-se fazère ouèl aki?]

urgence urgência [ourjênçia]
  ▶ je dois voir un dentiste de toute urgence preciso ver um dentista com urgência [pressizou de verre oum dēntichta kon ourjênçiach]
  ▶ il faut l'emmener aux urgences é preciso levá-la (lo) às urgências [è pressizou levá-la(lou) ach ourjênçiach]
  ▶ où se trouve le service des urgences? aonde é que ficam as urgências? [aonde è ke fikaou ach ourjênçiach?]

urgent urgente [ourjēnte]
  ▶ c'est très urgent! é muito urgente! [è mouytou ourjēnte!]

utiliser utilisar [outilizar]
  ▶ je peux utiliser le fer à repasser? posso utilizar o ferro de passar? [pôssou outilizar ou fèrou de passar?]

V

vacances férias [fèriàch]
  ▶ vous êtes ici en vacances? estás/estão aqui de férias? [chtach/chtaou aki de fèriàch?]
  ▶ bonnes vacances! boas férias! [boàch fèriàch!]

vaccin vacina [vaçina]
  ▶ tous mes vaccins sont à jour todas as minhas vacinas estão em dia [todàch ach mignach vaçinach chtaou aï dia]

vague onda [onda]
> ► comment sont les vagues dans le coin ? como é que são as ondas aqui ? [komou è ke saou ach ondach dou marre?]
> ► c'est une piscine à vagues ? é uma piscina com ondas ? [è ouma pichçina kon onda?]

vaisselle louça [lôça]
> ► je peux vous aider à faire la vaisselle ? posso ajudá-la(o)/ajudar-vos a lavar a louça ? [pôssou ajouda-la(lou)/ajoudar-vouch a lavar a lôça?]

valable válido [validou]
> ► le ticket est-il également valable pour l'exposition ? o bilhete também é válido para a exposição ? [ou billiette tãmbéï è validou pàrà a chpouziçaou?]

validité validade [validàde]
> ► ma carte d'identité est en cours de validité o meu bilhete de identidade está dentro da validade [ou méou billiette de idêntidàde chtà dêntrou da validàde]

valise mala [mala]
> ► j'ai une valise et un bagage à main uma mala e uma bagagem de mão [tagnou ouma mala i ouma bagajéï de maou]
> ► ma valise a été abîmée a minha mala ficou estragada [a migna mala fikou chtràgadà]
> ► il faut que je fasse ma valise que fazer a mala [tagnou ke fazère a mala]

varappe escalada (livre) [echkalada (livreu)]
> ► est-ce qu'on peut faire de la varappe ici ? pode-se fazer escalada aqui ? [pôde-se fazère echkalada aki?]

végétarien vegetariano [vegetariànou]
> ► je suis végétarien(ne) sou vegetariano(a) [so vegetariànou(à)]

vélo bicicleta [biçiklèta]
> ► où peut-on louer des vélos ? aonde é que se pode alugar bicicletas ? [aonde è ke se pôde alougàr biçiklètach?]
> ► ma chaîne de vélo a déraillé a corrente da minha bicicleta saltou [a kourênte da migna biçiklèta salto]
> ► tu aurais une pompe à vélo ? tens uma bomba de bicicleta ? [taïch ouma bomba de biçiklèta?]
> ► y a-t-il un endroit où laisser les vélos ? há algum lugar para deixar as bicicletas ? [à algoum lougàr pàrà déïchàr ach biçiklètach?]

vendre vender [vêndèr]
> ► est-ce que vous vendez des timbres ? vende selos ?/vendem selos ? [vênde sélouch?/vêndaï sélouch?]

venir vir [vir]

▶ d'où venez-vous ? de onde é que vocês vêm? [de onde è ke vôçèch vaï?]
▶ je viens de Paris venho de Paris [vagnou de parich]
▶ tu viens souvent ici ? vens aqui muitas vezes? [vaïch aki mouytach vézech?]
▶ c'est la première fois que je viens é a primeira vez que venho [è a primeïra véch ke vagnou]
▶ je suis déjà venu(e) il y a plusieurs années já tinha estado aqui há alguns anos atrás [ja tigna chtadou aki algounch anouc atrach]
▶ alors, tu viens ? então, vens? [ēntaou vaïch?]

vent vento [vēntou]

▶ il y a un vent terrible está um vento terrível [chtà oum vēntou terivelle]
▶ le vent vient de tribord o vento vem de estibordo [ou vēntou vaï de échtibordou]
▶ attention, c'est un vent de terre atenção, é um vento de terra [atēnçaou è oum vēntou de tèra]
▶ il n'y a pas assez de vent não há vento suficiente [naou à vēntou soufiçiēnte]

ventilateur ventoinha [vēntouïgna]

▶ comment marche le ventilateur ? como é que funciona a ventoinha? [komou è ke fūnçiôna a vēntouïgna?]

ventre barriga [bariga]

▶ j'ai mal au ventre dói-me a barriga [doï-me a bariga]

verglas gelo [jélou]

▶ il y a du verglas há gelo na estrada [à jélou na chtràdà]

vérifier verificar [verifikàr]

▶ pouvez-vous vérifier le niveau d'huile ? pode(m) verificar o nível do óleo? [pode(aï) verifikàr ou nivelle de oliou?]

verre copo [kôpou]

▶ je vais prendre un verre de vin vou tomar um copo de vinho [vo toumàr oum kôpou de vignou]
▶ ça te dit d'aller boire un verre ? queres/apetece-te ir beber um copo? [kèrech/apetèçe-te bebère oum kôpou?]
▶ je peux vous offrir un verre ? posso oferecer-lhe(s) um copo? [pôssou ôfereçèr-lieu(ch) oum kôpou?]

vers *(temps)* por volta [pour volta] ; *(lieu)* em direcção da [aï dirèçaou]

▶ je rentrerai vers minuit chegarei a casa por volta da meia-noite [chegaré a kaza pour volta da méya noïte]
▶ ça se trouve vers la gare isso encontra-se em direcção da gare/estação [issou ēnkôntràa-se aï dirèçaou da gare/chtaçaou]

verser *(argent)* depositar [depouzitar]
> ▶ faut-il verser des arrhes ? é necessário fazer um depósito ? [è neçessàriou fazère oum depôzitou?]

vert verde [vèrde]
> ▶ il a de très beaux yeux verts ele tem uns olhos verdes lindos [éle taï ounch oliouch vèrdech lïndouch]

vertige vertigem [vertijéï]
> ▶ j'ai le vertige vertigens [tagnou vertijéïch]

vestiaire vestiário [vechtiàriou]
> ▶ je voudrais laisser mes affaires au vestiaire queria deixar as minhas coisas no vestiário [keria déïchar ach mignach koïzach nou vechtiàriou]

viande carne [karne]
> ▶ je ne mange pas de viande não como carne [naou komou karne]

vidange mudança de óleo [moudãnça de ôliou]
> ▶ il faut faire la vidange é preciso mudar o óleo [è pressizou moudar ou ôliou]

village aldeia [aldéyà]
> ▶ pouvez-vous nous conseiller un restaurant dans le village ? pode(m) aconselhar-nos um restaurante na aldeia? [pode(aï) akonseliar-nouch oum rechtaourãnte na aldéyà?]

ville cidade [çidàde]
> ▶ je voudrais un ticket pour le centre-ville queria um bilhete para o centro (da cidade) [keria oum biliette pàrà ou çêntrou (da çidàde)]
> ▶ où puis-je trouver un plan de la ville ? aonde é que posso encontrar um mapa da cidade? [aonde è ke pôssou ênkontrar oum mapa da çidàde?]

---

se déplacer en ville INFO

> ▶ quel est le bus qui va à la gare ? qual é o autocarro que vai à gare/estação? [kouàl è ou aoutokarou ke vaï à gare/chtaçaou?]
> ▶ quel est le moyen le plus rapide pour se rendre à l'aéroport ? qual é o meio de transporte mais rápido para ir ao aeroporto? [kouàl è ou méyou de trãnchporte maïch ràpidou pàrà ir aou aèroportou?]
> ▶ pourrez-vous me prévenir quand je devrai descendre ? podia(m)-me/poderia(m)-me prevenir quando tiver que descer? [podia(aou)/poderia(aou)-me prevenir kouãndou tivère ke dechçère?]

V vi

vin vinho [vignou]
- ▶ vin blanc vinho branco [vignou bränkou]
- ▶ vin rosé vinho rosé [vignou rôzè]
- ▶ vin rouge vinho tinto [vignou tïntou]
- ▶ pouvez-vous nous apporter la carte des vins ? pode(m) trazer-nos a carta dos vinhos? [pode(aï) trazère-nouch a kàrta douch vignouch?]
- ▶ nous allons prendre une bouteille de vin vamos beber uma garrafa de vinho [vamouch bebère ouma garafa de vignou]

violet violeta [viouléta]
- ▶ je peux voir la robe violette qui est en vitrine ? posso ver o vestido violeta que está na montra? [pôssou verre ou vechtidou viouléta ke chtà na montra?]

virement *(bancaire)* transferência [trănchferência]
- ▶ je voudrais faire un virement queria fazer uma transferência [keria fazère ouma trănchferência]

visite visita [vizita]
- ▶ visite guidée visita guiada [vizita guiàdà]
- ▶ y a-t-il une visite en français ? há uma visita guiada em francês? [à ouma vizita guiàdà aï frănçèch?]
- ▶ combien de temps dure la visite ? quanto tempo dura a visita? [kouăntou tèmpou doura a vizita?]

visiter visitar [vizitar]
- ▶ j'aimerais bien visiter… gostaria de visitar… [gouchtaria de vizitar]
- ▶ qu'y a-t-il d'intéressant à visiter ici ? o que é que há de interessante a visitar aqui? [ou ke è ke à de ïnteressănte a vizitar aki?]

vite depressa [deprèssa]
- ▶ tu roules trop vite andas rápido demais [andach ràpidou demaïch]
- ▶ est-ce que vous pourriez parler un peu moins vite ? será que podia falar mais devagar? [sera ke podia falàr maïch devagàr?]

vitesse velocidade [velouçidàde]
- ▶ à combien la vitesse est-elle limitée sur cette route ? nesta estrada a velocidade é limitada a quanto? [nèchta chtràdà a velouçidàde è limitàda a kouăntou?]

vive peixe-aranha [péïche aragna]
- ▶ est-ce qu'il y a des vives ? há peixes-aranha? [à péïchech aragna?]

ZOOM
vins

7ème producteur mondial de vin (et 1er producteur mondial de chêne liège pour les bouchons!), le Portugal produit du vin rouge (vinho maduro comme le Dão) et du vin blanc (vinho verde légèrement pétillant). Mais le plus célèbre est bien sûr le vin de Porto, au nord du pays, avec une production de 100 millions de bouteilles par an.

vœu voto/desejo [votou/dezèjou]
- ▶ tous mes vœux de bonheur ! todos os meus votos de felicidade! [todouch ouch méouch vôtouch de feliçidàde!]
- ▶ fais un vœu ! pede um desejo! [pède oum dezèjou!]

voie *(de gare)* via [via]
- ▶ de quelle voie part le train pour Portimão ? de que via parte o comboio para Portimão? [de ke via parte ou konboyou pàrà pourtimaou?]

voile vela [vèla]
- ▶ je fais de la voile faço vela [façou vèla]
- ▶ je voudrais prendre des cours de voile pour débutants queria ter aulas de vela para principiantes [keria tèr aoulach de vèla pàrà prïnçipiäntech]

voir ver [verre]
- ▶ je voudrais voir le Dr Sabatier queria ver o Doutor Sabatier [keria verre ou dôtôr sabatié]
- ▶ quelles sont les choses à voir absolument dans la région ? quais são as coisas a ver imperativamente na região? [kouaïch saou ach koïzach a verre ïmperativamènte na rejiaou?]

voir (se) ver(-se) [verre(-se)]
- ▶ il me semble que nous nous sommes déjà vus quelque part a impressão que já nos vimos nalgum lugar [tagnou a ïmpressaou ke jà nouch vimouch nalgoum lougar]
- ▶ on se voit demain soir ? vemo-nos amanhã à noite? [vémou-nouch amàgnà à noïte?]
- ▶ j'espère qu'on pourra se voir quand tu viendras à Paris espero que nos possamos ver quando vieres a Paris [chpèrou ke nouch poussàmouch verre kouàndou vièrech à parich]

voiture *(automobile)* carro [karou] ; *(wagon)* carruagem [karouàjéï]
- ▶ pouvez-vous nous aider à pousser la voiture ? pode(m)-nos ajudar a empurrar o carro? [pode(éï)-nouch ajoudàr a ëmpourràr ou karou?]
- ▶ est-ce que c'est loin en voiture ? de carro é longe? [de karou è lonje?]

vœux	INFO
▶ joyeux anniversaire ! feliz aniversário! [felich aniversàriou!]	
▶ joyeux Noël ! boas festas! [boàch fêchtàch!]	
▶ bonne année ! feliz ano novo! [felich anou nôvou!]	
▶ bon appétit ! bom apetite! [bon apetite!]	
▶ bonne nuit ! boa noite! [boa noïte!]	
▶ félicitations ! parabéns! [parabéïch!]	

► c'est bien la voiture 15 ? é o carro 15 ? [è ou karou kǐnze?]

► savez-vous s'il y a une voiture-restaurant dans ce train ? sabe(m) se há uma carruagem restaurante neste comboio? [sabe(éi) se à ouma karouàjéi rechtaourãnte nèchte cômboyo?]

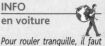
vol *(trajet en avion)* voo [vo] ; *(délit)* roubo [robou]

► combien y a-t-il de vols par jour ? quantos voos é que há por dia? [kouãntouch voch è ke à pour dia?]

► je voudrais faire une déclaration de vol queria fazer uma participação de roubo [keria fazère ouma partiçipaçaou de robou]

¹**volant** *(de voiture)* volante [voulãnte]

► j'ai trop bu, je préfère que tu prennes le volant bebi demais, prefiro que sejas tu a conduzir [bebi demaïch prefirou ke sèjàch tou a kondouzir]

²**volant** *(de badminton)* pena [péna]

► je ne retrouve pas le volant não encontro a pena [naou ênkontrou a péna]

voler roubar [robar]

► on m'a volé mes papiers roubaram-me os meus documentos [robaraou-me ouch méouch doukoumêntouch]

volley vólei [voléy]

► voulez-vous faire une partie de volley ? querem jogar vólei? [kéraï jougàr voléy?]

---

louer une voiture   INFO

► je voudrais louer une voiture pour une semaine queria alugar um carro por uma semana [keria alougàr oum karou pour ouma semana]

► combien coûte la location d'une voiture pour le week-end ? quanto é que custa o aluguer de um carro para o fim-de-semana? [kouãntou è ke kouchta ou alouguère de oum karou pàra ou fĭ de semana?]

► avec une assurance tous risques, s'il vous plaît com um seguro contra todos os riscos, por favor [kon oum segourou kontra todouch ouch richkouch pour favôr]

► est-il possible de rendre la voiture à l'aéroport ? é possível levar o carro até ao aeroporto? [è poussivele levar ou karou atè ou aèroportou?]

volontiers com muito gosto [kon mouytou gochtou]

▶ j'en reprendrais volontiers ! vou repetir com muito gosto! [vo repetir kon kon mouytou gochtou!]

vomir vomitar [voumitàr]

▶ j'ai envie de vomir vontade de vomitar [tagnou vontàde de voumitàr]

▶ il a vomi toute la nuit ele vomitou a noite inteira [éle voumito a noîte întéïra]

vouloir querer [kerèr] ; *(être fâché)* estar zangado(a) [chtar zāngàdou(a)]

▶ je voudrais... queria... [keria]

▶ qu'est-ce que ça veut dire ? o que é que isto significa? [ou ke è ke ichtou signifika?]

▶ tu prends un verre ? – oui, je veux bien tomas um copo? – sim, quero [tomàch oum kopou? – sï kèrou]

▶ c'est où tu veux quand tu veux ! quando e onde quiseres! [kouāndou i onde kizèrech!]

▶ tu m'en veux ? estás zangado(a) comigo? [chtàch zāngàdou(à) koumigou?]

vous vós/vocês [vôch/vôçèch]

▶ bon appétit ! – merci, vous aussi ! bom apetite! – obrigado(a) a si/vocês também! [bon àpetite! — ôbrigàdou(à) a si/vôçèch tāmbéï!]

▶ est-ce que vous vous connaissez ? vocês conhecem-se? [vôçèch kougnèçaï-se?]

▶ c'est à vous ? é a vossa vez? [è à vôssa vèch?]

voyage viagem [viajéï]

▶ bon voyage ! boa viagem! [boa viajéï!]

▶ combien de temps dure le voyage ? quanto tempo dura a viagem? [kouāntou doura a viajéï?]

voyager viajar [viajar]

▶ je voyage seule viajo sozinha [viajou sôzignà]

vrai verdade [verdàde]

▶ c'est vrai ? é verdade? [è verdàde?]

▶ c'est pas vrai ! é mentira! [è mēntira!]

▶ à vrai dire... a bem dizer.../para dizer a verdade... [a baï dizère/pàrà dizère a verdàde]

vue vista [vichta]

▶ je préférerais une chambre avec vue sur la mer preferia um quarto com vista para o mar [preferia oum kouàrtou kon vichta pàrà ou marre]

W

week-end fim-de-semana [fî de semana]
> ▶ on part ce week-end partimos este fim-de-semana [partimouch échte fî de semana]

windsurf windsurf [windserf]
> ▶ est-ce qu'il y a un bon spot pour faire du windsurf dans le coin ? há condições para fazer windsurf aqui? [à kondiçoïch pàrà fazère windserf aki?]

Y

yaourt iogurte [iôgourte]
> ▶ je vais prendre un yaourt vou comer um iogurte [vo koumère oum iôgourte]

Z

zone zona [zona]
> ▶ zone fumeur zona para fumadores [zona pàrà foumadorech]
> ▶ zone piétonne zona pedestre [zona pedèchtre]
> ▶ quelle est la zone réservée aux baigneurs ? qual é a zona reservada aos banhistas? [kouàl è a zona rezervada aouch bagnichtach?]

Le portugais
dans tous
ses états

Mystères et secrets de la langue portugaise

Un peu d'histoire

Le portugais, tout comme le français, a bien sûr des origines latines. Mais, si le latin est un héritage commun à toutes les langues romanes, chacune d'entre elles a sa propre histoire. D'où la nécessité de cette rubrique, non ?

Le mot Portugal lui-même n'apparaît pas avant la chute de l'Empire romain. Entre la Lusitanie romaine (qui ne se confond pas avec l'actuel territoire portugais) et la naissance du royaume du Portugal, sept siècles vont s'écouler, pendant lesquels se succéderont les invasions germaniques à partir du Ve siècle et à partir du VIIIe l'occupation arabe. La naissance du royaume indépendant du Portugal aura lieu au XIIe siècle. À cette période, tout le sud du pays, correspondant aux actuelles provinces de l'Algarve, était encore sous la domination arabe. C'est en 1249, avec la reconquête de Faro, que le territoire de l'actuel Portugal est libéré.

L'indépendance du Portugal entraîne la séparation avec la Galice et le León. Cependant, les premiers textes écrits en portugais, qui apparaissent au XIIIe siècle, sont rédigés en une langue qui est, pour l'essentiel, la même au nord du pays et dans la Galice espagnole, et qu'on appelle le **galaïco-portugais** (*galego-português*). C'est cette langue qui, occupant tout le territoire du nouveau royaume, va devenir le portugais moderne. L'arabe disparaît, en laissant cependant environ un millier de mots dans le vocabulaire.

Vers 1500, le portugais moderne est à peu près constitué. Nettement différent du galicien, il est devenu la langue officielle du royaume, recentré sur Lisbonne, la capitale. C'est cette zone centrale, balisée par

Océan
Atlantique
*Oceano
Atlântico*

PORTUGAL
PORTUGAL
Açores **Lisbonne**●
Açores Lisboa

Madère
Madeira

CAP-VERT
CABO VERDE
Bissau●
Bissau
GUINÉE-BISSAU
GUINÉ-BISSAU

SÃO TOMÉ ET PRÍNCIPE
SÃO TOMÉ E PRÍNCIPE

Luanda●
Luanda
ANGOLA
ANGOLA

BRÉSIL
BRASIL
Brasilia●
Brasilia

Océan Pacifique
Oceano Pacifico

Océan
Atlantique
*Oceano
Atlântico*

Océan Pacifique
Oceano Pacifico

Diu
Diu
Daman
Damão
Goa
Goa

Macao
Macau

Océan Indien
Oceano Índico

TIMOR ORIENTAL
TIMOR-LESTE

MOZAMBIQUE
MOÇAMBIQUE

Maputo
Maputo

les villes de Coimbra au nord et d'Évora au sud, qui dicte la norme, les parlers du nord apparaissant alors comme vulgaires et provinciaux...

À partir du XVᵉ siècle, le portugais se diffuse dans le monde. Son expansion résulte bien sûr des grandes expéditions maritimes (si vous aviez oublié on appelle ça les Grandes Découvertes) et des conquêtes qui ont porté la langue portugaise bien au-delà des frontières du Portugal, d'abord dans les îles de Madère et des Açores, puis dans de nombreux territoires d'Afrique, d'Asie et d'Amérique, notamment au Brésil.

Ainsi répandu sur de très vastes espaces, il va se diversifier, d'abord par l'émergence des créoles portugais, dans les îles du Cap-Vert, en Guinée-Bissau, à São Tomé et dans plusieurs îles du golfe de Guinée, mais aussi en Asie, dans plusieurs régions de l'Inde et du Sri-Lanka, et à Macao.

Où parle-t-on le portugais déjà ?

Il y a d'abord les pays où le portugais est la langue officielle. C'est bien sûr au Brésil que l'on parle le plus le portugais (environ 172 millions d'habitants), au Portugal bien entendu (environ 10,3 millions d'habitants), dans des enclaves situées le long de la frontière hispano-portugaise, mais aussi dans les îles du Cap-Vert (369 000 habitants), en Guinée-Bissau (980 000 habitants), dans les îles de São Tomé et de Principe (116 000 habitants), en Angola (10 millions d'habitants) et au Mozambique (18 millions d'habitants).

Le portugais est aussi la seconde langue officielle au Timor-Oriental (952 618 habitants) et dans la RAS (région administrative à statut spécial) de Macao en Chine. En Inde, dans les anciens comptoirs de Goa et Daman-et-Diu, on parle aussi une variété de portugais.

Enfin, le portugais est également parlé par les nombreuses communautés portugaises réparties un peu partout dans le monde. En France, par exemple.

L'influence du portugais dans le monde...

C'est fou comme la langue de ce petit territoire a pu essaimer sur les quatre continents. Il suffit donc de suivre peu ou prou l'histoire de l'expansion portugaise dans le monde, à partir du XVᵉ siècle, pour trouver de nombreux créoles portugais, notamment le long des côtes africaines et asiatiques. Par exemple, bon nombre de mots portugais sont encore utilisés à Ceylan, en Birmanie, au Cambodge, au Siam (Thaïlande), en Indonésie, en Malaisie, au Viêt-Nam et au Laos, aux

Philippines et au Japon, couvrant plusieurs domaines : la religion et le commerce, mais aussi la toponymie, la gastronomie, la mécanique, les mœurs, etc.

Et puis, beaucoup de mots portugais se sont aussi glissés dans les langues européennes, y compris, bien sûr, dans la langue française.

... et sur le français

Les influences du portugais sur le français sont de trois sortes : les mots qui viennent de l'Amérique latine par le tupi, langue indienne du Brésil ; ceux qui viennent des langues d'Asie et d'Indonésie, notamment grâce aux échanges commerciaux établis par les Portugais entre l'Europe et ces lointaines régions du globe entre le XVIe et le XVIIIe siècle ; et ceux qui viennent directement du portugais.

Saviez-vous que des mots comme **jaguar, piranha, cobaye, cajou, manioc** ou **ananas** sont directement empruntés au tupi ? Saviez-vous encore que des mots français comme **cachalot, cobra, pintade, paillote** ou **fétiche** proviennent d'anciennes formes du portugais ? Alors, sachez aussi que des mots comme **bambou, teck, mangue, pagode** ou **jonque** sont des mots venus de la lointaine Asie (Inde, Ceylan et Indonésie) mais passés en Europe par l'intermédiaire du portugais.

Faux amis

Le portugais et le français sont des langues étymologiquement proches grâce à leurs origines latines, même si chaque langue a bien sûr évolué à sa façon tout au long des siècles. On peut cependant, d'une langue à l'autre, identifier quelques faux amis, c'est-à-dire des mots dont la forme est proche dans les deux langues, mais dont le sens est différent. Cela peu donner lieu à quelques légers malentendus...

Par exemple, le mot *carta* correspond à **lettre** et non à **carte**. Notre « carte » se dit *cartão* alors **carte de crédit** sera *cartão de crédito*, **carte de visite**, *cartão de visita*, etc. Par contre, la **carte du métro** sera un *mapa do metro*.

Portanto ne veut pas dire **pourtant**, mais **donc, par conséquent**, ce qui transforme complètement le sens des phrases. Par exemple, si vous jouez à inverser les deux sens dans cette phrase extraite d'une subtile telenovela brésilienne : « je t'aime, pourtant je ne veux pas rentrer avec toi ce soir ». Étonnez-vous qu'il y ait tant de malentendus et de cabinets de psychothérapeutes à tous les coins de rue dorénavant...

Bon, si les exemples de faux amis sont nombreux, le degré de familiarité entre les deux langues reste pourtant très grand, et un Français, en général, comprend facilement le portugais écrit.

Vrais amis

Malgré ces petites épines, ne craignez donc pas d'embrasser la langue portugaise (ou cautérisez la plaie avec un ou une joli(e) Portugais(e)). Les rapprochements entre portugais et français étant assez faciles (et oui, on persiste et on signe), les mots très proches par leur forme écrite et leur signification sont donc nombreux. Oui, *um homem solitário* est bien **un homme solitaire**, *uma região rural*, **une région rurale**, *um país exótico*, **un pays exotique**, *uma odisseia*, **une odyssée**, *um labirinto*, **un labyrinthe**, etc.

Et puis vous pouvez, dans une langue comme dans l'autre, manger du caviar, vous reposer sur un sofa, danser le tango, la rumba ou la salsa, jouer au golf ou encore trinquer au champagne, au prix seulement de quelques différences graphiques (ce qui reste très bon marché pour du champagne).

Dialectes, argots et accents

Comme dans n'importe quel pays, il n'y a pas une langue portugaise parlée uniformément dans tout le Portugal. Certaines régions possèdent des particularités lexicales et de prononciation, les plus grandes distinctions se trouvant entre le nord et le centre et centre-sud du pays.

Malgré une grande homogénéité qui a pu faire dire que les dialectes sont quasi inexistants au Portugal, l'uniformité du portugais européen n'est que superficielle. Le portugais standard s'appuie sur un type de langue parlée, plus ou moins cultivée, notamment dans les régions centrales du pays et qui, de nos jours, est largement diffusée par les médias.

Mais on trouve au nord-est une zone d'archaïsmes (non, on n'a pas traité les habitants du Nord-Est d'archaïques, c'est du jargon de linguiste !). Dans certaines localités situées au nord de Coimbra, les habitants ne distinguent pas entre /b/ et /v/ (ce qui est assez déconcertant). Dans les régions de Miranda do Douro, Riodonor ou Guadramil, on trouve encore des vestiges du léonais.

Enfin, un peu partout au Portugal, on peut encore entendre le caló, variété de tsigane parlée par les Gitans de la péninsule Ibérique, un dialecte sans territoire fixe.

L'âge et le milieu social entrent aussi en ligne de compte. Aujourd'hui, il existe des parlers provinciaux, des argots dans les banlieues des grandes villes, comme Lisbonne ou Porto, des parlers d'jeun's, ainsi que des parlers typiques des communautés originaires de plusieurs coins du monde. N'oublions pas que le Portugal est un pays accueillant des migrants d'Afrique, du Brésil, d'Asie et de l'Europe de l'Est.

Des expressions d'origine brésilienne se répandent rapidement au Portugal, par l'intermédiaire des productions brésiliennes à la télévision, mais aussi par la forte présence de Brésiliens au Portugal, formant une communauté assez importante désormais.

Et le portugais passa au Brésil…

Revenons sur le portugais du Brésil. En fait, les divergences entre le portugais du Portugal et le portugais du Brésil concernent pratiquement tous les aspects de la langue : la phonétique, la morphologie, la syntaxe, le vocabulaire et l'orthographe.

Par exemple, dans les transports, **une voiture décapotable** est *um carro descapotável* au Portugal et *um carro conversível* au Brésil ; le **péage**, *portagem* au Portugal et *pedágio* au Brésil ; l'**auto-stop**, *boleia* au Portugal et *carona* au Brésil. Souvent, plus les expressions sont familières, plus la distance est grande : par exemple, **un chouette type** sera *um cara legal* au Brésil et… *um gajo bestial* au Portugal ! N'en concluez pas que les deux peuples s'envoient des noms d'oiseaux, au contraire, ils s'entendent très bien. De nos jours, les Portugais utilisent même de nombreux mots et expressions typiquement brésiliens comme *bagunça* (**pagaille**), *curtir* (**savourer**), *paquerar* (**draguer**)… et les Brésiliens adoptent des mots et expressions typiquement portugais comme *giro* (**chouette**) ou… *foleiro* (**ringard**), et bien d'autres mots encore plus sympathiques !

Tonique, l'accent !

En général, les Français comprennent mieux le portugais écrit que le portugais oral. Cela s'explique, entre autres, par la mobilité de l'accent : le français est une langue à accent fixe alors que le portugais est une langue à accent mobile. Dans un mot de plusieurs syllabes, il y en a toujours une prononcée avec plus d'intensité. On dit qu'elle porte l'accent tonique. En portugais, l'accent tonique peut prendre trois places, alors qu'en français il prend pratiquement toujours la même place, c'est-à-dire la dernière syllabe. Bon, nous n'entrerons pas ici dans un débat sur la flexibilité à la française…

En portugais, cet accent tonique est très important car il peut changer totalement non seulement la prononciation d'un mot, mais aussi sa signification : *pais* (**parents**) et *país* (**pays**), par exemple.

Pour dépasser cette petite difficulté, quelques astuces en exclusivité. Par exemple, c'est l'avant-dernière syllabe qui est normalement tonique si le mot est terminé par -a, -e, -o, -as, -es, -os, -am, -em, -ens : *mesa* (**table**), *imagens* (**images**), *verdades* (**vérités**), *elogios* (**éloges**), etc. Et c'est le cas de la majorité des mots portugais. C'est la dernière syllabe qui est tonique si le mot est terminé par -l, -n, -r, -x, -z : *cantar* (**chanter**), *papel* (**papier**), etc. Enfin, il existe de nombreux mots accentués sur l'antépénultième syllabe (avant-avant-dernière syllabe pour ceux qui voyagent sans un dictionnaire) ou sur la première, en fait sur la syllabe qui porte l'accent : *água* (**eau**), *mármore* (**marbre**), *contemporâneo* (**contemporain**), etc. Bon, en gros, tendez l'oreille !

Cela dit, comme vous l'avez certainement compris, il ne faut pas non plus confondre accent tonique et accent graphique (ou accent écrit). Certains mots en portugais portent des accents graphiques qui, à première vue, peuvent dépayser. C'est le cas du tilde. Or, il suffit de savoir que le tilde ne sert qu'à nasaliser une voyelle ou une diphtongue : *lã* (**laine**) ; *manhã* (**matin**) ; *irmão* (**frère**) ; *limão* (**citron**) ; *limões* (**citrons**) ; *mãe* (**mère**) ; *alemães* (**allemands**)...

Ce peut-être aussi le cas de l'accent circonflexe. Celui-ci sert en général à fermer une voyelle : *pode* (**peut**) par opposition *pôde* (**a pu**) ; *cônsul* (**consul**) ; *francês* (**français**)...

Enfin, la cédille joue à peu près le même rôle qu'en français. Elle sert à rendre au « c » sa valeur de « c » quand il est à côté de toutes les voyelles, à l'exception de « e » et « i ». C'est comme ça qu'on distingue *França* (**France**) de *franca* (**franche**).

Bon, allez, au travail, d'autant qu'il existe bien d'autres règles à connaître... Et puis les séjours linguistiques, les correspondants ou encore Erasmus, c'est fait pour ça non ?

T'as de beaux yeux, tu sais

Si on voyage, c'est aussi pour rencontrer des gens. Les beaux Portugais et les belles Portugaises seront ravi(e)s de faire votre connaissance (et plus, si affinités), à la terrasse d'un café, au resto et, bien entendu, à la plage, endroit privilégié au Portugal pour la drague !

L'ambiance romantique du printemps ou la chaleur torride de l'été sont souvent propices aux belles rencontres - et pourquoi pas dans les dunes de Guincho, à l'ouest de Lisbonne -, et les Portugais connaissent très bien le mot flirt !

Bien sûr, on peut draguer partout et dans tous les milieux (bars, discothèques, supermarchés, transports en commun, usine sidérurgique...). Si vous êtes étudiant(e), n'hésitez pas à fréquenter les terrasses qui entourent les universités portugaises. Pour prendre contact, dites *conheço mal a noite portuguesa e gostava de sair com vocês* [kougnéssou mal a noïte poutouguéza i gouchtava de saïr kon vôçèch] (*je connais mal la nuit portugaise et j'aimerais bien sortir avec vous*). Si vous l'avez dit d'un air un peu trop lubrique, il se pourrait qu'une main droite provoque un léger courant d'air à proximité de votre visage, à condition que vous ayez préalablement reculé celui-ci. Mais ne désespérez pas, il y a bien d'autres moyens de trouver l'âme sœur, voire même l'âme frère.

S'il advenait que vous vous perdiez à moto ou en voiture, dites-vous d'abord à vous-même : « Oh, je suis perdu(e) ». Puis, n'hésitez pas à demander du secours à un(e) autochtone : *tem um mapa, por favor?* [taï oum mapa pour favôr?] (*vous avez une carte, s'il vous plaît ?*). Là, il se pourrait soudain que vous ressentiez furieusement le besoin de lui exprimer ces mots : *que olhos!...* [ke oliouch!] (*vous avez de beaux yeux...*).

Si les vacances à la campagne ne sont pas pour vous, rabattez-vous classiquement sur les bars et les boîtes de nuit. On y cible mieux le style de rencontre qu'on recherche : amateurs de techno, de musique latine, boîte gay, etc. Dans un bar où les serveurs restent derrière le comptoir, si vous souhaitez commencer en la jouant profil bas, vous

pouvez vous proposer pour aller chercher les consommations : *quer que vá buscar as bebidas?* [kère ke và bouchkar ach bebidach?] (***voulez-vous que j'aille chercher les boissons ?***). Quelle humilité, chapeau ! Bon, si vous n'avez pas de temps à perdre, progressez rapidement en disant : *quer uma cerveja, uma vodka com laranja ou outra coisa?* [kère ouma sœrvèjà ouma vodka kon larãnja ou ôutra koïza?] (***vous voulez une bière, une vodka orange ou autre chose ?***)

Après quelques verres et déhanchements suggestifs, le charme semble agir. L'heure est sans doute venue d'être plus audacieux : *o que é que fazes na vida, para além de seres super-sexy ?* ou [ke é ke fazech na vida para alaï de sèrech super seksi?] (***à part être sexy, tu fais quoi dans la vie ?***) ou encore *não, não estou bébado(a), pões-me maluco(a)* [naou, naou chto bébadou(a) poïch-me maloukou(a)] (***non, je ne suis pas saoul(e), tu me rends fou (folle)...***

Après lui avoir fait votre numéro demandez lui donc le sien : *dás-me o teu número?* [dàch-me ou téou noumerou?] ***tu me donnes ton numéro ?***

Et si rien ne marche, relisez tout depuis le début et voyez ce qui a pu clocher.

En résumé, vous l'aurez compris, les Portugais aiment le soleil, la nuit, danser, bien manger, boire, la vie, quoi ! Et si vous aimez sortir, n'hésitez pas à faire l'achat de journaux et de magazines correspondant à vos penchants. Vous y trouverez les événements locaux, les endroits branchés et les dernières tendances. Comme chez nous mais en portugais... Enfin, pour le reste, ne vous inquiétez pas. Avec votre adorable petit accent français, vous ferez un tabac au Portugal !

Parlons d'jeun's

Tout comme les jeunes Français, les jeunes Portugais possèdent aussi des mots et des expressions bien à eux. Bien sûr, ils sont très forts dans les domaines qu'ils sont censés maîtriser sur le bout des doigts : l'alcool, le sexe, la drogue, etc. ! Des petits génies, on vous dit. Par ailleurs, les p'tits jeunes de Porto auront des expressions différentes de ceux de Lisbonne, chaque région apportant bien sûr sa petite pointe de piment personnelle.

Les jeunes Portugais, qui aiment bien boire, vous diront que la bière (*cerveja* ou *fino*), les « shorts » et autres breuvages alcoolisés les conduisent de temps en temps, comme leurs collègues européens, à **prendre une bonne cuite** : *apanhar uma bezana* ou mieux, enfin pire : *apanhar uma cadela*.

L'argent

L'argent est souvent appelé *cacau* (**cacao**), *massa* (**pâte**). Et, quand un jeune Portugais n'a pas un rond, il dira *não tenho cheta* ou alors *estou liso* (**je suis à sec**) voire *estou teso* (**je suis fauché**).

Les filles... et les garçons

Bien sûr, il y a les filles... Alors, **une fille** sera dans le langage des garçons *uma gaja* (une **nana**), et **une fille physiquement attirante**, *uma gaja boa como o milho* (littéralement, **bonne comme le maïs**...). Mais les garçons, c'est de bonne guerre, sont à leur tour un bon sujet de conversation pour ces demoiselles. Ah, non mais. Alors, un beau garçon sera *um pão* (**un pain**), *uma brasa* (**une braise**), mais aussi, comme dans l'autre sens, *bom como o milho* (**bon comme le maïs**).

Bon, à la fin, ça finit souvent par allons-nous-en d'ici, soit *vamos bazar daqui* ou *bute, meu...*

Laisser dire

Enfin, les insultes sont multiples et variées : du simple *monga* (**abruti (e)**) aux noms d'oiseaux (enfin presque) *que burro!*, (qui se prononce [bourou], **quel imbécile !**) ou *grande besta* (**sale brute !**), jusqu'aux

classiques *vai-te lixar* ou *vai pro caraças!* (**va te faire**, heu, vous voyez...) sont fréquents et le degré de vulgarité peut aller beaucoup plus loin.

En conclusion, débouchez-vous les oreilles et vous entendrez d'autres expressions plus savoureuses les unes que les autres. Mais, en tant qu'étranger, maniez tout de même certaines expressions avec beaucoup de précaution, vous ne pouvez maîtriser toutes la connotations ni les conséquences...

Et puis, n'oubliez pas que le langage des jeunes change sans cesse car il est sujet aux modes, tout comme les vêtements, les films ou la musique.

Le portugais
du routard

*Guide
portugais-français*

A

a [a] *prép* à ▶ ir ao café **aller au café**

à [a] *prép* à la ▶ vamos à praia **nous allons à la plage**

a(s) [a(ach)] *art & pronom* la, les

abacate [abakàte] *nom* avocat

abacaxi [abakàchi] *nom* ananas

abadia [abadià] *nom* abbaye

abafado [abafadou] *adj (temps)* lourd

abaixo [abaïchou] *adv* au-dessous

abarrotar [abaroutàr] *verbe* ▶ a abarrotar **bondé**

abelha [abèlià] *nom* abeille

aberto [abèrtou] *adj* ouvert

abertura [abeurtoura] *nom* ouverture

abóbora [abôboura] *nom* citrouille, potiron

aborrecer-se [aboureçère] *verbe* s'ennuyer ; se fâcher

abre-latas [abre latàch] *nom* ouvre-boîtes

Abril [abril] *nom* avril

abrir [abrir] *verbe* ouvrir

acabar [akabàr] *verbe* finir

açafrão [açafraou] *nom* safran

acaso [akazou] *nom* hasard

acampar [akâmpar] *verbe* faire du camping

aceitar [açèïtar] *verbe* accepter

acelerador [açeleradôr] *nom* accélérateur

acender [açênder] *verbe* allumer

acento [açêntou] *nom* accent

ZOOM
O 25 de Abril

Le 25 avril 1974, le Mouvement des Forces Armées renverse le régime du parti unique inspiré du fascisme et mis en place par Salazar 48 ans plus tôt. Une grande majorité de Portugais soutient ce coup d'État militaire qui rétablit les libertés démocratiques. Cette révolution, sans effusion de sang, est symbolisée par les œillets rouges que les militaires arboraient au bout de leurs armes, d'où son nom de « révolution des œillets ».

acessível [açeçivelle] *adj* accessible ; *(prix)* abordable

acesso [açeçou] *nom* accès ▶ acesso proibido **accès interdit**

achar [achar] *verbe* trouver ▶ (não) acho bem **je (ne) suis (pas) d'accord** ; acha? **vous trouvez ?**

acidente [açidênte] *nom* accident

acima [açima] *adv* au-dessus de

acolá [akoula] *adv* là, là-bas

acolhedor [akoulieudor] *adj* accueillant

acompanhar [akonpaniàr] *verbe* accompagner

acontecer [akonteçèr] *verbe* arriver

acontecimento [akonteçimêntou] *nom*

185

événement

açorda [açôrdà] *nom* soupe au pain (espèce de panade)

acordar [akourdar] *verbe* (se) réveiller

Açores [açorech] *nom* les Açores

> ## ZOOM
> Açores
>
>
>
> En plein océan Atlantique, l'archipel des Açores est une région autonome composée de trois groupes d'îles d'origine volcanique. La chasse à la baleine fut longtemps l'une des principales activités des habitants avant l'arrivée du tourisme. La ville d'Angra do Heroísmo, dans l'île de Terceira, est classée au patrimoine mondial de l'Unesco.

acreditar [akreditàr] *verbe* croire ▶ não acredito! ce n'est pas possible!

açúcar [açoukàr] *nom* sucre

adaptador [adaptàdôr] *nom* adaptateur

adega [adèga] *nom* cave; taverne

adeus! [adéouch] *interj* au revoir!

adiantado [adiàntadou] *adj* avancé ▶ pagar adiantado payer d'avance

adiante [adiànte] *adv* devant

admirar [admirar] *verbe* admirer

adoçante [adouçànte] *nom* édulcorant

adoecer [adoueçère] *verbe* tomber malade

adormecer [adourmeçèr] *verbe* (s')endormir

adulto [adoultou] *nom & adj* adulte

aeroporto [aèrôportou] *nom* aéroport

afastar(-se) [afachtar] *verbe* (s')éloigner

afixação [afiksaçaou] *nom* affichage ▶ afixação proibida défense d'afficher

afixar [afiksar] *verbe* afficher

afogar(-se) [afougar] *verbe* (se) noyer

agarrar [agarar] *verbe* prendre

agência [agênçià] *nom* agence ▶ agência de viagens agence de voyages

agoniado [agouniadou] *adj* ▶ estar agoniado avoir la nausée

agora [agôra] *adv* maintenant

Agosto [agochtou] *nom* août

agradar [agradar] *verbe* plaire

agradável [agradavelle] *adj* agréable

agradecer [agradeçèr] *verbe* remercier

agressão [agreçaou] *nom* agression

agriões [agrioïch] *nom pl* cresson

água [agouà] *nom* eau ▶ água (não) potável eau (non) po; água imprópria para beber/consumo eau non po; água gaseificada eau gazeuse; água com gás eau gazeuse

aguardar [agouàrdar] *verbe* attendre ▶ aguarde um momento attendez un instant

agulha [agoulià] *nom* aiguille

aí [aï] *adv* là ▶ aí está voilà

ainda [aïndà] *adv* encore

aipo [aïpou] *nom* céleri

ajuda [ajouda] *nom* aide

ajudar [ajoudar] *verbe* aider

álcool [alkol] *nom* alcool

alcachofra [alkachofra] *nom* artichaud

alcaparras [alkaparach] *nom pl* câpres

aldeia [aldéïa] *nom* village

alegria [alegria] *nom* joie

além [alaï] *adv* là-bas ▶ além disso / en outre / de plus

Alentejo [alèntèjou] *nom* l'Alentejo

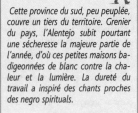

ZOOM
Alentejo

Cette province du sud, peu peuplée, couvre un tiers du territoire. Grenier du pays, l'Alentejo subit pourtant une sécheresse la majeure partie de l'année, d'où ces petites maisons badigeonnées de blanc contre la chaleur et la lumière. La dureté du travail a inspiré des chants proches des negro spirituals.

alérgico [alèrjikou] *adj* allergique

aletria [aletria] *nom* dessert au vermicelle

alfabeto [alfabètou] *nom* alphabet

alface [alfaçe] *nom* laitue

alfândega [alfândega] *nom* douane

algarismo [algarichmou] *nom* chiffre

Algarve [algarve] *nom* l'Algarve

algas [algach] *nom pl* algues

ZOOM
Algarve

La province la plus méridionale tire son nom du mot arabe Al-Gharb (« ouest »). C'est la dernière à avoir été reconquise et il reste encore de nombreux vestiges mauresques comme la forteresse de Silves. Aujourd'hui, ce sont les touristes qui envahissent aux beaux jours cette côte d'azur portugaise. Bordant l'Atlantique, elle bénéficie d'un climat proche de celui de la Méditerranée.

algodão [algoudaou] *nom* coton

alguém [algaï] *pron* quelqu'un

algum [algoum] *adj* un, quelque ▶ de modo algum aucunement

alguma [algouma] *adj* une, quelque

alguns [algounch] *adj* quelques

alho [aliou] *nom* ail ▶ alho francês poireau

ali [àli] *adv* là, là-bas

aliás [aliach] *adv* d'ailleurs

almoçar [almouçar] *verbe* déjeuner

almoço [almoçou] *nom* déjeuner

almofada [almoufada] *nom* coussin

almôndegas [almondegach] *nom pl* boulettes de viande

alojamento [aloujamèntou] *nom* logement

alojar [aloujar] *verbe* héberger

alperce [alpèrçe] *nom* abricot

alto [altou] *adj* grand, haut ; *(voix)*

fort ▶ por alto en gros

alugar [alougar] *verbe* louer ▶ alugam-se quartos chambres à louer

aluguer [alouguère] *nom* loyer

amanhã [àmagnã] *adv* demain ▶ amanhã de manhã/à noite demain matin/soir

amar [amar] *verbe* aimer ▶ amo-te je t'aime

amarelo [amarèlou] *adj* jaune

amargo [amargou] *adj* amer

amável [amavelle] *adj* aimable

ambiente [ãmbiènte] *nom* ambiance, environnement

ambulância [ãmboulãnçia] *nom* ambulance

amêijoas [améïjouàch] *nom pl* palourdes

ameixa [améïcha] *nom* prune

amêndoa [amẽndoua] *nom* amande

amendoins [amẽndouínch] *nom pl* cacahouètes

amigo [amigou] *nom* ami

amor [amôr] *nom* amour

amoras [amauràch] *nom pl* mûres

ampola [ãmpôla] *nom* ampoule

anca [ãnka] *nom* hanche

¹ **andar** [ãndar] *nom* étage

² **andar** [ãndar] *verbe* marcher ▶ anda cá! viens ici !

anel [anelle] *nom* bague

anestesia [anechtezia] *nom* anesthésie

angina(s) [ãnjina] *nom* angine

animal [animal] *nom* animal

aniversário [aniversariou] *nom* anniversaire

ano [anou] *nom* an, année

anotar [anoutar] *verbe* noter

anteontem [ãnteõntaï] *adv* avant-hier

antes [ãntech] *adv* avant ; *(de préférence)* plutôt ▶ antes de avant de

antibiótico [ãntibiòtikou] *nom* antibiotique

antigo [ãntigou] *adj* ancien

antiguidades [ãntigouïdadech] *nom pl (objets)* antiquités, brocante

anular [anoular] *verbe* annuler

anúncio [anõunçiou] *nom* annonce

ao [aou] *prép* au ▶ ao(s) domingo(s) tous les dimanches ; ao pé de ti près de toi

apagar(-se) [apagar] *verbe* (s')éteindre, (s')effacer ▶ apague o cigarro! éteignez votre cigarette !

apaixonado [apaïchonadou] *adj* amoureux

apaixonante [apaïchounãnte] *adj* passionnant

apanhar [apagnar] *verbe* ramasser ; *(train)* attraper, prendre

aparelho [aparèliou] *nom* appareil

aparelhagem [apareliàjaï] *nom* chaîne (hi-fi)

apartamento [apartamẽntou] *nom* appartement ▶ apartamento mobilado appartement meublé

apelido [apelidou] *nom* nom de famille

apenas [apénach] *adv* uniquement

apendicite [apẽndiçite] *nom* appendi-

cite

aperitivo [aperitivou] *nom* apéritif

apertado [apertadou] *adj* serré

apesar [apezar] *prép* malgré

apetecer [apeteçèr] *verbe* avoir envie de ▸ apetece-te? ça te dit ?

apetite [apetite] *nom* appétit

apoiar [apoïar] *verbe* appuyer, soutenir ▸ apoiar-se em s'appuyer sur

apontar [apontar] *verbe* montrer ▸ apontar com o dedo montrer du doigt

aprender [aprènder] *verbe* apprendre

apresentar [aprezèntar] *verbe* présenter

aprovado [aprouvadou] *adj* approuvé

aproveitar(-se) [aprouvéitar-se] *verbe* profiter de ▸ aproveitem a ocasião saisissez/sautez sur l'occasion

aproximar(-se) [aprôçimar-se] *verbe* (s')approcher

aquecer [akèçèr] *verbe* chauffer

aquecimento [akèçimèntou] *nom* chauffage

aquela [akèlà] *adj & pron* cette, celle

aquele [akéle] *adj & pron* ce, celui

aqui [aki] *adv* ici ▸ por aqui par ici ; aqui está voici

aquilo [akilou] *pron* ce, cela

ar [ar] *nom* air ▸ ao ar livre en plein air

aranha [aragna] *nom* araignée

arco [arkou] *nom* arc ▸ arco-íris arc-en-ciel

arder [ardèr] *verbe* brûler ; piquer (*les yeux*)

areia [aréïa] *nom* sable

armário [armariou] *nom* armoire

armazém [armazéï] *nom* magasin

arrancar [arankàr] *verbe* arracher

arranjar [aranjàr] *verbe* trouver, réparer

arredores [aredôrech] *nom pl* environs

arrendamento [arèndamèntou] *nom* location

arrendar [arèndàr] *verbe* louer

arroz [aroch] *nom* riz ▸ arroz de frango poule au riz ; arroz de marisco riz aux fruits de mer

arrumar [aroumàr] *verbe* ranger

arte [arte] *nom* art

artesanal [artezanal] *adj* artisanal

artesanato [artezanatou] *nom* artisanat

artigo [artigou] *nom* article

árvore [arvoure] *nom* arbre

asma [achma] *nom* asthme

aspirina [achpirina] *nom* aspirine

assado [assadou] *adj* rôti, grillé ▸ assado na brasa grillé sur la braise ; assado no espeto à la broche

assalto [assaltou] *nom* cambriolage

assembleia [assèmbléïa] *nom* assemblée

assim [assïm] *adv & conj* ainsi ▸ assim comme ci comme ça

assinar [assinar] *verbe* signer

assinatura [assinatoura] *nom* signature, abonnement

assistir [assistir] *verbe* assister

associação [assoçiaçaou] *nom* association

assunto [assũntou] *nom* sujet, thème

atacadores [atakadorech] *nom pl* lacets

atacar [atakar] *verbe* attaquer

atalho [ataliou] *verbe* raccourci

ataque [atake] *nom* attaque ▶ ataque cardíaco crise cardiaque

até [atè] *adv* jusque ▶ até amanhã jusqu'à demain ; até amanhã! à demain !

atenção [atẽnçaou] *nom* attention

atendedor [atẽndedor] *nom* répondeur

atender [atẽndèr] *verbe* répondre ▶ ninguém atende *(au téléphone)* personne ne répond

aterrar [aterar] *verbe* aterrir

atestar [atechtar] *verbe (essence)* faire le plein

atirar [atirar] *verbe* jeter ▶ 'não atirar pela janela' ne pas jeter par la fenêtre

atrás [atrach] *adv* derrière ▶ voltar atrás faire marche arrière

atrasado [atrazadou] *adj* en retard ▶ estar atrasado avoir du retard

atrasar [atrazar] *verbe* retarder ▶ atrasar-se être/se mettre en retard

atraso [atrazou] *nom* retard

através [atravèch] *prép* ▶ 'através de' 'à travers' 'par'

atravessar [atraveçar] *verbe* traverser ▶ 'atravesse na passadeira' traversez sur le passage clouté

atrever-se [atrevèr-se] *verbe* oser ▶ atreva-se! osez !

atropelado [atroupeladou] *adj* ▶ ser atropelado(a) se faire renverser

atum [atoũm] *nom* thon

aula [aoula] *nom* cours

auto-caravana [aoutô-karavana] *nom* camping-car

autocarro [aoutôkarou] *nom* bus, car

autoclismo [aoutôklichmou] *nom* chasse d'eau ▶ puxar o autoclismo tirer la chasse d'eau

auto-estrada [aoutô-chtrada] *nom* auto

auxílio [aouçiliou] *nom* aide ▶ peça auxílio demandez de l'aide

avançar [avãnçar] *verbe* avancer ▶ avance! avancez !

avaria [avaria] *nom* panne

ZOOM
Les Azulejos

Ces carreaux de faïence vernissée, petits chefs d'œuvre décoratifs, furent introduits par les Arabes au XVᵉ siècle. Leur nom vient de al zulaicha qui veut dire « petite pierre polie ». Les premiers azulejos, bleus (azul) comme le ciel, ornent bien vite palais, églises et fontaines avant de devenir polychromes sous l'influence hollandaise. Ils ont servi à masquer les fissures du tremblement de terre de 1755, se banalisent au XXᵉ siècle et sont enfin remis à l'honneur par le mouvement Art déco au début du XXᵉ.

ave [ave] *nom* oiseau

avelã [avelã] *nom* noisette

avenida [avenida] *nom* avenue

avião [aviaou] *nom* avion

aviso [avizou] *nom* écriteau, avis

azeite [azéïte] *nom* huile d'olive

azeitonas [azéïtonach] *nom pl* olives

azul [azoul] *adj* bleu

azulejo [azoulèjou] *nom* décoration de carreaux de faïence émaillée à dominante bleue

B

bacalhau [bakaliaou] *nom* morue

ZOOM
Bacalhau

Pêchée dans les mers glacées du Nord et séchée au soleil portugais, la morue est appelée o fiel amigo, l'amie fidèle, celle sur qui on peut toujours compter. Autrefois bon marché, elle est cuisinée de bien des manières, à tel point qu'il y aurait « 365 façons de préparer la morue », soit une recette pour chaque jour de l'année ! À Noël, la coutume veut qu'on la déguste avec des pommes de terre, du chou et un œuf.

---

bagagem [bagajèï] *nom* bagages ▸ depósito de bagagens consigne automatique ; bagagem de mão bagages à main

bairro [baïrou] *nom* quartier

¹ baixo [baïchou] *adj* bas, petit

² baixo [baïchou] *adv* ▸ em baixo en bas ; por baixo de sous

balcão [balkaou] *nom* comptoir,

balcon

banana [banànà] *nom* banane

banco [bānkou] *nom* siège ; *(d'hôpital)* urgences ; *(agence)* banque

bandeira [bāndèïra] *nom* drapeau

banheira [bagnèïrà] *nom* baignoire

banho [bagnou] *nom* bain ▸ tomar (um) banho prendre un bain ; 'é proibido tomar banho' 'baignade interdite'

barata [barata] *nom* cafard

barato [baratou] *adj* pas cher

barba [barbà] *nom* barbe ▸ fazer a barba se raser

barbear-se [barbiar-se] *verbe* se raser

barco [barkou] *nom* bateau ▸ barco de recreio bateau de plaisance

barragem [barajèï] *nom* barrage

barriga [bariga] *nom* ventre

barro [barou] *nom* terre cuite

barulho [barouliou] *nom* bruit ▸ não faça barulho! ne faites pas de bruit !

basílica [bazilika] *nom* basilique

bastante [bachtānte] *adj & adv* assez

bastar [bachtar] *verbe* suffire ▸ basta! assez !

batata [batata] *nom* pomme de terre

▶ batatas fritas **chips frites**

bater [batèr] *verbe* **battre** ▶ 'bata antes de entrar' **'frappez avant entrer'**

batido [batidou] *nom* **milk-shake**

baunilha [baounilia] *nom* **vanille**

bebé [bèbè] *nom* **bébé**

beber [bebèr] *verbe* **boire** ▶ e para beber? **et comme boisson ?**

bebida [bebida] *nom* **boisson**

beijar [bèïjar] *verbe* **embrasser**

beijinho [bèïjignou] *nom* **bisou**

beijo [bèïjou] *nom* **baiser**

beira-mar [bèïra mar] *nom* **bord de mer**

Belém [belaï] *nom* **Belém faubourg de Lisbonne**

> **ZOOM**
> **Belém**
>
> *Le quartier de Belém (Bethléem, en français) abrite les plus beaux rêves et les plus beaux édifices de Lisbonne. C'est de la Torre de Belém, à l'embouchure du Tage, que Vasco de Gama appareilla le 8 juillet 1497, ouvrant ainsi la des Indes et de la Chine. Ne pas manquer le superbe monastère des Hiéronymites ni le musée des Carrosses, le musée le plus visité de Lisbonne.*

belga [èlga] *adj* **belge**

Bélgica [bèljika] *nom* **Belgique**

belo [bèlou] *adj* **beau**

bem [baï] *nom & adv* **bien** ▶ tudo

bem? **ça va ?**

bem-vindo [baï vïndou] *adj* **bienvenu**

beringela [berïngèla] *nom* **aubergine**

berma [bèrma] *nom* **bas-côté, bord**

besta [béchta] *adj* **bête**

biberão [biberaou] *nom* **biberon**

bica [bika] *nom* **café, expresso**

bicicleta [biçiklèta] *nom* **vélo**

bico [bikou] *nom* **bec** ▶ bico de gás **brûleur à gaz**; bico do fogão *(gazinière)* **feu**

bife [bife] *nom* **steak**

bigode [bigaude] *nom* **moustache**

bilhete [biliète] *nom* **billet** ▶ bilhete de ida **aller simple**; bilhete de ida e volta **aller-retour**; bilhete postal **carte postale**

bilheteira [bilietéïra] *nom* **billetterie**

binóculos [binaukoulouch] *nom pl* **jumelles**

biscoito [bichkoïtou] *nom* **biscuit**

bitoque [bitauke] *nom* **steak frites, avec ou sans œuf**

bloqueado [bloukiadou] *adj* **bloqué**

boa [boa] *adj* **bonne** ▶ boa-noite! **bonsoir bonne nuit !**; estás boa? *(à une femme)* **tu vas bien ?**

boca [boka] *nom* **bouche**

bocado [boukadou] *nom* **morceau**

boi [boï] *nom* **bœuf**

bóia [boïà] *nom* **bouée**

bola [bola] *nom* **balle, ballon**

boleia [boulèïà] *nom* ▶ andar à boleia **faire du stop**

bolo [bolou] *nom* **gâteau** ▶ bolo de arroz **gâteau au riz**; bolo-rei **gâteau**

des rois

bolso [bolçou] *nom* poche

bom [bon] *adj* bon ▶ bom dia! bonjour !

bomba [bonba] *nom* bombe ▶ bomba de bicicleta **pompe à vélo** ; bomba de gasolina **station-service**

bombeiros [bonbëïrouch] *nom pl* pompiers

boné [bônè] *nom* casquette

bonito [bounitou] *adj* joli

borboleta [bourboulétà] *nom* papillon

borbulha [bourboulia] *nom* bouton ; bulle ▶ com/sem borbulhas *(boisson)* plat/pétillant

bordados [bourdadouch] *nom pl* broderies

borracha [bouracha] *nom* gomme

borrego [bourégou] *nom* agneau

bosque [bochke] *nom* bois

botão [boutaou] *nom* bouton

botas [bôtach] *nom pl* bottes

botija [boutija] *nom* bonbonne ▶ botija de gás **bouteille de gaz** ; botija de água quente **bouillotte**

braço [braçou] *nom* bras

branco [brânkou] *adj* blanc

Brasil [brazil] *nom* Brésil

brasileiro [brazilëïrou] *nom* brésilien

breve [brève] *adj* bref ▶ em breve bientôt ; até breve! à bientôt !

brigada [brigada] *nom* brigade ▶ brigada de trânsito **police de la**

brincar [brînkàr] *verbe* jouer, plaisanter

brincos [brînkouch] *nom pl* boucles d'oreilles

brinquedo [brînkédou] *nom* jouet

broa [brôa] *nom* pain de maïs ▶ broas de mel biscuits à la farine de maïs et au miel

brócolos [brôkoulouch] *nom pl* brocolis

bronquite [bronkite] *nom* bronchite

bronzeado [bronziadou] *adj* bronzé

bronzear(-se) [bronziar] *verbe* (se) bronzer

BTT [btt] *nom* VTT

buraco [bourakou] *nom* trou

burro [bourou] *nom* âne

buscar [bouchkar] *verbe* chercher

bússola [bouçoula] *nom* boussole

buzina [bouzina] *nom* klaxon

buzinar [bouzinar] *nom* klaxoner

C

cabaz [kabach] *nom* cabas, panier

cabeça [kabéça] *nom* tête

cabeleireiro [kabelèïrèïrou] *nom* coiffeur

cabelo(s) [kabélou] *nom* cheveux

caber [kabèr] *verbe* tenir, rentrer

cabide [kabide] *nom* cintre

cabine [kabine] *nom* ▶ cabine telefónica **cabine téléphonique**

cabo [kabou] *nom* cap ; bout ; câble

cabra [kabrà] *nom* chèvre

caça [kaça] *nom* chasse ; gibier

caçador [kaçadôr] *nom* chasseur

cacete [kaçéte] *nom* baguette

193

cachorro [kachorou] *nom* chien, chiot ; hot dog

cada [kada] *pron* chaque ▶ cada vez mais de plus en plus

cadeia [kadèïa] *nom* prison ; chaîne

cadeira [kadèïra] *nom* chaise ▶ cadeira de rodas fauteuil roulant

cadela [kadèla] *nom* chienne

caderno [kadèrnou] *nom* cahier

caducado [kadoukadou] *adj* périmé

café [kafè] *nom* café ▶ café cheio/curto café long/court ; café com leite café au lait

---

ZOOM
Café

Les Portugais ne sauraient se passer de café. La bica quotidienne est très serrée, le carioca est décaféiné tandis que le galão est l'équivalent du café crème. Mais, les cafés sont aussi des lieux où des mouvements artistiques ou politiques ont vu le jour. À telle enseigne que la célébrité en a gagné quelques uns comme A Brasileira, dans le quartier du Chiado à Lisbonne.

---

cafeteira [kafetèïra] *nom* cafetière

cair [kaïr] *verbe* tomber

cais [kaïch] *nom* quai

caixa [kaïcha] *nom* boîte, caisse ▶ caixa automática (multibanco) distributeur (automatique de billets) ; caixa de velocidades boîte de vitesses

caixote [kaïchôte] *nom* caisse, carton ▶ caixote do lixo poubelle

calado [kaladou] *adj* silencieux

calar(-se) [kalar-se] *verbe* (se) taire

calçar(-se) [kalçar] *verbe* (se) chausser

calças [kalçach] *nom pl* pantalon ▶ calças de ganga jean

calções [kalçoïch] *nom pl* short ▶ calções de banho maillot de bain

cálculo [kalkoulou] *nom* calcul

caldo [kaldou] *nom* bouillon

calem-se! *interj* taisez-vous !

calendário [kalëndàriou] *nom* calendrier

calhar [kaliar] *verbe* ▶ se calhar peut-être

calmo [kalmou] *adj* calme

calor [kalôr] *nom* chaleur

cama [kama] *nom* lit

câmara [kamara] *nom* caméra ▶ câmara de ar chambre à air ; câmara municipal mairie hôtel de ville

camarão [kamaraou] *nom* crevette

câmbio [kãmbiou] *nom* change ▶ casa de câmbio bureau de change

camião [kamiaou] *nom* camion

caminhar [kamignar] *verbe* marcher

caminho [kamignou] *nom* chemin

camioneta [kamiounéta] *nom* car

camisa [kamiza] *nom* chemise

camisola [kamizôla] *nom* pull

campainha [kãmpaïgna] *nom* sonnerie ▶ tocar à campainha sonner

campismo [kãmpichmou] *nom* cam-

ping

campista [kãmpichta] *nom* campeur

campo [kãmpou] *nom* champ, terrain

camponês [kãmpounéch] *nom* paysan

canal [kanal] *nom* canal ; chaîne

canalizador [kanalizadôr] *nom* plombier

canção [kãçaou] *nom* chanson

candeeiro [kãdièïrou] *nom* lampe

canela [kanèla] *nom* canelle

caneta [kanéta] *nom* stylo

canivete [kanivète] *nom* canif

canja [kãnja] *nom* bouillon

cansado [kãçadou] *adj* fatigué

cansar(-se) [kãçar-se] *verbe* (se) fatiguer

cansativo [kãçativou] *adj* fatigant

cantar [kãtar] *verbe* chanter

cântaro [kãntarou] *nom* cruche

cantiga [kãntiga] *nom* chanson

cantil [kãntil] *nom* gourde

cantine [kãntine] *nom* cantine

canto [kãntou] *nom* coin ; chant

cantor [kãntôr] *nom* chanteur

cão [kaou] *nom* chien

capacete [kapaçéte] *nom* casque

capaz [kapach] *adj* ▶ ser capaz de être capable de pouvoir

capela [kapèla] *nom* chapelle

capitão [kapitaou] *nom* capitaine

cara [kara] *nom* visage

caracóis [karakoïch] *nom pl* escargots

caranguejo [karãnguéjou] *nom* crabe

carapau [karapaou] *nom* maquereau, chinchard

caravana [karavana] *nom* caravane

caravela [karavèla] *nom* caravelle

cardíaco [kardiakou] *adj* cardiaque

cardiologista [kardioulougichta] *nom* cardiologue

cárie [kàrie] *nom* carie

carioca [kariôka] *nom* petit café au lait

carnaval [karnaval] *nom* carnaval

ZOOM
Le carnaval

Les Portugais aussi fêtent le carnaval à grands renforts de chars allégoriques, en costumes et en musique. Mais c'est aussi l'occasion de se défouler en critiquant ou en se moquant les personnalités publiques. Particularité moderne, le roi et la reine du carnaval sont parfois des vedettes de télénovelas brésiliennes !

carne [karne] *nom* viande ▶ carne picada viande hachée ; carne de porco à alentejana viande de porc marinée en vin blanc avec des palourdes et des frites

carneiro [karnèïrou] *nom* mouton

caro [karou] *adj* cher

carpinteiro [karpîntèïrou] *nom* charpentier, menuisier

carregar [karegar] *verbe* charger ▶ 'carregue no botão' 'appuyez sur le bouton'

carrinho [karignou] *nom* ▶ carrinho

de bebé **poussette**; carrinho de supermercado **caddie**

carro [karou] *nom* voiture

carruagem [karouajéï] *nom (train)* voiture ▶ carruagem-cama **wagon-lit**

carta [karta] *nom* lettre, carte ▶ carta de condução **permis de conduire**; carta registada **lettre recommandée**

cartão [kartaou] *nom* carte ▶ cartão de crédito **carte de crédit**; cartão de visita **carte de visite**; cartão telefónico **carte de téléphone**

cartaz [kartach] *nom* affiche

carteira [kartèïra] *nom* portefeuille, sac à main

carteiro [kartèïrou] *nom* facteur

carvalho [karvaliou] *nom* chêne

casa [kaza] *nom* maison ▶ em casa de **chez**; casa de banho / *(privé)* salle de bains / *(public)* toilettes

casaco [kazakou] *nom* veste, manteau

casado [kazadou] *adj* marié

casal [kazal] *nom* couple

casamento [kazamèntou] *nom* mariage

casar(-se) [kazar-se] *verbe* (se) marier

casca [kachka] *nom (arbre)* écorce; *(fruit)* peau

caso [kazou] *nom* cas

castanha [kachtagna] *nom* châtaigne

castanho [kachtagnou] *adj* marron

castelo [kachtèlou] *nom* château

cataplana [kataplana] *nom* plat de poissons et fruits de mer cuit et servi dans une casserole spéciale en cuivre

catedral [katedral] *nom* cathédrale

caução [kaouçaou] *nom* caution

causa [kaouza] *nom* cause

cautela [kaoutèla] *nom* précaution

cavaleiro [kavalèïrou] *nom* cavalier

cavalo [kavalou] *nom* cheval

cebola [çebola] *nom* oignon

ceder [cedèr] *verbe* céder ▶ 'ceda o lugar' **'cédez la place'**

cedo [çédou] *adv* tôt

cego [çègou] *nom & adj* aveugle

ceia [cèïa] *nom* souper ▶ A Última Ceia **La Cène**

celebrar [çelebrar] *verbe* célébrer

cemitério [çemitèriou] *nom* cimetière

cena [çéna] *nom* scène, plateau

cenoura [çenôoura] *nom* carotte

centeio [çèntèïou] *nom* seigle

centro [çèntrou] *nom* centre ▶ centro comercial **centre commercial**; centro da cidade **centre-ville**

cera [çéra] *nom* cire

cerâmica [çeramika] *nom* céramique, poterie

cerca [cèrka] *nom* clôture ◆ *adv* à peu près ▶ cerca de **environ**

cereais [çeriaïch] *nom pl* céréales

cérebro [çèrebrou] *nom* cerveau

cereja [çerèïja] *nom* cerise

cerejeira [cerejèïra] *nom* cerisier

cerimónia [çerimonia] *nom* cérémonie ▶ sem cerimónias **sans façon**

certeza [çertéza] *nom* certitude

certo [çèrtou] *adj (exact)* juste ; *(certain)* sûr

cerveja [çervèja] *nom* bière ▸ cerveja preta brune

cesto [çéchtou] *nom* panier

céu [çèou] *nom* ciel ▸ céu limpo/ enevoado/encoberto ciel dégagé/ nuageux/couvert

cevada [çevada] *nom* orge

chá [cha] *nom* thé

chama [chama] *nom* flamme

chamada [chamada] *nom* appel

chamar(-se) [chamar-se] *verbe* (s')appeler ▸ como se chama? comment vous appelez-vous ?

champô [chãmpou] *nom* shampooing

chão [chaou] *nom* sol

chapéu [chapèou] *nom* chapeau

charcutaria [charkoutaria] *nom* charcuterie

charuto [charoutou] *nom* cigare

chatear(-se) [chatiar-se] *verbe* (s')embêter, (s')agacer ▸ não me chateies! ne m'embête pas !

chatice [chatiçe] *nom* ▸ que chatice! / la barbe ! / quel ennui !

chato [chatou] *adj* casse-pieds

chave [chave] *nom* clé ▸ chave de parafusos tourne-vis

chávena [chavena] *nom* tasse

check-in [chèk-in] *nom* enregistrement (des bagages)

chegada [chegada] *nom* arrivée

chegar [chegar] *verbe* arriver ; *(être suffisant)* suffire ▸ já chega!

cheio [chèïou] *adj* plein

cheirar [chèïrar] *verbe* sentir

cheiro [chèïrou] *nom* odeur

cheque [chèke] *nom* chèque ▸ cheque sem cobertura chèque sans provision ; cheque visado chèque certifié

cheque de viagem [chèke de viajéï] *nom* chèque de voyage

chichi [chichi] *nom* pipi ▸ fazer chichi faire pipi

chicória [chikôria] *nom* chicorée

chinelos [chinèlouch] *nom pl* chaussons

choco [chôkou] *nom* seiche ▸ chocos/ /choquinhos com tinta seiches dans leur encre

chocolate [choukoulate] *nom* chocolat ▸ chocolate de leite chocolat au lait ; chocolate preto chocolat noir

choque [chôke] *nom* choc ; *(AUTOMOBILE)* accrochage

chorar [chourar] *verbe* pleurer

chouriço [chôouriçou] *nom* chorizo

chover [chouvèr] *verbe* pleuvoir

chumbo [chûmbou] *nom* plomb ; *(de dent)* plombage

chupa-chupa [choupa choupa] *nom* sucette

chuva [chouva] *nom* pluie

chuveiro [chouvèïrou] *nom* douche

cidadão [çidadaou] *nom* citoyen

cidade [çidade] *nom* ville

ciência [çiência] *nom* science

cientista [çiêntichta] *nom* scientifique

cima [çima] *nom* ▶ de cima du dessus; em cima de sur; parte de cima le dessus; ali em cima là-haut

cimo [çimou] *nom* sommet

cinema [çinéma] *nom* cinéma

cinto [çîntou] *nom* ceinture ▶ cinto de segurança ceinture de sécurité

cintura [çîntoura] *nom* taille

cinzeiro [çînzëirou] *nom* cendrier

cinzento [çînzêntou] *adj* gris

circo [çirkou] *nom* cirque

circuito [çirkouîtou] *nom* circuit

circulação [çirkoulaçaou] *nom* circulation

circular [çirkoular] *verbe* circular ▶ circulem! circulez !

círculo [çirkoulou] *nom* cercle

ciúme [çioume] *nom* jalousie

ciumento [çioumêntou] *adj* jaloux

clara [klara] *nom* blanc d'œuf

claro [klarou] *adj* clair ▶ (está) claro! bien-sûr !

classe [klasse] *nom* classe ▶ primeira/segunda classe première/seconde classe; classe executiva classe affaires

clássico [klassikou] *adj* classique

cliente [kliênte] *nom* client

clima [klima] *nom* climat

climatização [klimatizaçaou] *nom* climatisation

coberto [koubèrtou] *adj* couvert

cobertor [koubertôr] *nom* couverture

cobra [kôbra] *nom* serpent, couleuvre

cobre [kôbre] *nom* cuivre

cobrir [koubrir] *verbe* couvrir

código [kôdigou] *nom* code ▶ código de acesso code d'entrée; código pessoal code confidentiel

coelho [kouêliou] *nom* lapin ▶ coelho à caçadora lapin chasseur (avec son sang)

cogumelos [kougoumèlouch] *nom pl* champignons

coentros [kouêntrouch] *nom pl* coriandre

coisa [koïza] *nom* chose

cola [kôla] *nom* colle

colar [koular] *nom* collier

colar [koular] *verbe* coller

colchão [koulchaou] *nom* matelas ▶ colchão de ar matelas pneumatique

colecção [koulèçaou] *nom* colection

colega [koulèga] *nom* collègue

colégio [koulèjiou] *nom* collège

colesterol [koulechterôl] *nom* cholestérol

colete [kouléte] *nom* gilet ▶ colete de salvação gilet de sauvetage

colheita [koulièïta] *nom* récolte, cueillette

colher [koulièr] *nom* cuiller

colina [koulina] *nom* colline

colocar [kouloukar] *verbe* placer

colónia [koulônia] *nom* colonie ▶ colónia de férias colonie de vacances

colorido [koulouridou] *adj* coloré

com [kon] *prép* avec

comando [koumãndou] *nom* commande

combater [kombatèr] *verbe* combat-

tre

comboio [komboïou] *nom* train

começo [kouméçou] *nom* début

comentário [koumëntariou] *nom* commentaire

comer [koumèr] *verbe* manger

comerciante [koumèrçiänte] *nom* commerçant

comércio [koumèrçiou] *nom* commerce

comichão [koumichaou] *nom* démangeaison

comida [koumida] *nom* nourriture

comigo [koumigou] *pron* avec moi

comissão [koumiçaou] *nom* commission

como [koumou] *adv* comme, comment ▶ tão grande como... aussi grand que... ; como está? comment allez-vous ?

cómoda [kômouda] *nom* commode

companheiro [konpagnèïrou] *nom* compagnon

companhia [kompagnia] *nom* compagnie

comparar [komparar] *verbe* comparer

compartimento [kompartimëntou] *nom* compartiment

completo [komplètou] *adj* complet

complicado [komplikadou] *adj* compliqué

compota [kompôta] *nom* confiture

compra [kompra] *nom* achat

comprar [komprar] *verbe* acheter

compreender [kompriëndèr] *verbe* comprendre

comprido [kompridou] *adj* long

comprimido [komprimidou] *nom* comprimé

computador [kompoutador] *nom* ordinateur

concelho [konçéliou] *nom* municipalité

comunicação [kouminikaçaou] *nom* communication

comunicado [koumounikadou] *nom* & *adj* communiqué

comunidade [koumounidade] *nom* communauté

concerto [konçèrtou] *nom* concert

concha [koncha] *nom* coquille

conclusão [konklouzaou] *nom* conclusion

concordar [konkourdar] *verbe* être d'accord

condição [kondiçaou] *nom* condition

condimentado [kondimëntadou] *adj* épicé

conduzir [kondouzir] *verbe* conduire

conferência [konferëncia] *nom* conférence

confiança [konfiäça] *nom* confiance

confiar [konfiar] *verbe* confier ▶ confiar a **confier à**; confiar em **faire confiance à**

confirmar [konfirmar] *verbe* confirmer

conforme [konforme] *conj* conforme ◆ *prép* selon ▶ conforme o original **copie conforme**

confortável [konfourtavelle] *adj* confor

conforto [konfortou] *nom* confort

199

confusão [konfuzaou] *nom* confusion ▶ fazer confusão com confondre avec

congelado [konjeladou] *adj* congelé

congelador [konjelador] *nom* congélateur

conhaque [kôgnake] *nom* cognac

conhecer [kougneçèr] *verbe* connaître

conhecimento [kougneçimêntou] *nom* connaissance ▶ conhecimentos *(proches)* relations

conjunto [konjountou] *nom* ensemble

connosco [konochkou] *pron* avec nous

conquista [konkichta] *nom* conquête

conseguir [konçeguir] *verbe* obtenir ▶ conseguir fazer réussir à faire

conselho [konsèliou] *nom* conseil

consequência [konçekouêncja] *nom* conséquence

conserto [konçértou] *nom* réparation ▶ não tem conserto ce n'est pas réparable

consigo [konçigou] *pron* avec vous/soi

conserva [konsèrva] *nom* conserve

conservar [konservar] *verbe* conserver

constipação [konchtipaçaou] *nom* rhume

constipado [konchtipadou] *adj* enrhumé

construção [konchtrouçaou] *nom* construction

construído [konchtrouidou] *adj* ▶ construído em... construit en...

consulado [konsouladou] *nom* consulat

consulta [konsoulta] *nom* consultation ▶ marcar uma consulta prendre un rendez-vous

consultório [konsoultôriou] *nom* cabinet (médical)

consumir [konsoumir] *verbe* consommer ▶ 'consumir antes de.../até...' 'à consommer avant le.../jusqu'au...'

consumo [konsoumou] *nom* consommation

conta [konta] *nom* compte, addition

contactar [kontaktar] *verbe* contacter

contacto [kontaktou] *nom* contact ▶ manter(-se) em contacto rester en contact ; mau contacto *(électricité)* faux contact

contador [kontador] *nom* compteur

contagioso [kontajiôzou] *adj* contagieux

contar [kontar] *verbe* compter ▶ contar com compter sur

contente [kontênte] *adj* content

conteúdo [konteoudou] *nom* contenu

contigo [kontigou] *pron* avec toi

continuação [kontinouaçaou] *nom* continuation, suite

continuar [kontinouar] *verbe* continuer

conto [kontou] *nom* conte

contra [kontra] *prép* contre

contraceptivo [kontraçèptivou] *nom* contraceptif

contrário [kontrariou] *nom & adj* contraire ▶ pelo contrário au contraire

contrato [kontratou] *nom* contrat

contribuir [kontribouir] *verbe* ▶ contribuir para contribuer à

controlada [kontrolada] *adj* controlée ▶ 'velocidade controlada por radar' 'vitesse contrôlée par radar'

controlar [kontrolar] *verbe* contrôler ▶ 'controle a velocidade' 'contrôlez votre vitesse'

controlo [kontrolou] *nom* contrôle

contudo [kontoudou] *conj* cependant

convém [konvaï] *verbe* ▶ (não) convém fazer il (ne) convient (pas) de faire

conveniente [konveniènte] *adj* convenable

conversa [konvèrsa] *nom* conversation

conversar [konversar] *verbe* discuter

convidar [konvidar] *verbe* inviter

convite [konvite] *nom* invitation

convívio [konviviou] *nom* convivialité

convosco [konvochkou] *conj* avec vous

cópia [kôpia] *nom* copie

copo [kôpou] *nom* verre ▶ beber um copo prendre un verre

[1] **cor** [kôr] *nom* couleur

[2] **cor** [kor] : de cor *adv* par cœur

coração [kouraçaou] *nom* cœur

coragem [kourajèi] *nom* courage

corda [korda] *nom* corde

cordeiro [kordèïrou] *nom* agneau

cor-de-laranja [kor de larãnja] *adj & nom* orange

cor-de-rosa [kor de rôza] *adj & nom* rose

corpo [korpou] *nom* corps

correcção [kourèçaou] *nom* correction

correcto [kourètou] *adj* correct

corredor [kouredor] *nom* couloir

correia [kourèïa] *nom* courroie ▶ correia de distribuição/transmissão courroie de distribution/transmission

correio [kourèïou] *nom* poste, courrier ▶ pelo correio par la poste ; correio azul courier prioritaire

corrente [kourènte] *nom* courant ; *(de vélo)* chaîne

correr [kourèr] *verbe* courir ▶ corram! courez !

correspondência [kourechpondẽncia]

nom correspondance

correspondente [kourechpondènte] *nom & adj* correspondant

corrida [kourida] *nom* course

corrigir [kourijir] *verbe* corriger

cortar [kourtar] *verbe* couper ; barrer ▶ cortar-se **se couper** ; cortado às fatias **coupé en tranches** ; cortar caminho **faire un raccourci**

corta-unhas [korta ougnach] *nom* coupe-ongles

corte [kôrte] *nom* coupe ; coupure

cortiça [kourtiça] *nom* liège

cortina [kourtina] *nom* rideau

coser [kouzèr] *verbe* coudre

costa [kochta] *nom (maritime)* côte

costas [kochtach] *nom pl* dos

costeleta [kouchteléta] *nom* côtelette ▶ costeleta de borrego **côte d'agneau**

costume [kouchtoume] *nom* coutume, habitude

costura [kouchtoura] *nom* couture

cotonete [kotonéte] *nom* coton-tige

cotovelo [kotouvélou] *nom* coude

couro [kôourou] *nom* cuir

couve [kôouve] *nom* chou ▶ couve-flor **chou-fleur**

coxa [kocha] *nom* cuisse

cozer [kouzèr] *verbe* cuire

cozido [kouzidou] *nom* cuit ▶ cozido à portuguesa **espèce de pot-au-feu**

cozinha [kouzigna] *nom* cuisine

cozinhar [kouzignar] *verbe* cuisiner

creme [krème] *nom* crème

cravinho [kravignou] *nom* clou de girofle

cravos [kravouch] *nom pl* œillets

cremoso [kremozou] *adj* crémeux

crer [krèr] *verbe* croire

crescente [krechcènte] *adj* croissant

crescer [krechcèr] *verbe* grandir

crescimento [krechçimèntou] *nom* croissance

criação [kriaçaou] *nom* création

criança [kriança] *nom* enfant

cristão [krichtaou] *nom* chrétien

crítica [kritika] *nom* critique

crustáceos [krouchtàçiouch] *nom pl* crustacés

cruz [krouch] *nom* croix

cruzamento [krouzamèntou] *nom* croisement, carrefour

cruzeiro [krouzèïrou] *nom* croisière

cubo [koubou] *nom* cube ▶ cubo de gelo **glaçon**

cuecas [kouèkach] *nom pl* slip

cuidado [kouïdadou] *nom* attention

cujo [koujou] *pron* dont

culinária [koulinaria] *nom* art culinaire

culpa [koulpa] *nom* faute

culpado [koulpadou] *adj* coupable

cultivar [koultivar] *nom* cultiver

cultura [koultoura] *nom* culture

cumprimentar [koumprimèntar] *verbe* saluer

cumprimentos [koumprimèntouch] *nom pl* salutations

cunhado [kougnadou] *nom* beau-frère

curar [kourar] *verbe* guérir

curioso [kouriozou] *adj* curieux

curso [kourçou] *nom* cours ▸ tirar um curso de faire des études de

curto [kourtou] *adj* court

curva [kourva] *nom* virage

custar [kouchtar] *verbe* coûter ▸ quanto custa? combien ça coûte ?

D

da [da] *prép* de la

das [dach] *prép* des

dados [dadouch] *nom pl* coordonnées ; données

dança [dança] *nom* danse

dançar [dançar] *verbe* danser

dantes [dântech] *adv* autrefois

daqui [daki] *adv* d'ici ▸ daqui a um momento dans un moment

dar [dar] *verbe* donner ▸ dá para dois c'est assez pour deux ; dar-se bem com alguém s'entendre bien avec quelqu'un

data [data] *nom* date ▸ data de nascimento date de naissance

debaixo [dabaïchou] *adv* dessous

debruçar-se [debrouçar-se] *verbe* se pencher ▸ 'não se debruce' 'ne vous penchez pas'

decepção [deçèpçaou] *nom* déception

decidido [deçididou] *adj* décidé

decidir [deçidir] *verbe* décider

declaração [deklaraçaou] *nom* déclaration

declarar [deklarar] *verbe* déclarer

decoração [dekouraçaou] *nom* décoration

decote [dekôte] *nom* décolleté

dedicar [dedikar] *verbe* dédier

dedicatória [dedikatòria] *nom* dédicace

dedo [dédou] *nom* doigt

defeito [defèïtou] *nom* défaut

defender(-se) [defênder-se] *verbe* (se) défendre

defesa [deféza] *nom* défense

deficiente [defiçiênte] *nom & adj* handicapé

degrau [degraou] *nom* marche ▸ 'cuidado com o degrau' 'attention à la marche'

deitar [dèïtar] *verbe* allonger, coucher ▸ deitar cartas no correio poster des lettres ; deitar ao chão renverser

deixar [dèïchar] *verbe* laisser, quitter ▸ deixar de fumar cesser de fumer

dela [dèla] *pron* son, sa, ses

delas [dèlach] *pron* leur(s)

dele [déle] *pron* son, sa, ses

deles [délech] *pron* leur(s)

delícia [deliçia] *nom* délice ▸ delícias do mar surimi

delicioso [deliçiôzou] *adj* délicieux

demais [demaïch] *adv* trop ▸ os demais les autres

demasiado [demaziadou] *adj* trop

demolição [demouliçaou] *nom* démolition

demorar [demourar] *verbe* tarder ▸ isso vai demorar uma hora cela prendra une heure

dente [dênte] *nom* dent ▸ dente de

alho **gousse d'ail**

dentista [dẽntichta] *nom* **dentiste**

dentro [dẽntrou] *adv* **dedans, à l'intérieur** ▶ aí dentro *(près de toi/vous)* **là-dedans** ; dentro em pouco **d'ici peu**

depender [depẽndèr] *verbe* **dépendre**

depilar [depilar] *verbe* **épiler**

depois [depoïch] *adv* **après** ▶ depois de amanhã **après-demain**

depósito [depôzitou] *nom* **dépôt** ; **réservoir** ; **consigne** ▶ depósito bancário **dépôt bancaire** ; depósito de água/gasolina **réservoir d'eau/d'essence**

depressa [deprèssa] *adv* **vite**

dermatologista [dermatolougichta] *nom* **dermatologue**

derretido [deretidou] *adj* **fondu**

desagradável [dezagradavelle] *adj* **désagréable**

desaparecer [dezaparecèr] *verbe* **disparaître**

desastre [dezachtre] *nom* **accident** ; **désastre** ▶ houve um desastre **il y a eu un accident**

descafeinado [dechkafeïnadou] *adj* **décaféiné** ▶ café descafeinado **déca**

descalçar(-se) [dechkalçar] *verbe* **(se) déchausser**

descalço [dechkalçou] *adj* **pieds nus**

descansar [dechkãçar] *verbe* **(se) reposer**

descanso [dechkãçou] *nom* **repos**

descarga [dechkarga] *nom* **décharge**

descarregar [dechkaregar] *verbe* **décharger**

descartável [dechkartavelle] *adj* **je**

descascar [dechkachkar] *verbe* **éplucher**

descer [dechçèr] *verbe* **descendre**

descida [dechçida] *nom* **descente** ▶ descida dos preços **baisse des prix**

descoberta [dechkoubèrta] *nom* **découverte**

descobrimento [dechkoubrimẽntou] *nom* **découverte**

ZOOM
Descobrimentos

L'âge d'or de l'histoire du Portugal commence avec Henri le Navigateur lors de la conquête de Ceuta en 1415. Puis, c'est la découverte de Madère en 1419, des Açores et du Cap Vert en 1432, du Cap de Bonne Espérance en 1488, des Indes en 1498 et, excusez du peu, du Brésil en 1500 et de la Chine en 1540 ! Seule ombre au tableau : Jean II n'a pas cru au projet d'un certain Christophe Colomb qui s'est adressé à la cour voisine, espagnole... On connaît la suite.

---

descobrir [dechkoubrir] *verbe* **découvrir**

descolar [dechkoular] *verbe* **décoller**

desconhecido [dechkougneçidou] *adj* **inconnu**

desconto [dechkontou] *nom* rabais
▶ fazer um desconto faire un rabais

descontrair-se [dechkontrair-se] *verbe* se détendre

descuido [dechkouïdou] *nom* ▶ por descuido par mégarde

desculpar(-se) [dechkoulpar-se] *verbe* (s')excuser ▶ desculpe ... , excusez-moi ... , ; desculpe! pardon !

desde [déchde] *prép* dès, depuis ▶ desde já dès maintenant ; desde que / à condition que / (temps) depuis que

desdobrável [dechdoubravelle] *nom* dépliant

desejar [dezejar] *verbe* souhaiter ▶ o que vão desejar? qu'est-ce que je peux vous servir ?

desejo [dezèjou] *nom* souhait, envie

desejos [dezèjouch] *nom pl* vœux

desembarque [dezèmbarke] *nom* débarquement

desempregado [dezèmpregadou] *nom & adj* chômeur

desemprego [dezèmprégou] *nom* chômage

desenhar [dezegnar] *verbe* dessiner

desenho [dezagnou] *nom* dessin

desenrascar-se [dezènrachkar-se] *verbe* se débrouiller

desenvolver(-se) [dezènvolvèr-se] *verbe* (se) développer

desenvolvimento [deènvolvimèntou] *nom* développement

deserto [dezèrtou] *nom* désert

desfazer [dechfazèr] *verbe* défaire

desfeito [dechfèïtou] *adj* défait

desfocado [dechfoukadou] *adj* flou

desgosto [dechgotou] *nom* chagrin

desigualdade [dezigouàldade] *nom* inégalité

desiludido [deziloudidou] *adj* déçu

desinfectar [dezïnfètar] *verbe* désinfecter

desistir [dezichtir] *verbe* renoncer

desligado [dechligadou] *adj* (électricité) débranché

desligar [dechligar] *verbe* (appareil) éteindre ; (téléphone) raccrocher ▶ não desligue ne quittez pas

deslocação [dechloukaçaou] *nom* déplacement

deslocar(-se) [dechloukar-se] *verbe* (se) déplacer

desmaiar [dechmaïar] *verbe* s'évanouir

desmontar [dechmontar] *verbe* démonter

desodorizante [dezodorizànte] *nom* déodorant

despachar-se [dechpachar-se] *verbe* se dépêcher ▶ despachem-se! dépêchez-vous !

despedida [dechpedida] *nom* adieux

despedir-se [dechpedir-se] *verbe* prendre congé ; quitter son travail ▶ despedir-se à francesa filer à l'anglaise

despertador [dechpertador] *nom* réveil

despesa [dechpéza] *nom* dépense

despir(-se) [dechpir-se] *verbe* (se)

déshabiller

desportivo [dechpourtivou] *adj* sportif

desporto [dechportou] *nom* sport

destinatário [dechtinatariou] *nom* destinataire

destino [dechtinou] *nom* destination ; destinée ▶ passageiros com destino a... passagers à destination de...

detergente [deterjẽte] *nom* liquide vaisselle ; *(pour vêtements)* lessive

detestar [detechtar] *verbe* détester

deus [déouch] *nom* dieu ▶ valha-me Deus! bon sang! ; Deus queira que... pourvu que...

devagar [devagar] *adv* lentement ▶ fale mais devagar parlez plus doucement

dever [devèr] *nom & verbe* devoir

devido [devidou] *adj* dû ▶ devido a à cause de

devolver [devolver] *verbe* rendre

Dezembro [dezẽmbrou] *nom* décembre

dia [dia] *nom* jour ▶ bom dia! bonjour! ; de dia le jour ; dia sim dia não tous les deux jours ; no dia seguinte le lendemain ; dia santo jour de fête (religieuse) ; dia de anos anniversaire ; o dia-a-dia le quotidien

diabético [diabètikou] *adj* diabétique

diálogo [dialougou] *nom* dialogue

diante [diãte] *adv* devant

diário [diariou] *nom* journal

diário [diariou] *adj* journalier

diarreia [diarèïa] *nom* diarrhée

dicionário [diçiounariou] *nom* dictionnaire

dieta [dièta] *nom* régime ▶ estar de dieta être au régime

diferença [diferẽça] *nom* différence ▶ diferença horária décalage horaire

diferente [diferẽte] *adj* différent

difícil [difiçil] *adj* difficile

dificuldade [difikouldade] *nom* difficulté

digestão [digechtaou] *nom* digestion

digestivo [digechtivou] *nom & adj* digestif

diminuir [diminouir] *verbe* diminuer

dinheiro [dignèïrou] *nom* argent ▶ trocar dinheiro faire de la monnaie

direcção [dirèçaou] *nom* direction ; *(d'une personne)* adresse ▶ em direcção a vers ; o senhor não vai na boa direcção vous n'êtes pas sur la bonne

directamente [dirètamẽte] *adv* directement

directo [dirètou] *adj* direct

director [dirètor] *nom* directeur

direita [dirèïta] *nom & adj* droite ▶ à direita (de) à droite (de) ; siga à direita prenez sur la droite

direito [dirèïtou] *nom & adj* droit ▶ ter o direito de... avoir le droit de ... ; sempre a direito toujours tout droit

dirigir(-se) [dirijir-se] *verbe* (se) diriger ▶ dirija-se ao guichê/balcão adressez-vous au guichet

disco [dichkou] *nom* disque ▶ disco duro disque dur

discordar [dichkourdar] *verbe* être en désaccord

discoteca [dichkoutèka] *nom* discothèque, disquaire

discurso [dichkourçou] *nom* discours

discussão [dichkouçaou] *nom* discussion ; dispute

discutir [dichkoutir] *verbe* discuter ; se disputer

disparar [dichparar] *verbe* tirer

disparate [dichparate] *nom* bêtise, sottise

dispensário [dichpnçariou] *nom* dispensaire

dispor [dichpor] *verbe* disposer

disso [dissou] *prép* de ça ▶ lembro-me disso je m'en souviens

distância [dichtãnçia] *nom* distance

distinguir [dictïnguir] *verbe* distinguer

distraído [dichtraidou] *adj* distrait

distrair(-se) [dichtrair-se] *verbe* (se) distraire

distribuir [dichtribouir] *verbe* distribuer

ditadura [ditadoura] *nom* dictature

DIU [diou] *abr de* **Dispositivo Intra Uterino** *abrév* stérilet

divertido [divertidou] *adj* amusant

divertimento [divertimẽntou] *nom* divertissement

divertir(-se) [divertir-se] *verbe* (s') amuser

dívida [divida] *nom* dette

dividir [dividir] *verbe* diviser, partager

divisão [divizaou] *nom* division, partage ; *(maison)* compartiment

divorciado [divourçiadou] *adj* divorcé

dizer [dizèr] *verbe* dire ▶ como é que se diz...? comment dit-on... ?

do [dou] *prép* du ▶ o lugar do morto *(automobile)* la place du mort

dobrado [doubradou] *adj (film)* doublé

doce [dôçe] *nom* sucrerie, pâtisserie ; *(compote)* confiture

doce [dôçe] *adj* sucré

documentos [doukoumẽntouch] *nom pl* documents ; *(d'identité)* papiers ▶ mostre-me os seus documentos, por favor présentez-moi vos papiers, svp

doença [douẽnça] *nom* maladie

doente [douẽnte] *nom & adj* malade

doer [douèr] *verbe* avoir/faire mal ▶ dói-me a cabeça/a garganta/a barriga j'ai mal à la tête/à la gorge/au ventre ; isso dói ça fait mal

doido [doïdou] *adj* fou

domingo [doumingou] *nom* dimanche ▶ ao(s) domingo(s) tous les dimanches

dona [dona] *nom* maîtresse, propriétaire ▶ dona de casa maîtresse de maison

dono [donou] *nom* maître, propriétaire

dor [dor] *nom* douleur ▶ dor de dentes mal de dents ; estar com/ter dor de cabeça avoir mal à la tête

dormir [dourmir] *verbe* dormir ▶ dormir com coucher avec ; dormir ao ar livre dormir à la belle étoile

dos [douch] *prép* des ▶ protecção dos animais protection des animaux

Douro [dorou] *nom* le Douro

doutor [dooutor] *nom* docteur

droga [droga] *nom* drogue

duche [douche] *nom* douche ▶ tomar um duche **prendre une douche**

duplo [douplou] *adj* ▶ vidro duplo **double vitrage** ; café duplo **grand café**

duração [douraçaou] *nom* durée

durante [dourãnte] *prép* pendant

durar [dourar] *verbe* durer

duro [dourou] *adj* dur ▶ o bife está duro **le steak est dur**

dúvida [douvida] *nom* doute ▶ sem dúvida **sans doute**

dúzia [douzia] *nom* douzaine

E

e [i] *conj* et

é [è] *verbe* c'est

economia [ikônoumia] *nom* économie

edição [idiçaou] *nom* édition

edifício [idifiçiou] *nom* bâtiment

educação [idoukaçaou] *nom* éducation

educado [idoukadou] *adj* poli

educar [idoukar] *verbe* éduquer

efeito [ifèitou] *nom* effet ▶ com efeito **en effet** ; efeitos secundários **effets secondaires**

eficaz [ifikach] *adj* efficace

eis [èich] *adv* voilà

eixo [èichou] *nom* axe ; (mécanique) essieu

ela [èla] *pron* elle ▶ é ela **c'est elle**

elas [èlach] *pron* elles

ele [éle] *pron* il

electricista [ilètriçichta] *nom* électricien

eléctrico [ilètrikou] *nom* tramway

eléctrico [ilètrikou] *adj* électrique

elegância [ilegãnçia] *nom* élégance

eleições [ilèiçoïch] *nom pl* élections

eleitor [ilèitor] *nom* électeur

elemento [ilemẽntou] *nom* élément

eles [élech] *pron* ils

elevado [ilevadou] *adj* élevé, haut

elevador [ilevador] *nom* ascenseur

eliminar [iliminar] *verbe* éliminer

em [aï] *prép* en, à ▶ em França **en France** ; fique em casa **restez à la maison**

embaixada [āmbaïchada] *nom* ambassade

embarcar [ēmbarkar] *verbe* embarquer

embarque [ēmbarke] *nom* embarquement

embora [ēmbora] *adv* & *conj* bien que ▶ ir-se embora s'en aller

embraiagem [ēmbraïajéï] *nom* embrayage

embriagado [ēmbriagadou] *adj* soûl

embrulho [ēmbrouliou] *nom* paquet

emenda [imēnda] *nom* correction

ementa [imēnta] *nom* menu, carte

emigração [imigraçaou] *nom* émigration

emigrante [imigrānte] *nom* émigré

emissão [imiçaou] *nom* émission

empate [ēmpate] *nom* (jeu) égalité

empregado [ēmpregadou] *nom* employé ▶ empregado de mesa serveur

emprego [ēmprégou] *nom* emploi

empresa [ēmpréza] *nom* entreprise

emprestado [ēmprechtadou] *adj* prêté, emprunté ▶ pedir emprestado emprunter

emprestar [ēmprechtar] *verbe* prêter

empréstimo [ēmprèchtimou] *nom* prêt

empurrar [ēmpourar] *verbe* pousser

encantador [ēnkāntador] *adj* charmant

encarregado [ēnkaregadou] *nom* préposé ▶ encarregado de negócios chargé d'affaires

encher(-se) [ēnchèr-se] *verbe* (se)

remplir ▶ encher de ar **gonfler**

encerrado [ēnçeradou] *adj* fermé ▶ 'encerrado para obras' **'fermé pour travaux'**

encerramento [ēnçeramēntou] *nom* fermeture

encomenda [ēnkoumēnda] *nom* commande ; (postal) colis

encomendar [ēnkoumēndar] *verbe* commander

encontrar(-se) [ēnkontrar-se] *verbe* (se) trouver, (se) rencontrer

encontro [ēnkontrou] *nom* rencontre, rendez-vous ▶ marcar encontro se donner rendez-vous

endereço [ēnderèçou] *nom* adresse ▶ endereço electrónico **adresse électronique**

enervante [inervānte] *adj* énervant

enervar(-se) [inervar-se] *verbe* (s')énerver

enevoado [inevouadou] *nom* nébuleux, embrumé

enfermeira [ēnfermeïra] *nom* infirmière

enfim [ēnfim] *adv* enfin

enganar(-se) [ēnganar-se] *verbe* (se) tromper ▶ enganou-se no número vous vous êtes trompé de numéro

engarrafamento [ēngarafamēntou] *nom* embouteillage

engatar [ēngatar] *verbe* draguer ; embrayer

engenheiro [ēnjegnëïrou] *nom* ingénieur

engolir [ēngoulir] *verbe* avaler

engordar [ēngourdar] *verbe* grossir

engraçado [ēngraçadou] *adj* drôle

enjoado [ēnjouadou] *adj* ▶ estar enjoado avoir mal au cœur

enjoar [ēnjouar] *verbe* avoir mal au cœur ; (en bateau) avoir le mal de mer

enquanto [ēnkouãntou] *conj* tandis que, pendant que

ensinar [ēnsinar] *verbe* apprendre, enseigner

ensopado [ēnsoupadou] *nom* espèce de ragoût

entalado [ēntaladou] *adj* coincé

então [ēntaou] *adv* alors ; donc

entender(-se) [ēntēndér-se] *verbe* (s')entendre ▶ entender-se bem/mal (com alguém) s'entendre bien/mal (avec quelqu'un) ; entende? comprenez-vous ?

entendido [ēntēndidou] *adj* entendu

entornar [ēntournar] *verbe* renverser

entrada [ēntrada] *nom* entrée ▶ boas entradas! bonne année !

entrar [ēntrar] *verbe* entrer ▶ entre! entrez !

entre [ēntre] *prép* entre, parmi

entrega [ēntrèga] *nom* remise, livraison

entregar [ēntragar] *verbe* remettre

entretanto [ēntretãntou] *conj* entre-temps

entrevista [ēntrevichta] *nom* interview

entupido [ēntoupidou] *adj* bouché

envelope [ēnvelope] *nom* enveloppe

enviar [ēnviar] *verbe* envoyer

enxugar [ēnchougar] *verbe* sécher

epiléptico [épilèptikou] *adj & nom* épileptique

época [èpouka] *nom* époque

equilíbrio [ikilibriou] *nom* equilíbrio

equipa [ikipa] *nom* équipe

erguer [èrguèr] *verbe* dresser, lever

errado [éradou] *adj* faux, mauvais ▶ vai pelo caminho errado vous faites fausse

erro [érou] *nom* erreur

erva [èrva] *nom* herbe

ervilhas [érviliach] *nom pl* petits pois

escada(s) [chkada] *nom* escalier

escalada [chkalada] *nom* escalade

escaldar [chkaldar] *verbe* brûler ▶ está a escaldar c'est brûlant

esconder [chkondèr] *verbe* cacher

escondido [chkondidou] *adj* caché

escola [chkôla] *nom* école

escolha [chkolia] *nom* choix

escolher [ichkoulièr] *verbe* choisir

escova [chkova] *nom* brosse ▶ escova de dentes brosse à dents

escrever [chkrevèr] *verbe* écrire

escritor [chkritor] *nom* écrivain

escritório [chkritôriou] *nom* bureau

escultor [chkoultor] *nom* sculpteur

escultura [chkoultoura] *nom* sculpture

escuro [chkourou] *adj* sombre, foncé

escutar [chkoutar] *nom* écouter ▶ escute! écoutez !

esferográfica [chfèrôgrafika] *nom* stylo-bille

esforço [chforçou] *nom* effort

esfregar [chfregar] *verbe* frotter

esgotado [chgoutadou] *adj* épuisé
▶ 'lotação esgotada' 'complet'

esgoto [chgôtou] *nom* égout

esmagado [chmagadou] *adj* écrasé

espaço [chpaçou] *nom* espace

espargos [chpargouch] *nom pl* asperges

esparguete [chparguète] *nom* spaghetti

especial [chpeçial] *verbe* spécial

especialidade [chpeçialidade] *nom* spécialité

especiaria [chpeçiaria] *nom* épice

espécie [chpèçie] *nom* espèce

espectacular [chpètakoular] *adj* superbe

espectáculo [chpètàkoulou] *nom* spectacle

espelho [chpèliou] *nom* glace ▶ espelho retrovisor **rétroviseur**

espera [chpèra] *nom* attente ▶ estar à espera de alguém **attendre quelqu'un**

esperar [chperar] *verbe* attendre, espérer ▶ espere aí! **attendez(-moi) !**

espinafres [chpinafrech] *nom pl* épinards

esperto [chpèrtou] *adj* malin

espiga [chpiga] *nom* épi

espinha [chpigna] *nom* arête

espírito [chpiritou] *nom* esprit

esplanada [chplanada] *nom* terrasse
▶ na esplanada **en terrasse**

esponja [chponja] *nom* éponge

esposa [chpôza] *nom* épouse

espreitar [chprèïtar] *verbe* épier, jeter un coup d'œil

espuma [chpouma] *nom* mousse
▶ espuma de barbear **mousse à raser**

espumante [chpoumãnte] *nom* vin mousseux

esquadra [chkouadra] *nom* commissariat

esquecer(-se) [chkèçèr-se] *verbe* oublier

esquentador [chkẽntador] *verbe* chauffe-eau

esquerda [chkèrda] *nom* gauche
▶ vire à esquerda **tournez à gauche**

esquerdo [chkèrdou] *adj* gauche

esqui [chki] *nom* ski ▶ esqui aquático **ski nautique**

esquina [chkina] *nom* coin

esquisito [chkizitou] *adj* bizarre, drôle ; *(goûts)* difficile

essa [èça] *pron* cette, celle-là

esse [éçe] *pron* ce, celui-là

esta [èchta] *pron* cette, celle-ci

estabelecimento [chtabeleçimẽntou] *nom* établissement ; magasin

estação [chtaçou] *nom* station, gare ; *(d'année)* saison ▶ estação de correios **bureau de poste** ; estação rodoviária **gare routière**

estacionar [chtaçiounar] *verbe* (se) garer

estadia [chtadia] *nom* séjour

estádio [chtadiou] *nom* stade

estado [chtadou] *nom* état

estágio [chtajiou] *nom* stage

estalagem [chtalajèi] *nom* auberge

estar [chtar] *verbe* être ▸ está bem d'accord; está? allô?; (está) tudo bem? ça va?

estátua [chtatoua] *nom* statue

este [échte] *pron* ce, celui-ci

estendal [chtëndal] *nom* ▸ estendal de roupa séchoir à linge

estender [chtënder] *verbe* étendre

estendido [chtëndidou] *adj* étendu ▸ estendido no chão allongé par terre

estilo [chtilou] *nom* style

estojo [chtojou] *nom* étui, trousse ▸ estojo de toilette trousse de toilette

estômago [chtomagou] *nom* estomac

estrada [chtrada] *nom*

estragado [chtragadou] *adj* abîmé

estragar(-se) [chtragar-se] *verbe* (s') abîmer

estrangeiro [chtrãngèirou] *adj & nom* étranger ▸ no estrangeiro à l'étranger

estranho [chtragnou] *adj* bizarre

estreito [chtrèitou] *adj* étroit

estrela [chtréla] *nom* étoile

estudante [chtoudãnte] *nom* étudiant

estudar [chtoudar] *verbe* étudier

estúdio [chtoudiou] *nom* studio

estupidez [chtoupidèch] *nom* ▸ que estupidez! quelle bêtise!

estúpido [chtoupidou] *adj* bête, sot

eu [éou] *pron* je; *(objet)* moi

euro [éourou] *nom* euro

Europa [éouropa] *nom* Europe

europeu [éouropéou] *adj* européen

evidente [ividènte] *adj* évident

evitar [ivitar] *verbe* éviter

exame [izame] *nom* examen

excelente [ichçélènte] *adj* excellent

excepção [ichçèpçaou] *nom* exception

excepcional [ichçèpçiounal] *adj* exceptionnel

excepto [ichçèptou] *prép* sauf

excesso [ichçèçou] *nom* excès ▸ excesso de bagagem excédent de bagages

excursão [ichkourçaou] *nom* excursion

exemplo [izẽmplou] *nom* exemple

exercício [izerçiçiou] *nom* exercice

exigir [izijir] *verbe* exiger

exigência [izijẽncia] *nom* exigence

existir [izichtir] *verbe* exister

êxito [èizitou] *nom* succès

experiência [chperiẽncia] *nom* expérience

experimentar [chperimẽntar] *verbe* essayer

explicar [chplikar] *verbe* expliquer

explorador [chplourador] *nom* explorateur

exportar [chpourtar] *verbe* exporter

exposição [chpouziçaou] *nom* exposition

expressão [chpreçaou] *nom* expression

exprimir(-se) [chprimir-se] *verbe* (s') exprimer

exterior [chterior] *adj & nom* extérieur

F

fábrica [fabrika] *nom* usine

faca [faka] *nom* couteau

face [façe] *nom* visage ▸ face (a) en face (de)

fácil [fàçil] *adj* facile

facilidade [facilidade] *nom* facilité, aisance ▸ facilidades de pagamento facilités de paiement

facilitar [facilitar] *verbe* faciliter ▸ 'facilite a passagem' **'dégagez le passage'**

facto [faktou] *nom* fait ▸ de facto en fait

factura [fatoura] *nom* facture

fado [fadou] *nom* (*musique*) fado ; (*avenir*) destin

ZOOM
Fado

C'est LA musique du Portugal. Chanté en solo, accompagné à la viole et à la guitare portugaise, il exprime la saudade (vague à l'âme), l'exil, l'amour impossible ou toute sorte de mélancolie. Le fado de Coimbra est uniquement masculin et se chante dans la rue ou en société. Celui de Lisbonne est chanté par un homme ou une femme dans une casa de fado (maison du fado). Amália Rodrigues est la fadista la plus célèbre.

---

falar [falar] *verbe* parler

falésia [falèzia] *nom* falaise

falso [falçou] *adj* faux

falta [falta] *nom* manque

faltar [faltar] *verbe* manquer

família [familia] *nom* famille

famoso [famozou] *adj* fameux

farinha [farigna] *nom* farine

farmácia [farmaçia] *nom* pharmacie ▸ farmácia de serviço **pharmacie de garde**

farófias [farofiach] *nom pl* île flottante

faróis [faroïch] *nom pl* ▸ 'acenda os faróis' **'allumez vos feux'**

farto [fartou] *adj* ▸ estar farto (de) en avoir marre (de)

fase [faze] *nom* phase

fatia [fatia] *nom* tranche ▸ às fatias en tranches

Fátima [fatima] *nom* Fátima ville au nord-est de Lisbonne

ZOOM
Fátima

Chaque année, quatre millions de pèlerins se rendent dans le plus grand sanctuaire catholique du pays. C'est là que le 13 mai 1917, la Vierge serait apparue à trois petits bergers, Lucia, Francisco et Jacinta, pour dénoncer la guerre en cours et annoncer la révolution bolchevique suivie d'un retour de la foi en Russie. En 2000, fut révélée sa 3e prophétie : la tentative d'assassinat du Pape...

---

fato [fatou] *nom* tenue ; complet ▶ fato de banho **maillot de bain** ; fato de mergulho **combinaison de plongée**

favas [favach] *nom* fèves

favor [favor] *nom* service ▶ 'é favor fechar a porta' 'prière de fermer la porte' ; se fazes/faz favor **s'il te/vous plaît**

fazer [fazèr] *verbe* faire ▶ fazer uma pergunta **poser une question** ; não faz mal **ça ne fait rien**

febre [fèbre] *nom* fièvre ▶ febre-dos-fenos **rhume des foins**

fechado [fechadou] *adj* fermé ▶ fechado à chave **fermé à clé**

fechar [fechar] *verbe* fermer ▶ fechar-se **s'enfermer**

fecho [féchou] *nom* fermeture ▶ fecho éclair **fermeture éclair**

feijão-verde [féïjaou vérde] *nom* haricots verts

feijoada [féïjouada] *nom* plat préparé avec des haricots, viandes, choux

feijões [féïjoïch] *nom pl* haricots

feio [fèïou] *adj* laid

feira [fèïra] *nom* foire

felicidade [feliçidade] *nom* bonheur

feliz [felich] *adj* heureux

feminino [feminichmou] *adj* féminin

feriado [feriadou] *nom* jour férié ▶ feriado nacional **fête nationale**

férias [fèriach] *nom pl* vacances

ferida [ferida] *nom* blessure

ferido [feridou] *adj* blessé

ferir(-se) [ferir-se] *verbe* (se) blesser

ferramenta [fèramènta] *nom* outils

ferro [fèrou] *nom* fer ▶ ferro de engomar **fer à repasser**

ferver [fervèr] *verbe* bouillir

festa [fèchta] *nom* fête

festejar [fechtejar] *verbe* fêter

Fevereiro [fevarèïrou] *nom* février

fiambre [fiâmbre] *nom* jambon

ficar [fikar] *verbe* rester ; *(se situer)* être

fígado [figadou] *nom* foie

figo [figou] *nom* figue

figueira [figuèïra] *nom* figuier

figura [figoura] *nom* figure

fila [fila] *nom* rang ; queue ▶ na primeira fila **au premier rang** ; 'aguarde na fila' **'faites la queue'**

filha [filia] *nom* fille

filho [filiou] *nom* fils ▶ os filhos **les enfants**

filme [filme] *nom* film

filmar [filmar] *verbe* filmer

filtro [filtrou] *nom* filtre

fim [fim] *nom* fin ▶ fim-de-semana week-end; no fim de à la fin de

fino [finou] *nom (bière)* pression

fino [finou] *adj* fin; *(vêtements)* léger

fio [fiou] *nom* fil; *(bijou)* chaîne

físico [fizikou] *adj* physique

fita-cola [fita kola] *nom* Scotch

fixe [fiche] *adj* sympa

flocos [flôkouch] *nom pl* flocons ▶ flocos de cereais céréales

flor [flor] *nom* fleur

floresta [flourechta] *nom* forêt

fogão [fougaou] *nom (objet)* cuisinière

fogareiro [fougarèїrou] *nom* petit réchaud à charbon

fogueira [fouguèїra] *nom* feu, feu de joie

foguetes [fouguétech] *nom pl* pétards

fogo [fogou] *nom* feu ▶ fogo de artifício feux d'artifice

folclórico [folklorikou] *adj* folklorique

folha [folia] *nom* feuille

fome [fôme] *nom* faim ▶ estar com/ ter fome avoir faim

fonte [fonte] *nom* fontaine

fora [fôra] *adv* dehors

força [força] *nom* force ▶ força! *(encouragement)* allez!

formidável [fourmidavelle] *adj* formidable

formiga [fourmiga] *nom* fourmi

formulário [fourmoulariou] *nom* for-

mulaire

fornecer [fourneçèr] *verbe* fournir

forno [fornou] *nom* four

forte [forte] *adj* fort, solide

fósforo [fochfourou] *nom* allumette

fotografia [foutougrafia] *nom* photo ▶ tirar uma fotografia prendre une photo

foz [foch] *nom (fleuve)* embouchure

fraco [frakou] *adj* faible

fractura [fratoura] *nom* fracture

frade [frade] *nom* moine, frère

frágil [frajil] *adj* fragile

fralda [fralda] *nom* couche

framboesa [frãmbouéza] *nom* framboise

França [frãnça] *nom* France

francês [frãnçèch] *adj* français

franco [frãnkou] *adj* franc

frango [frãngou] *nom* poulet ▶ frango de churrasco poulet grillé sur les braises, épicé

frasco [frachkou] *nom* flacon

frase [fraze] *nom* phrase

freira [frèїra] *nom* religieuse

frente [frènte] *nom* devant ▶ em frente de en face de; sempre em frente tout droit

fresco [fréchkou] *adj* frais

frigorífico [frigourifikou] *nom* réfrigérateur

frio [friou] *adj & nom* froid ▶ está frio il fait froid; ter frio avoir froid

fritar [fritar] *verbe* (faire) frire

frito [fritou] *adj* frit ▶ fritos fritures

fronha [fronga] *nom* ▸ fronha (de almofada) **taie d'oreiller**; fronha de edredão **housse de couette**

fronteira [frontèïra] *nom* **frontière**

fruta [frouta] *nom* **fruits** ▸ uma peça de fruta **un fruit**

fruto [froutou] *nom* **fruit**

fugir [foujir] *verbe* **s'enfuir**

fumador [foumador] *nom* **fumeur** ▸ 'fumadores' **fumeurs**; 'não fumadores' **'non-fumeurs'**

fumar [foumar] *verbe* **fumer**

fumo [foumou] *nom* **fumée**

função [foûnçaou] *nom* **fonction**

funcho [foûnchou] *nom* **fenouil**

fundação [foûndaçaou] *nom* **fondation**

fundo [foûndou] *adj & nom* **profond**; **fond** ▸ no fundo (de) **au fond (de)**

furado [fouradou] *adj* **percé**; *(pneu)* **crevé**

furar [fourar] *verbe* **percer**; *(pneu)* **crever**

furioso [fouriozou] *adj* **furieux**

fusível [fouzivelle] *nom* **fusible**

futebol [foutebôl] *nom* **football**

futuro [foutourou] *adj & nom* **futur**

G

gabinete [gabinéte] *nom* **bureau**; **cabinet**

gaiola [gaïola] *nom* **cage**

gaivota [gaïvôta] *nom* **mouette**

gajo [gajou] *nom* **mec**

galão [galaou] *nom* **grand café crème**

galeria [galeria] *nom* **galerie**

galinha [galigna] *nom* **poule**

galo [galou] *nom* **coq**

gancho [gânchou] *nom* **crochet**; *(cheveux)* **épingle**

ganhar [gagnar] *verbe* **gagner**

garagem [garajèï] *nom* **garage**

garantia [garãntia] *nom* **garantie**

garfo [garfou] *nom* **fourchette**

gargalhada [gargaliàda] *nom* **éclat de rire**

garganta [gargânta] *nom* **gorge**

garoto [garotou] *nom* **petit café au lait**; **gamin**

garrafa [garafa] *nom* **bouteille**

gás [gach] *nom* **gaz** ▸ água sem gás **eau plate**

gasóleo [gazoliou] *nom* **diesel, gazole**

gasolina [gazoulina] *nom* **essence** ▸ gasolina sem chumbo **essence sans plomb**

gasosa [gazôza] *nom* **limonade**

gastar [gachtar] *verbe (argent)* **dépenser**

gato [gatou] *nom* **chat**

geada [jiàda] *nom* **givre, gel**

gel [jèle] *nom (pour les cheveux)* **gel**

gelado [jeladou] *nom* **glace**

gelado [jeladou] *adj* **gelé**

gelo [jélou] *nom* **glace**; *(cube)* **glaçon**; *(sur la)* **verglas**

gema [jéma] *nom* ▸ gema de ovo **jaune d'œuf**

gémeo [jémiou] *nom* jumeau

género [jènerou] *nom* genre

genro [jēnrou] *nom* gendre

gente [jēnte] *nom* gens ▶ toda a gente tout le monde

geográfico [jiougrafikou] *adj* géographique

geração [jèraçaou] *nom* génération

geral [jeral] *adj* général ▶ em geral en général

gerente [jerēnte] *nom* gérant

gesso [jéçou] *nom* ▶ estar com gesso avoir un plâtre

gesto [jèchtou] *nom* geste

gestor [jechtor] *nom* gestionnaire

gilete [jilette] *nom* rasoir (je)

ginásio [jinaziou] *nom* gymnase

ginástica [jinachtika] *nom* gymnastique

ginecologista [jinekoulougichta] *nom* gynécologue

girar [jirar] *verbe* tourner

giro [jirou] *adj* joli, mignon

globo [globou] *nom* globe

GNR [jéèneère] *abr de* Garde Nationale Républicaine *nom* = gendarmerie

golfe [golf] *nom* golf

golfo [golfou] *nom* golfe

golo [gôlou] *nom (sport)* but

gordo [gordou] *adj* gros, gras

gordura [gourdoura] *nom* graisse

gorjeta [gourjéta] *nom* pourboire

gorro [gorou] *nom* bonnet

gostar [gouchtar] *verbe* aimer ▶ eu gostava/gostaria muito de j'aimerais bien

gosto [gochtou] *nom* goût, plaisir

gotas [gotach] *nom pl* gouttes

gótico [gôtikou] *adj* gothique

governo [gouvérnou] *nom* gouvernement

gozar [gouzar] *verbe* jouir de ; se moquer

graça [graça] *nom* grâce ▶ de graça gratuit

gramas [gramach] *nom pl* grammes

gramática [gramatika] *nom* grammaire

grande [grãnde] *adj* grand

grão [graou] *nom* grain ▶ grão-de-bico pois chiches

gratuito [gratouîtou] *adj* gratuit

grau [graou] *nom* degré

gravar [gravar] *verbe* enregistrer

gravata [gravata] *nom* cravate

grávida [gravida] *adj & nom* enceinte

grelhado [greliadou] *nom* grillade

grelhado [greliadou] *adj* grillé

grilo [grilou] *nom* grillon

gripe [gripe] *nom* grippe

gritar [gritar] *verbe* crier

grito [gritou] *nom* cri

grupo [groupou] *nom* groupe ▶ grupo sanguíneo groupe sanguin

guarda [gouarda] *nom* gardien ; *(agent)* gendarme

guarda-chuva [gouarda chouva] *nom* parapluie

guardanapo [gouardanapou] *nom* serviette

— 217 —

guardar [gouardar] *verbe* garder

guarda-sol [gouarda sol] *nom* parasol

guerra [guèra] *nom* guerre

guia [guia] *nom* guide

guiar [guiar] *verbe* (AUTOMOBILE) conduire; guider

guisado [guizadou] *nom* ragoût

guloso [goulozou] *adj* gourmand

H

há [a] *verbe* il y a

habitação [abitaçaou] *nom* habitation

habitante [abitãnte] *nom* habitant

habitar [abitar] *verbe* habiter

hábito [àbitou] *nom* habitude

habitualmente [abitoualmẽnte] *adv* d'habitude

hambúrguer [ãmbourga] *nom* hamburger

haver [avér] *verbe* y avoir

hemorróidas [imouroïdech] *nom pl* hémorroïdes

herança [irãnça] *nom* héritage

herói [iroï] *nom* héros

hesitar [izitar] *verbe* hésiter ▸ não hesite! n'hésitez pas!

hipertensão [ipèrtẽnçaou] *nom* hypertension

hipótese [ipoteze] *nom* hypothèse

história [ichtoria] *nom* histoire

hoje [oje] *adv* aujourd'hui

homem [ômèi] *nom* homme

homeopatia [ômioupatia] *nom* homéopathie

homossexual [ômôsèxoual] *nom* homosexuel

honesto [ounèchtou] *adj* honnête

honra [onra] *nom* honneur

hora [ora] *nom* heure ▸ a que horas? à quelle heure?; às cinco horas à cinq heures

horário [orariou] *nom* horaire

horrível [orivelle] *adj* horrible

horror [oror] *nom* horreur

horta [ôrta] *nom* jardin potager

hospedaria [ochpedaria] *nom* auberge

hóspede [ôchpede] *nom* hôte

hospedeira [ochpeïra] *nom* hôtesse

hospital [ôchpital] *nom* hôpital

hotel [ôtelle] *nom* hôtel

húmido [oumidou] *adj* humide

humor [oumor] *nom* humeur

I

ida [ida] *verbe* aller

idade [idade] *nom* âge ▸ que idade tens? quel âge as-tu?; de idade âgé

ideia [idèïa] *nom* idée ▸ não faço ideia je n'en sais rien

identificação [idẽntifikaçaou] *nom* identification

idiota [idiôta] *adj* idiot

igreja [igrèja] *nom* église

igual [igoual] *adj* égal, pareil

igualdade [igoualdade] *nom* égalité

ilha [ilia] *nom* île

iluminação [ilouminaçaou] *nom* éclairage

imenso [imênçou] *adj* immense, beaucoup

imperfeito [imperfèitou] *adj* imparfait ▶ Capelas Imperfeitas *(monastère de Batalha)* Chapelles inachevées

imperial [imperial] *nom (de bière)* demi

império [impèriou] *nom* empire

impermeável [impermiàvelle] *adj* & *nom* imperméable

importação [impourtaçaou] *nom* importation

importância [impourtãncia] *nom* importance ; montant ▶ não tem importância ce n'est pas grave

importante [impourtãnte] *adj* important

importar [impourtar] *verbe* importer ▶ não se importa de...? voulez-vous... s'il vous plaît ?

impossível [impoussivelle] *adj* impossible

imposto [impochtou] *nom* impôt

imprensa [imprênsa] *nom* presse

impressão [impreçaou] *nom* impression ▶ ter a impressão de avoir l'impression de

impressionante [impreçiounãnte] *adj* impressionnant

imprimir [imprimir] *verbe* imprimer

inauguração [inaougouraçaou] *nom* inauguration

impróprio [imprôpriou] *adj* impropre ▶ 'água imprópria para consumo' 'eau non po'

incêndio [inçêndiou] *nom* incendie

inchado [inchadou] *adj* enflé

inclinado [inklinadou] *adj* incliné

incluído [inklouidou] *adj* inclus, compris

incomodar [inkoumoudar] *verbe* déranger ▶ não incomode ne dérangez pas

incómodo [inkômoudou] *adj* & *nom* incommode ▶ desculpe o incómodo excusez-moi pour le dérangement

incrível [inkrivelle] *adj* incroyable

indeciso [indeçizou] *adj* indécis

independente [indepêndênte] *adj* indépendant

indicar [indikar] *verbe* indiquer, montrer

indispensável [indichpênçavelle] *adj* indispensable

indústria [indouchtria] *nom* industrie

inesquecível [inechkèçivelle] *adj* inoubliable

infantil [infãntil] *adj* enfantin ; pour enfants

infecção [infêçaou] *nom* infection

infelizmente [infelichmênte] *adv* malheureusement

inferno [infèrnou] *nom* enfer

infiel [infièlle] *adj* infidèle

inflamação [inflamaçaou] *nom* inflammation

influência [inflouênçia] *nom* influence

informação [infourmaçaou] *nom* information ▶ informações *(au télé-*

phone) renseignements

infusão [infouzaou] *nom* tisane

íngreme [ingreme] *adj* raide, abrupte ▶ subida íngreme escarpée

iniciais [iniçiaïch] *nom pl* initiales

início [iniçiou] *nom* début ▶ no início au début; dar início commencer

inimigo [inimigou] *nom* ennemi

injecção [injèçaou] *nom* piqûre ▶ dar uma injecção faire une piqûre

inquietar(-se) [inkiètar-se] *verbe* (s') inquiéter

inscrever(-se) [inchkrevèr-se] *verbe* (s')inscrire

insecticida [insètiçida] *nom* insecticide

insecto [insètou] *nom* insecte

insolação [insoulaçaou] *nom* insolation

insónia [insônia] *nom* insomnie

instante [inchtânte] *nom* instant ▶ há um instante tout à l'heure

instrução [inchtrouçaou] *nom* instruction ▶ 'leia as instruções' 'lisez la notice'

instrumento [inchtroumèntou] *nom* instrument

inteiro [intèïrou] *adj* entier

inteligente [intelijènte] *adj* intelligent

intenção [intènçaou] *nom* intention

interessante [interessänte] *adj* intéressant

interior [interiôr] *adj & nom* intérieur

internacional [internaçiounal] *adj* international

intervalo [intervalou] *nom* entracte

intestino [intechtinou] *nom* intestin

intoxicação [intôchikaçaou] *nom* intoxication

introduzir [introudouzir] *verbe* introduire

inútil [inoutil] *adj* inutile

inveja [invèja] *nom* jalousie

inventar [invèntar] *verbe* inventer

Inverno [invernou] *nom* hiver

iogurte [iôgourte] *nom* yaourt

ir [ir] *verbe* aller ▶ vamos? on y va?; ir ter com rejoindre

irmã [irma] *nom* sœur

irmão [irmaou] *nom* frère

irritado [iritadou] *adj* en colère

isca [ichka] *nom* appât ▶ iscas de fígado foie frit en tranches, mariné dans du vin blanc avec de l'ail

isqueiro [ichkèïrou] *nom* briquet

isso [issou] *pron* ça, cela ▶ isso! voilà!; é por isso que... c'est pourquoi...

isto [ichtou] *pron* ceci ▶ isto é c'est-à-dire

IVA [iva] *abr de* Imposto sobre o valor Acrescentado *abrév* TVA ▶ sem IVA hors taxes

J

já [ja] *adv* tout de suite ▶ já acabei j'ai déjà fini; já vou! j'arrive!

jacto [jaktou] *nom* jet

Janeiro [janèïrou] *nom* janvier

janela [janèla] *nom* fenêtre

jantar [jäntar] *nom & verbe* dîner

▸ jantar fora **dîner au restaurant**

jardim [jardîm] *nom* jardin ▸ jardim zoológico **zoo**; jardim infantil **square**

jardineiro [jardinèîrou] *nom* jardinier

jarra [jara] *nom* vase

jarro [jarou] *nom* pichet ▸ jarro de água **cruche**

javali [javali] *nom* sanglier

Jerónimos [jerônimouch] *nom* Hiéronymites, ordres religieux d'ermites de Saint-Jérôme.

ZOOM
Mosteiro dos Jerónimos

Lancée à partir de 1502 à la demande de Manuel Ier en l'honneur des grands navigateurs portugais, la construction du monastère des Hiéronymites dans le quartier de Belém à Lisbonne a duré 70 ans. Miraculeusement épargné par le séisme de 1755, ce chef d'œuvre abrite les tombes de Vasco da Gama, Luis de Camões et Fernando Pessoa. Ses cloîtres comptent parmi les plus beaux du pays. Vous serez fasciné, vous aussi, par ce foisonnement d'ornements gothiques, marins et végétaux !

---

joelho [jouèliou] *nom* genou

jogador [jougador] *nom* joueur

jogar [jougar] *nom* jouer ▸ jogar à bola **jouer au ballon**

jogging [jôging] *nom (sport)* jogging

jogo [jogou] *nom* jeu, match

jóia [jôïà] *nom* bijou

jornal [journal] *nom* journal

jovem [jôvèï] *nom* jeune

judeu [joudéou] *adj & nom* juif

juiz [jouïch] *nom* juge

juízo [jouïzou] *nom* sagesse ▸ ter juízo **avoir la tête sur les épaules**

julgar [joulgar] *verbe* juger ▸ julgo que sim **oui, je crois**; julgo eu **je pense**

Julho [jouliou] *nom* juillet

Junho [jougnou] *nom* juin

juntar [jôuntar] *verbe* joindre ; ajouter ; rassembler ▸ juntar dinheiro **amasser de l'argent**

junto [jôuntou] *adj & adv* ▸ junto com **avec** ; junto de **près de**

juntos [jôuntouch] *adj* ensemble ▸ vamos todos juntos **nous allons tous ensemble**

juro [jourou] *nom (argent)* intérêt ▸ a juros **à intérêts**

justa [jouchta] *adj* juste ▸ mesmo à justa **de justesse**

justiça [jouchtiça] *nom* justice

justificar [jouchtifikar] *verbe* justifier

justo [jouchtou] *adj* juste

juventude [jouvêntoude] *nom* jeunesse

L

lá [la] *adv* là-bas ▸ lá está ela **la voilà** ; para lá de **au-delà de**

lã [lã] *nom* laine

lábio [labiou] *nom* lèvre

laço [laçou] *nom* nœud, lacet ; nœud papillon

lado [ladou] *nom* côté ▸ ao lado de **à côté de** ; em algum lado **quelque part**

ladrão [ladraou] *nom* voleur

ladrar [ladrar] *verbe* aboyer

lago [lagou] *nom* lac

lagosta [lagochta] *nom* langouste

lagostim [lagouchtĩm] *nom* langoustine

lágrima [lagrima] *nom* larme

lama [lama] *nom* boue

lamentar [lamẽntar] *verbe* regretter ▸ lamento **je suis désolé**

lâmina [làmina] *nom* lame ▸ lâmina de barbear **lame de rasoir**

lâmpada [lãmpada] *nom* ampoule ▸ lâmpada fundida **ampoule grillée**

lanchar [lãnchar] *verbe* goûter

lanterna [lãntèrna] *nom* lanterne ▸ lanterna de bolso **lampe de poche**

lápis [lapich] *nom* crayon

lar [lar] *nom* foyer, maison

laranja [larãnja] *nom* orange ▸ sumo de laranja natural **jus d'orange pressée**

laranjada [larãnjada] *nom* jus d'orange

laranjeira [larãnjèïra] *nom* oranger

lareira [larèïra] *nom* cheminée

largo [largou] *nom* square, place

largo [largou] *adj* large

largura [largoura] *nom* largeur

lata [lata] *nom* canette, boîte de conserve ▸ que lata! **quel culot !**

lavagante [lavagãnte] *nom* homard

lava-louça [lava loïça] *nom* évier

lavandaria [lavãndaria] *nom* laverie, pressing

lavar [lavar] *verbe* laver ▸ lavar a louça **faire la vaisselle** ; lavar os dentes **se laver les dents** ; lavar-se **se laver**

lavatório [lavatôriou] *nom* lavabo

lavrador [lavrador] *nom* agriculteur

leão [liaou] *nom* lion

lebre [lèbre] *nom* lièvre

legendado [legẽndadou] *adj* sous-titré

legume [legoume] *nom* légume

lei [lèï] *nom* loi

leilão [lèïlaou] *nom* vente aux enchères

leitão [lèïtaou] *nom* cochon de lait

leite [lèïte] *nom* lait ▸ leite gordo **lait entier** ; leite meio-gordo **lait demi-écrémé** ; leite magro **lait écrémé** ; leite em pó **lait en poudre** ; leite-creme **crème brûlée**

leitura [lèïtoura] *nom* lecture

lembrança [lẽmbrãnça] *nom* souvenir

lembrar [lẽmbrar] *verbe* rappeler

lenço [lẽnçou] *nom* mouchoir, foulard ▸ lenço de papel **Kleenex®**

lençol [lẽnçol] *nom* drap

lenha [lègna] *nom (de chauffage)* bois

lentamente [lẽntamẽnte] *adv* lentement

lente [lẽnte] *nom (d'appareil photo)* objectif ; *(de lunettes)* verre ▶ lentes (de contacto) rígidas/moles lentilles (de contact) dures/souples

lentilhas [lẽntiliach] *nom pl* lentilles

lento [lẽntou] *adj* lent

ler [lèr] *verbe* lire

leste [lèchte] *nom* est ▶ a leste (de) à l'est (de)

letreiro [letrèïrou] *nom* écriteau

levantar [levãntar] *verbe* lever ; *(argent, bagages)* retirer ; *(chèque)* encaisser ▶ levantar voo décoller ; levantar-se se lever

levar [levar] *verbe* porter, apporter ▶ levar tempo a mettre du temps à ; para levar à emporter

leve [lève] *adj* léger

lhe [lieu] *pron* lui, vous ▶ agradeço-lhe imenso je vous/lui remercie beaucoup

liberdade [liberdade] *nom* liberté

lição [liçaou] *nom* leçon

licença [liçẽnça] *nom* permission ▶ com licença! pardon ! ; dá licença? vous permettez ?

liceu [liçéou] *nom* lycée

licor [likor] *nom* liqueur

ligadura [ligadoura] *nom* bandage

ligar [ligar] *verbe (lumière)* allumer ; *(appareil)* brancher ; *(téléphone)* appeler ▶ não ligue! ne faites pas attention !

ligeiro [lijèïrou] *adj* léger

lima [lima] *nom* citron vert

limão [limaou] *nom* citron

limoeiro [limouèïrou] *nom* citronnier

limpa [lĩmpa] *nom* ▶ limpa-pára-brisas *(voiture)* essuie-glace ; limpa-vidros *(voiture)* lave-vitres

limpar [lĩmpar] *verbe* nettoyer

limpeza [lĩmpéza] *nom* nettoyage ▶ fazer a limpeza faire le ménage

limpo [lĩmpou] *adj* propre

lindo [lĩndou] *adj* beau

língua [lĩngoua] *nom* langue

linguado [lĩngouadou] *nom* sole

linguagem [lĩngouajéï] *nom* langage

linguiça [lĩngouiça] *nom* saucisse au piment doux de viande fumée

linha [ligna] *nom* ligne ▶ linha de autocarro/metro ligne de bus/métro ; linha férrea/de caminho-de-ferro voie ferrée ; linha de coser fil à coudre

linho [lignou] *nom* lin

liso [lizou] *adj* lisse ; *(tissu)* uni

lista [lichta] *nom* liste ; *(menu)* carte ▶ lista telefónica annuaire

litoral [litoural] *nom & adj* littoral

litro [litrou] *nom* litre

livraria [livraria] *nom* librairie

livre [livre] *adj* libre

livro [livrou] *nom* livre ▶ livro de cheques carnet de chèques

lixo [lichou] *nom* ordures ▶ pôr no lixo mettre à la poubelle

local [loukal] *nom* lieu, local ▶ local

de nascimento **lieu de naissance**

logo [lôgou] *adv* **tout de suite** ▸ até
logo! **à tout à l'heure !** ; logo à noite
ce soir

loja [lôja] *nom* **magasin, boutique**
▸ loja de discos **disquaire**

lombo [lombou] *nom* ▸ lombo de porco échine **filet de porc** ; lombo de
vaca **filet de bœuf**

longe [lonje] *adv* **loin**

longo [longou] *adj* **long**

louça [loouça] *nom* **vaisselle** ▸ louça
de barro **poterie**

louco [looukou] *adj & nom* **fou**

louro [loourou] *nom* **laurier**

louro [loourou] *adj* **blond**

lua [loua] *nom* **lune** ▸ lua cheia

pleine lune ; lua de mel **lune de
miel**

luar [louar] *nom* **clair de lune**

lugar [lougar] *nom* **place, endroit**
▸ lugar de estacionamento **place de
parking**

lula [loula] *nom* **calmar** ▸ lulas re-
cheadas **calmars farcis**

lume [loume] *nom* **feu** ▸ tens lume?
tu as du feu ?

luto [loutou] *nom* **deuil**

luva [louva] *nom* **gant** ▸ luva de banho **gant de toilette**

luxo [louchou] *nom* **luxe**

luz [louch] *nom* **lumière, électricité**
▸ acenda/apague a luz **allumez/
éteignez la lumière**

M

má [ma] *adj* **mauvaise, méchante**

maçã [maça] *nom* **pomme**

macaco [makakou] *nom* **singe**

macieira [maçièïra] *nom* **pommier**

macio [maçiou] *adj* **doux**

maço [maçou] *nom* ▸ maço de cigarros **paquet de cigarrettes**

madeira [madèïra] *nom* **bois** ▸ de
madeira **en bois**

Madeira [madèïra] *nom* **Madère**

madrasta [madrachta] *nom* **belle-
mère**

madrugada [madrougada] *nom* **aube**
▸ de madrugada **de bon matin**

maduro [madourou] *adj* **mûr**

mãe [maï] *nom* **mère**

ZOOM
Madeira

*Surnommée Pérola do Atlântico (la
Perle de l'Atlantique), l'archipel
composé des îles de Madère, de Porto Santo, de Selvagens et de Deser-
tas, est l'un des paysages les plus
luxuriants du Portugal grâce à ses
fleurs et ses fruits dignes d'un climat
tropical. Madère, ses fleurs, ses fruits
de la passion, sa banane, son ananas... et son raisin muscat avec lequel est préparé le célèbre
« madère ».*

magoar(-se) [magouar-se] *verbe* **(se)**

faire mal ▶ magoa? ça fait mal?; magoou-se? vous vous êtes fait mal?

magro [magrou] *adj* maigre

Maio [maïou] *nom* mai

maionese [maïounèze] *nom* mayonnaise

maior [maïor] *adj* plus grand

maioria [maïouria] *nom* majorité

mais [maïch] *adv* plus ▶ mais alguma coisa? vous désirez autre chose?; não há mais... il n'y a plus de...

mal [mal] *adv* mal; *(réponse)* faux ▶ saber mal mauvais goût; nada mal pas mal; está mal c'est faux

mala [mala] *nom* valise ▶ mala do carro *(voiture)* coffre

malagueta [malaguéta] *nom* piment rouge

malcriado [malkriadou] *adj* malpoli

mal-educado [malidukadou] *adj* mal élevé

mal-entendido [malèntèndidou] *nom* malentendu

malga [malga] *nom* bol

malha [malia] *nom* ▶ casaco de malha tricot, petite laine; fazer malha faire du tricot

maluco [maloukou] *adj* fou

mancha [mãncha] *nom* tache

mandar [mãndar] *verbe* envoyer ▶ mandar arranjar o carro faire réparer la voiture; mandar embora renvoyer; mandar vir commander

maneira [manèïra] *nom* manière

manga [mãnga] *nom* manche; *(fruit)*

mangue

manhã [magna] *nom* matin, matinée

manjericão [mãnjerikaou] *nom* basilic

manta [mãnta] *nom* couverture, plaid

manteiga [mãntèïga] *nom* beurre

manter [mãnter] *verbe* maintenir ▶ 'manter fora do alcance das crianças' 'ne pas laisser à la portée des enfants'

mão [maou] *nom* main ▶ mão-cheia poignée; apertar a mão serrer la main; em segunda mão d'occasion

mapa [mapa] *nom* carte ▶ mapa das estradas carte routière

máquina [makina] *nom* machine ▶ máquina de barbear rasoir électrique; máquina de bebidas distributeur de boissons; máquina de filmar caméra; máquina fotográfica appareil photo; máquina de lavar machine à laver; máquina de lavar louça lave-vaisselle; máquina de secar sèche-linge

mar [mar] *nom* mer ▶ mar bravo/manso grosse mer/mer calme

maravilhoso [maraviliozou] *adj* merveilleux

marca [marka] *nom* marque ▶ marca registada marque déposée

marcar [markar] *verbe* marquer ▶ marcar a hora fixer l'heure

marcha [marcha] *nom* marche ▶ marcha à frente/atrás marche avant/arrière

Março [marçou] *nom* mars

marco [markou] *nom* ▶ marco do correio boîte aux lettres

maré [marè] *nom* ▸ maré baixa/alta marée basse/haute

margem [marjèi] *nom* berge, bord

marido [maridou] *nom* mari

marinheiro [marignèïrou] *nom* marin

marinho [marignou] *adj* marin ▸ azul marinho bleu marin

marisco [marichkou] *nom* fruits de mer

marmelada [marmelada] *nom* sorte de confiture de coings

martelo [martèlou] *nom* marteau

mas [mach] *adv* mais

masculino [machkoulinou] *adj* masculino

massa [massa] *nom* pâte, pâtes ; *(familier)* pognon ▸ pâte feuilletée massa folhada

mastigar [machtigar] *verbe* mâcher

matar [matar] *verbe* tuer

matéria [matèria] *nom* matière ▸ matérias gordas matières grasses

material [material] *nom* matériel, matériau

mato [matou] *nom* brousse

mau [maou] *adj* mauvais, méchant ▸ está mau tempo il fait mauvais

máximo [massimou] *adj* maximum

me [me] *pron (direct)* me ; *(indirect)* moi, me ▸ dá-me donne-moi ; eu chamo-me je m'appelle

mecânico [mekanikou] *nom* mécanicien

medalhão [medaliaou] *nom* filet de bœuf OU de porc

média [mèdia] *nom* moyenne

medicamento [medikamèntou] *nom* médicament ▸ medicamento sujeito a receita médica ce médicament ne peut être délivré sans ordonnance

médico [mèdikou] *nom* médecin ▸ médico de clínica geral généraliste

médio [mèdiou] *adj* moyen ▸ duração média durée moyenne

medir [medir] *verbe* mesurer

medo [mèdou] *nom* peur ▸ ter medo (de) avoir peur (de)

meia-noite [mèïa noïte] *nom* minuit

meia-pensão [mèïa pènçaou] *nom* demi-pension

meias [mèïach] *nom pl* chaussettes, bas

meio [mèïou] *adj & nom* demi, moyen ▸ meio litro demi-litre ; meia hora demi-heure ; uma hora e meia une heure et demie ; meia volta demi-tour ; no meio de entre parmi

meio-dia [mèïou dia] *nom* midi

mel [melle] *nom* miel

melancia [melãncia] *nom* pastèque

melão [melaou] *nom* melon d'Espagne

melga [mèlga] *nom* moustique

melhor [melior] *adj & adv* meilleur, mieux

meloa [meloa] *nom* melon

membro [mèmbrou] *nom* membre

memória [memôria] *nom* mémoire

mendigo [mèndigou] *nom* mendiant

menina [menina] *nom* petite/jeune

fille ; mademoiselle

menino [méninou] *nom* petit garçon ▸ os meninos **les enfants**

menos [ménouch] *adv* moins ▸ a menos **en moins** ; pelo menos **au moins** ; menos do que **moins que** ; cada vez menos **de moins en moins**

mensagem [mênsajèï] *nom* message

mensal [mênsal] *adj* mensuel

menstruação [mênchtrouaçaou] *nom* règles

mentir [mêntir] *verbe* mentir

mentira [mêntira] *nom* mensonge

mercado [merkadou] *nom* marché

mercadoria [merkadouria] *nom* marchandise

mercearia [merçiaria] *nom* épicerie

merenda [merênda] *nom* goûter

mergulho [mergouliou] *nom* ▸ dar um mergulho **plonger** ; praticar mergulho **faire de la plongée**

mês [méch] *nom* mois

mesa [méza] *nom* ▸ mesa de cabeceira **de nuit**

mesmo [méchmou] *adv* même ▸ mesmo se **même si** ; ele mesmo **lui-même** ; agora mesmo **à l'instant** ; mesmo assim **quand même**

mesquita [mechkita] *nom* mosquée

meta [mèta] *nom* but ; *(sport)* arrivée

metade [metade] *nom* moitié ▸ por metade do preço **à moitié prix**

meter [metèr] *verbe* mettre ▸ meter conversa **entamer une conversation**

metro [mètrou] *nom* mètre ; *(transport)* métro

meu [méou] *adj* mon, ma

meus [méouch] *adj pl* mes

mexer [mechèr] *verbe* toucher ▸ não se mexa! **ne bougez pas!**

mexilhões [mechilioïch] *nom pl* moules

migas [migach] *nom pl* espèce de panade épaisse

milhão [miliaou] *nom* million

milho [miliou] *nom* maïs

militar [militar] *nom & adj* militaire

mim [mĩm] *pron* moi, me

minha [migna] *pron* ma

minhas [mignach] *pron* mes

Minho [mignou] *nom* le Minho

ZOOM
Minho

Située au nord-ouest du pays, à la frontière de l'Espagne, la mignonne province du Minho est une région humide aux paysages verdoyants. Au milieu des treilles, d'où est issu le délicieux vinho verde, demeurent de séculaires manoirs reconvertis en chambre d'hôte de charme. Vous trouverez peut-être à la d'hôte l'autre richesse du patrimoine local : l'orfèvrerie. Mais le plus grand trésor n'est pas matériel : ce sont des chants et danses folkloriques pleins de gaieté !

mínimo [minimou] *adj & nom* minime, minimum

minuto [minoutou] *nom* minute

mioleira [mioulèïra] *nom* plat à base de cervelle

miradouro [miradoourou] *nom* belvédère

miséria [mizèria] *nom* misère

mistura [michtoura] *nom* melange

misturar [michtourar] *verbe* mélanger

miúdo [mioudou] *adj* petit ◆ *nom* gamin ▶ miúdos de galinha *(poule)* abbats

mobilado [moubiladou] *adj* meublé

mobília [moubilia] *nom* mobilier

mochila [mouchila] *nom* sac à dos

moda [môda] *nom* mode ▶ na moda à la mode ; fora de moda démodé

moderno [moudèrnou] *adj* moderne

modo [môdou] *nom* manière, façon

módulo [môdoulou] *nom* ▶ módulo de bilhetes carnet de tickets

moeda [mouèda] *nom* monnaie, pièce

moelas [mouèlach] *nom pl* gésiers de poulet en ragoût

moinho [mouïgnou] *nom* moulin

mole [môle] *adj* mou

molhar(-se) [mouliar-se] *verbe* (se) mouiller

molhado [mouliadou] *adj* mouillé

molho [moliou] *nom* sauce

momento [moumēntou] *nom* moment ▶ de momento pour le moment

monarquia [mounarkia] *nom* monarchie

montanha [montagna] *nom* mon-

---

tagne

montar [montar] *verbe* (à cheval) monter ; assembler ▶ montar a tenda monter la tente

monte [monte] *nom* mont ; tas

montra [montra] *nom* ▶ na montra en vitrine

monumento [mounoumēntou] *nom* monument

morada [mourada] *nom* adresse

morango [mourāngou] *nom* fraise

morar [mourar] *verbe* habiter ▶ onde moras? où habites-tu ?

morcela [mourçèla] *nom* boudin noir

morder [mourdèr] *verbe* mordre

moreno [mourénou] *adj* (teint) bronzé ; (personne) brun

morno [mornou] *adj* tiède

---

morrer [mourèr] *verbe* mourir

mortalhas [mourtaliach] *nom pl* papier à cigarette

morto [mortou] *adj & nom* mort

mosca [mochka] *nom* mouche

mosquito [mouchkitou] *nom* moustique

mostarda [mouchtarda] *nom* moutarde

mosteiro [mouchtèïrou] *nom* monastère

mostrar [mouchtrar] *verbe* montrer

mota [môta] *nom* moto

motocicleta [môtôçiklèta] *nom* mobylette®

motor [moutor] *nom* moteur

motorista [moutourichta] *nom* chauffeur, conducteur

Mouros [morouch] *nom* les Maures

móveis [môvèïch] *nom pl* meubles

movimentado [mouvimèntadou] *adj* mouvementé, agité

movimento [mouvimèntou] *nom* mouvement ; circulation

muçulmano [mouçoulmanou] *adj & nom* musulman

mudar [moudar] *verbe* changer ; déménager ▸ mudar de roupa se changer ; mudar de casa déménager

mudo [moudou] *adj* muet

muito [mouïtou] *adv* beaucoup de, très ▸ muitas vezes souvent ; muito tempo longtemps

mulher [moulièr] *nom* femme

multa [moulta] *nom* amende, contra-

ZOOM
Mouros

En 711, les Maures franchissent le détroit de Gibraltar et occupent la plus grande partie du Portugal actuel. Au cours de cette période prospère, leur influence se fait sentir dans tous les domaines (culture, langue, arts, architecture et même l'agriculture), même si leur occupation fut plus courte que celle de l'Espagne... de deux siècles ! Après la Reconquête chrétienne, les Maures restés libres vivaient dans des quartiers réservés, les mourarias, mais participaient à la vie sociale et aux festivités.

vention ▸ apanhar uma multa attraper une amende

multidão [moultidaou] *nom* foule

multiplicar [moultiplikar] *verbe* multiplier

município [mouniçipiou] *nom* municipalité

mundo [môundou] *nom* monde

muro [mourou] *nom* mur

músculo [mouchkoulou] *nom* muscle

museu [mouzéou] *nom* musée

música [mouzika] *nom* musique ▸ ouvir música écouter de la musique

músico [mouzikou] *nom* musicien

N

na [na] *prép* dans, sur, à la ▶ na esta-ção à la gare

nabiças [nabiçach] *nom pl* pousses de navet

nabos [nabouch] *nom pl* navets

nacionalidade [naçiounalidade] *nom* nationalité

nada [nada] *pron* rien ▶ de nada je vous en prie

nadador [nadador] *nom* nageur ▶ na-dador salvador maître-nageur

nadar [nadar] *verbe* nager

nádegas [nàdegach] *nom pl* fesses

namorado [namouradou] *nom* petit ami ▶ namorados amoureux

namorar [namourar] *verbe* ▶ namorar com / sortir avec / (soutenu) avoir une liaison avec

não [naou] *adv* non ▶ não sei je ne sais pas; não é? n'est-ce pas?; tam-bém não non plus

nariz [narich] *nom* nez ▶ deitar san-gue pelo nariz saigner du nez

nascer [nachcèr] *verbe* naître

nascido [nachçidou] *adj* ▶ nascido a... /em... né le... /à...

nascimento [nachçimèntou] *nom* nais-sance

natação [nataçaou] *nom* natation

Natal [natal] *nom* Noël

natas [natach] *nom pl* crème fraîche

natural [natoural] *adj* naturel ▶ natu-ral de... né à...

naturalidade [natouralidade] *nom* lieu de naissance

natureza [natouréza] *nom* nature

navegador [navegador] *nom* naviga-teur

navegar [navegar] *verbe* naviguer

navio [naviou] *nom* navire

necessário [neçessariou] *adj* néces-saire

necessidade [neçessidade] *nom* né-cessité, besoin ▶ em caso de neces-sidade au besoin

negativo [negativou] *adj & nom* négatif

negociar [negouçiar] *verbe* négocier

negócios [negôçiouch] *nom pl* affaires

nem [naï] *adv* ni, non plus ▶ nem eu moi non plus; nem... nem... ni... ni...

nenhum [negnôum] *adj* aucun ▶ em lado nenhum nulle part

nervoso [nervozou] *adj* nerveux

nêspera [nèchpera] *nom* nèfle

neto [nètou] *nom* petit-fils

neve [nève] *nom* neige

nevoeiro [nevouèïrou] *nom* brouillard

ninguém [nïngaï] *pron* personne ▶ não está ninguém il n'y a per-sonne

ninho [nignou] *nom* nid

nível [nivelle] *nom* niveau

no [nou] *prép* dans, sur, au

nó [nô] *nom* nœud

nobre [nôbre] *adj & nom* noble

nódoa [nôdoua] *nom* tache ▶ nódoa negra (sur la peau) bleu

noite [noïte] *nom* soir, nuit ▶ à noite

le soir ; esta noite / ce soir / cette nuit ; boa noite! / bonsoir! / *(avant de se coucher)* bonne nuit !

noiva [noïva] *nom* fiancée ▸ os noivos les jeunes mariés

nome [nome] *nom* nom ▸ nome de família nom (de famille) ; nome de solteira nom de jeune fille ; nome próprio prénom

nora [nôra] *nom* belle-fille

normal [nôrmal] *adj* normal

norte [nôrte] *nom* nord

nos [nôch] *pron (objet)* nous

nós [nôch] *pron (sujet)* nous

nossa [nôssa] *pron* notre

nossas [nôssach] *pron* nos

nosso [nôssou] *pron* notre

nossos [nôssouch] *pron* nos

nota [nôta] *nom* note ; *(argent)* billet

noticiário [noutiçiariou] *nom (télé, radio)* informations, journal

notícias [noutiçiach] *nom pl* nouvelles

▸ ouvir as notícias *(télé, radio)* écouter le journal

noutro [nôoutrou] *prép* dans, à, sur un autre ▸ noutro sítio ailleurs

Novembro [nouvêmbrou] *nom* novembre

novidade [nouvidade] *nom* nouveauté

novo [nôvou] *adj* jeune, nouveau, neuf ▸ de novo à nouveau ; Ano Novo nouvel an

noz [noch] *nom* noix ▸ noz moscada noix de muscade

nu [nou] *adj* nu

nublado [noubladou] *adj* nébuleux ▸ céu nublado ciel gris

número [noumerou] *nom* numéro, nombre ; *(de chaussures)* pointure ; *(de vêtements)* taille

nunca [nôunka] *adv* jamais ▸ nunca mais plus jamais

nuvem [nouvaï] *nom* nuage

O

o(s) [ou/ouch] *art & pron* le, les

obedecer [ôbedeçèr] *verbe* obéir

objectivo [objètivou] *adj & nom* objectif

objecto [objètou] *nom* objet

obra [ôbra] *nom* œuvre ▸ obras travaux ; obra-prima chef-d'œuvre

obrigado [ôbrigadou] *interj* merci ▸ muito obrigado merci beaucoup

obrigatório [ôbrigatôriou] *adj* obligatoire

obstipação [ôbchtipaçaou] *nom* constipation

ocasião [ôkaziaou] *nom* occasion

oceano [ôçianou] *nom* océan

oculista [ôkoulichta] *nom* opticien

óculos [ôkoulouch] *nom pl* lunettes ▸ óculos escuros lunettes de soleil

ocupado [ôkoupadou] *adj* occupé

ocupar [ôkoupar] *verbe* occuper ▸ ocupar-se de s'occuper de

odiar [ôdiar] *verbe* haïr

oeste [ouèchte] *nom* ouest ▸ a oeste (de) à l'ouest (de)

ofendido [ofēndèr] *adj* vexé

oferecer [oferecèr] *verbe* offrir

oficina [ofiçina] *nom* garage

oftalmologista [oftalmoulougichta] *nom* ophtalmologiste

olá! [ôla] *interj* salut !

óleo [ôliou] *nom* huile

olhar [ôliar] *verbe* regarder ▶ olha! tiens ! regarde !

olho [ôliou] *nom* œil

oliveira [ôlivèïra] *nom* olivier

ombro [ombrou] *nom* épaule

onda [onda] *nom* vague

onde [onde] *adv* où ▶ onde está? où êtes-vous ?; onde vais? où (vas-tu) ?; de onde vens? d'où (viens-tu) ?

ontem [ontaï] *adv* hier ▶ ontem à noite hier soir

opção [ôpçaou] *nom* option

operação [ôperaçaou] *nom* opération

operado [ôperadou] *adj* opéré ▶ ser operado se faire opérer

operário [ôperariou] *nom* ouvrier

opinião [ôpiniaou] *nom* opinion

opor(-se) [opor-se] *verbe* (s')opposer

oposto [opochtou] *adj* opposé

óptimo [ôtimou] *adj* très bon, très bien, parfait

ora [ora] *interj* ▶ ora essa ! je vous en prie !; ora diga ! dites-moi !; ora bolas ! zut alors !

ordem [ordaï] *nom* ordre

ordenado [ordenadou] *nom* salaire

orelha [orèlia] *nom* oreille

organizar [organizar] *verbe* organiser

órgão [ôrgaou] *nom* organe

orgulhoso [orgouliozou] *adj* fier

orientar(-se) [ôriëntar-se] *verbe* (s') orienter

oriente [ôriënte] *nom* orient

origem [orijaï] *nom* origine ▶ ser de origem... être d'origine...

original [orijinal] *adj* original

orquestra [orkèchtra] *nom* orchestre

osso [ossou] *nom* os

ostra [ochtra] *nom* huître

ou [o] *conj* ou ▶ ou seja c'est-à-dire

ourivesaria [orivezaria] *nom* bijouterie

ouro [orou] *nom* or ▶ de ouro en or

Outono [otonou] *nom* automne

ousar [ozar] *verbe* oser

outra [otra] *pron* (une) autre ▶ outra vez encore

outro [otrou] *pron* (un) autre ▶ o outro l'autre ; um após outro l'un après l'autre

Outubro [otoubrou] *nom* octobre

ouvido [ovidou] *nom* oreille ; (*sens*) ouïe ▶ tem dores de ouvidos? avez-vous mal aux oreilles ?

ouvir [ovir] *verbe* entendre ▶ estás a ouvir? tu m'écoutes ?

ovas [ôvach] *nom pl* œufs de poisson

ovelha [ovèlia] *nom* brebis

ovo [ovou] *nom* œuf ▶ ovo cozido œuf dur ; ovo escalfado œuf poché ; ovo estrelado œuf sur le plat ; ovo quente œuf à la coque ; ovos mexidos œufs brouillés ; ovos moles gâteaux aux jaunes d'œuf

oxalá [ochala] *interj* plaise à Dieu !
▶ oxalá que chova! pourvu qu'il pleuve !

P

paciência [pasiênça] *nom* patience
▶ paciência! tant pis !

paciente [pasiênte] *adj & nom* patient

padaria [padaria] *nom* boulangerie

padeiro [padèïrou] *nom* boulanger

pagamento [pagamêntou] *nom* paiement

pagar [pagar] *verbe* payer ▶ pagar a pronto payer comptant ; pagar em dinheiro payer en liquide/en espèces ; a pagar payant

página [pajina] *nom* page

pago [pagou] *adj* payé ▶ já está pago c'est déjà réglé ; 'entrada paga' 'entrée payante'

pai [paï] *nom* père ▶ pais parents

país [païch] *nom* pays

paisagem [païzajèï] *nom* paysage

palácio [palaçiou] *nom* palais

paladar [paladar] *nom* goût, saveur

palavra [palavra] *nom* mot, parole ▶ palavra de honra parole d'honneur

palavrão [palavraou] *nom* gros mot

palha [palia] *nom* paille

pálido [palidou] *adj* pâle

palma [palma] *nom* ▶ palmas das mãos paumes

palmeira [palmèïra] *nom* palmier

panela [panèla] *nom* casserole

pano [panou] *nom* tissu, torchon ▶ pano do pó chiffon à poussière

pão [paou] *nom* pain ▶ pão de centeio pain de seigle ; pão de forma pain de mie ; pão integral pain complet ; pão de mistura pain aux céréales ; pão ralado chapelure ; pão-de-ló gâteau à base d'œufs, farine et beurre

papas [papach] *nom pl* bouillie ▶ papas de sarrabulho plat preparé avec de la farine de maïs, du sang et de la viande de porc

papel [papelle] *nom* papier ▶ papel de alumínio papier alu ; papel de embrulho papier-cadeau ; papel higiénico papier-toilette

papelaria [papelaria] *nom* papeterie

par [par] *nom* paire

para [para] *prép* pour ▶ para que pour que ; para com envers ; para quê? à quoi bon ? dans quel but ?

parabéns! [parabaïch] *interj* félicitations ! ▶ dar os parabéns féliciter

pára-brisas [parabrizach] *nom* pare-brise

pára-choques [parachokech] *nom* pare-chocs

parafuso [parafouzou] *nom* vis

paragem [parajaï] *nom* arrêt ▶ paragem de autocarro arrêt de bus

paraíso [paraïzou] *nom* paradis

parar [parar] *verbe* (s')arrêter ▶ pára! arrête ! ; sem parar sans arrêt

parecer [pareçèr] *verbe* ressembler

▶ parece que... il paraît que...; o que te parece? qu'en penses-tu?; parecer-se com ressembler à

parede [paréde] *nom* mur

parque [parke] *nom* parc ▶ parque de diversões parc d'attractions; parque de estacionamento parking; parque de merendas aire de repos; parque de viaturas rebocadas fourrière

parte [parte] *nom* partie, part ▶ a maior parte (de) la plupart (de); por toda a parte partout; em qualquer parte n'importe où

particular [partikoular] *adj* particulier, privé

partida [partida] *nom* départ; *(jeu)* partie

partido [partidou] *adj* cassé

partido [partidou] *nom* parti

partilhar [partiliar] *verbe* partager

partir [partir] *verbe* partir; *(briser)* (se) casser ▶ a partir de à partir de

parvo [parvou] *adj* bête

Páscoa [pachkoua] *nom* Pâques

passadeira [passadèïra] *nom* passage piétons

passado [passadou] *nom & adj* passé ▶ no ano passado l'an dernier; mal/ /bem passado saignant/bien cuit

passageiro [passagèïrou] *nom* passager

passagem [passagèï] *nom* passage ▶ estar de passagem être de passage

passaporte [passapôrte] *nom* passeport

passar [passar] *verbe* passer ▶ dei-xem passar! laissez passer!; passar a apanhar alguém passer prendre quelqu'un; passem muito bem! portez-vous bien!; passar a ferro repasser

pássaro [passarou] *nom* oiseau

passas [passach] *nom pl* raisin sec

passe [passe] *nom (transports)* carte d'abonnement

passear [passiar] *verbe* (se) promener

passeio [passèïou] *nom* promenade; trottoir ▶ 'siga pelo passeio' 'pre-nez le trottoir'

passo [passou] *nom* pas

pasta [pachta] *nom* pâte; *(sacoche)* serviette ▶ pasta de dentes denti-frice; pasta de atum pâté de thon

pastel [pachtelle] *nom* gâteau ▶ pas-tel de bacalhau beignet de morue; pastel de carne chausson à la viande; pastel de nata petit flan dans une pâte feuilletée

pastelaria [pachtelaria] *nom* pâtisserie

pastilha [pachtilia] *nom* pastille ▶ pastilha elástica chewing-gum

pata [pata] *nom* patte

pátio [patiou] *nom* cour

pato [patou] *nom* canard

patrão [patraou] *nom* patron

pau [paou] *nom* bâton

pavimento [pavimẽtou] *nom* ▶ 'pa-vimento escorregadio' 'chaussée glissante'

paz [pach] *nom* paix ▶ deixa-me em paz! laisse-moi tranquille!

pé [pè] *nom* pied ▶ a pé à pied; de pé debout; ao pé de près de; ter pé

avoir pied

peão [piaou] *nom* piéton ▸ 'rua só para peões' **'rue piétonne'**

peça [pèchka] *nom* pièce

pedaço [pedaçou] *nom* morceau

pedir [pedir] *verbe* demander ; *(au restaurant)* commander

pedra [pèdra] *nom* pierre

pegar [pegar] *verbe* prendre ▸ pega aí! tiens, prends ça ! ; é pegar ou largar c'est à prendre OU à laisser

peito [pèïtou] *nom* poitrine

peixaria [pèïcharia] *nom* poissonnerie

peixe [pèïche] *nom* poisson

pele [pelle] *nom* peau, cuir

pelo [pélou] *prép* par le ▸ pelo caminho mais curto **par le chemin le plus court**

pêlo [pélou] *nom* poil

pena [péna] *nom* peine ; *(oiseau)* plume ▸ que pena! **quel dommage !**

pensão [pēnçaou] *nom* pension ▸ pensão completa **pension complète**

pensar [pēnsar] *verbe* penser

penso [pēnsou] *nom* pansement, sparadrap ▸ penso higiénico **serviette hygiénique**

pente [pēnte] *nom* peigne

pentear(-se) [pēntear-se] *verbe* (se) peigner

pepino [pepinou] *nom* concombre

pequeno [pekénou] *adj* petit ▸ pequeno-almoço **petit déjeuner**

pêra [péra] *nom* poire

perceber [perçebér] *verbe* comprendre

percentagem [perçēntajèï] *nom* pourcentage

percurso [perkourçou] *nom* parcours

perda [pérda] *nom* ▸ perda de peso **perte de poids** ; perda de tempo **perte de temps**

perdão [perdaou] *nom* pardon

perder [perdér] *verbe* perdre ; *(transports)* rater ▸ perder-se **se perdre** ; perder o comboio **rater le train**

perdido [perdidou] *adj* ▸ estar perdido **être perdu**

pereira [perèïra] *nom* poirier

perfeito [perfèïtou] *adj* parfait

perfume [perfoume] *nom* parfum

pergunta [pergōunta] *nom* question

perguntar [pergōuntar] *verbe* demander

perigo [perigou] *nom* danger

perigoso [perigozou] *adj* dangereux

período [perioudou] *nom* période ▸ estar com o período **avoir ses règles**

periódico [periôdikou] *adj & nom* périodique

permanente [permanēnte] *adj* permanent

permitido [permitidou] *adj* permis

permitir [permitir] *verbe* permettre

perna [pèrna] *nom* jambe

pernil [pernil] *nom* ▸ pernil de borrego **gigot d'agneau**

pérola [pèroula] *nom* perle

pertencer [pertēnçèr] *verbe* appartenir

perto [pèrtou] *adv* (tout) près ♦ *prép* (dans le temps) vers

peru [perou] *nom* dinde

pesado [pezadou] *adj* lourd

pesar [pezar] *verbe* peser

pesca [pèchka] *nom* pêche

pescada [pechkada] *nom* merlu, colin

pescador [pechkador] *nom* pêcheur

pescar [pechkar] *verbe* pêcher

pescoço [pechkoçou] *nom* cou

peso [pézou] *nom* poids ▶ a peso au poids

pêssego [pèssegou] *nom* pêche

péssimo [pèssimou] *adj* très mauvais, très mal

pessoa [pessoa] *nom* personne ▶ as pessoas les gens

piada [piada] *nom* blague

picante [pikānte] *adj* piquant

picar [pikar] *verbe* piquer ▶ ser picado/a por se faire piquer (par)

pijama [pijama] *nom* pyjama

pilha [pilia] *nom* pile

pílula [piloula] *nom* pilule ▶ tomar a pílula prendre la pilule ; pílula do dia seguinte pilule du lendemain

pimenta [pimēnta] *nom* poivre

pimentão [pimēntaou] *nom* piment rouge

pimento [pimēntou] *nom* poivron

pincel [pīnçèl] *nom* pinceau ▶ pincel da barba blaireau

pinhal [pignal] *nom* pinède

pinhões [pignoïch] *nom pl* pignons

pintado [pīntadou] *adj* peint ▶ 'pintado de fresco' 'peinture fraîche'

pintar [pīntar] *verbe* peindre

pintor [pīntor] *nom* (artiste) peintre

pintura [pīntoura] *nom* peinture

pior [piôr] *adj* pire

pipa [pipa] *nom* tonneau

piquenique [pikenike] *nom* pique-nique ▶ fazer um piquenique pique-niquer

piripiri [piripiri] *nom* piment de Cayenne

pisca-pisca [pichka pichka] *nom* clignotant

piscina [pichçina] *nom* piscine

piso [pizou] *nom* étage

pista [pichta] *nom* piste ▶ pista para ciclistas piste cyclable ; pista de aterragem piste d'atterrissage

placa [plaka] *nom* panneau ▶ placa eléctrica plaque électrique

plano [planou] *nom* plan

plano [planou] *adj* plat

planta [plānta] *nom* plante ; (ville) plan

plástico [plachtikou] *nom* plastique

pneu [penéou] *nom* pneu

pó [pô] *nom* poussière ▶ limpar o pó faire la poussière

pobre [pôbre] *adj* pauvre

poço [poçou] *nom* puits

poder [poudèr] *nom & verbe* pouvoir ▶ posso fumar ? je peux fumer ? ; não pode ser ! ce n'est pas possible !

pois [poïch] *conj & interj* car, alors ▶ pois é ! c'est ça !

polícia [poulícia] *nom* police ; *(agent)* policier

político [poulitikou] *adj* politique

poluição [poulouiçaou] *nom* pollution

polvo [polvou] *nom* poulpe

pomada [poumada] *nom* pommade

pomar [poumar] *nom* verger

pombo [pombou] *nom* pigeon

ponte [ponte] *nom* pont

ponto [pontou] *nom* point ▶ três horas em ponto **3 heures pile** ; no ponto à point ; ponto morto **point mort** ; pontos cardeais **points cardinaux**

população [poupoulaçaou] *nom* population

popular [poupoular] *adj* populaire

por [pour] *prép* par, à cause de ▶ por dia/hora **par jour/heure**

pôr [por] *verbe* mettre, poser

porcaria [pourkaria] *nom* saleté

porco [porkou] *nom* cochon ; *(viande)* porc

porém [pouraï] *conj* cependant

porque [pourke] *conj* parce que, car ▶ porque não? **pourquoi pas ?**

porquê [pourké] *adv* pourquoi

porreiro [pourèïrou] *adj* super

porta [porta] *nom* porte, portière

porta-bagagens [porta bagajèïch] *nom* porte-bagages ; *(voiture)* coffre

porta-chaves [porta chavech] *nom* porte-clés

porta-moedas [porta mouèdach] *nom* porte-monnaie

portagem [pourtajèï] *nom* péage

portanto [pourtãntou] *conj* donc

portátil [portatil] *adj & nom* por

porteiro [pourtèïrou] *nom* gardien ; *(d'hôtel)* portier

porto [portou] *nom* port ; porto

Porto [portou] *nom* Porto

> **ZOOM**
> **Le Porto**
>
> Au XVIIIe siècle, l'Angleterre taxe sévèrement les vins français, couramment consommés au Portugal. En échange, elle achète les vins portugais. Un négociant anglais décide de les aider à voyager en y ajoutant de l'eau de vie de moût. Le Porto est né, avec le succès que l'on sait. Deux familles de porto : les blends, vins assemblés dont la robe s'éclaircit avec le temps (tinto, ruby, tawny, branco, etc.) et les portos non assemblés comme le vintage, le Late Bottle Vintage et les quintas, de qualité exceptionnelle.

Portugal [pourtougal] *nom* Portugal

português [pourtouguèch] *adj* portugais

posição [pouziçaou] *nom* position

possibilidade [poussibilidade] *nom* possibilité

possível [poussivelle] *adj* possible ▶ o mais cedo possível **au plus tôt**

postal [pouchtal] *nom* carte postale

posto [pochtou] *nom* poste ▶ posto

de turismo office de tourisme

potável [poutavelle] *adj* po

pouco [pokou] *nom* peu (de) ▶ um pouco (de) un peu (de)

poupar [popar] *verbe* épargner ▶ poupe forças ménagez vos forces

pousada [pozada] *nom* auberge ▶ pousada de juventude auberge de jeunesse

povo [povou] *nom* peuple

praça [praça] *nom* place ; marché

praia [praïa] *nom* plage

prancha [prãncha] *nom* planche ▶ prancha à vela planche à voile ; prancha de surf planche de surf

prata [prata] *nom* argent

prateleira [pratelèïra] *nom* étagère

praticar [pratikar] *verbe* pratiquer ▶ praticar vela faire de la voile

prático [pratikou] *adj* pratique

prato [pratou] *nom* assiette, plat ▶ prato do dia plat du jour ; prato principal plat de résistance

prazer [prazèr] *nom* plaisir ▶ muito prazer! enchanté !

precedente [preçedênte] *adj & nom* précédent

precioso [preçiozou] *adj* précieux

precisar [preçizar] *verbe* préciser ▶ precisar de avoir besoin de

preciso [preçizou] *adj* précis ▶ é preciso... il faut...

preço [prèçou] *nom* prix

prédio [prèdiou] *nom* immeuble

preencher [preênchèr] *verbe* remplir ▶ preencha o formulário remplissez

le formulaire

preferência [preferênçia] *nom* préférence ▶ de preferência plutôt

preferido [preferidou] *adj* préféré

prego [prègou] *nom* clou ; sandwich au bifteck ▶ prego no prato steak frites

prejudicar [prejoudikar] *verbe* nuire ▶ 'fumar prejudica a saúde' 'fumer nuit à la santé'

prenda [prênda] *nom* cadeau

prender [prêndér] *verbe* attacher, accrocher

preocupação [priokoupaçaou] *nom* souci

preocupar(-se) [priokoupar-se] *verbe* (se) préoccuper ▶ não se preocupe! ne vous en faites pas !

preparar [preparar] *verbe* préparer

presente [prezênte] *adj* présent ◆ *nom* cadeau, présent

preservado [prezervadou] *adj* préservé

preservativo [prezervativou] *nom* préservatif

pressa [prèssa] *nom* ▶ estar com pressa être pressé

presunto [prezõuntou] *nom* jambon cru

preto [prétou] *adj & nom* noir

previsões [previzoïch] *nom pl* ▶ previsões meteorológicas prévisions météo

Primavera [primavèra] *nom* printemps

primeiro [primèïrou] *adj* premier ◆ *adv* d'abord

primo [primou] *nom* cousin

príncipe [prĩnçipe] *nom* prince

principiante [prĩnçipiãnte] *nom* débutant

princípio [prĩnçipiou] *nom* début ▶ em princípio en principe

prisão [prizaou] *nom* prison

privado [privadou] *adj* privé

problema [proubléma] *nom* problème

procissão [prouçissaou] *nom* procession

procurar [prokourar] *verbe* chercher

produto [proudoutou] *nom* produit

professor [proufessor] *nom* professeur

profissão [proufiçaou] *nom* profession

profundo [proufõundou] *adj* profond

programa [prougrama] *nom* programme ; *(de rádio, télévision)* émission

progresso [prougrèssou] *nom* ▶ fazer progressos faire des progrès

proibido [prouïbidou] *adj* interdit ▶ 'afixação proibida' 'défense d'afficher' ; 'proibido o acesso' 'accès interdit'

prometer [proumetèr] *verbe* promettre

pronto [prontou] *adj* prêt ▶ estar pronto être prêt ; pronto-a-vestir prêt-à-porter

pronúncia [prounõunçia] *nom* accent

pronunciar [prounõunçiar] *verbe* prononcer

propor [proupôr] *verbe* proposer

propósito [proupôzitou] *nom* propos

▶ de propósito exprès

proprietário [prouprietariou] *nom* propriétaire

próprio [prôpriou] *adj* propre, convenable ▶ é próprio para... cela convient à... ; é o próprio *(téléphone)* c'est lui-même

proteger(-se) [pjèr-se] *verbe* (se) protéger

protestante [pchtãnte] *adj & nom* protestant

prova [prôva] *nom* preuve, épreuve

provar [prouvar] *verbe (fait)* prouver ; *(aliment)* goûter ; *(vêtement)* essayer

proveito [prouvèïtou] *nom* ▶ bom proveito! bon appétit !

próximo [prôssimou] *adj* proche ; *(suivant)* prochain ▶ até à próxima! à la prochaine !

prudente [proudẽnte] *adj* prudent

PSP [psp] *abr de* Police de Sécurité Publique *abrév* police

publicidade [poubliçidade] *nom* publicité

público [poublikou] *adj & nom* public

pudim [poudĩm] *nom* pudding ▶ pudim flan crème caramel

pulmão [poulmaou] *nom* poumon

pulseira [poulçèïra] *nom* bracelet

pulso [poulçou] *nom* poignet ▶ medir o pulso prendre le pouls

puro [pourou] *adj* pur

puxar [pouchar] *verbe* tirer ▶ 'puxe' 'tirez'

quadrado [kouadradou] *adj & nom* carré

quadro [kouadrou] *nom* au

quais [kouaïch] *adj & conj* quels, quelles

qual [koual] *adj & conj* quel, quelle

qualidade [koualidade] *nom* qualité

qualquer [koualkère] *pron* quelconque, n'importe lequel

quando [kouãndou] *adv* quand

quanto [kouãntou] *adj* combien (de) ▸ uns quantos quelques(-uns); quanto mais/menos plus/moins; quanto a quant à; quanto antes dès que possible; quanto é que custa? combien ça coûte?; há quanto tempo...? depuis combien de temps...?

quarta-feira [kouarta fèïra] *nom* mercredi

quarteirão [kouartèïraou] *nom* pâté de maisons

quarto [kouartou] *nom* chambre; quart ▸ quarto das visitas chambre d'hôtes; quarto de banho salle de bains; um quarto de hora un quart d'heure

quase [kouaze] *adv* presque

que [ke] *pron* que, qui, quoi ▸ e que mais? et quoi d'autre?; o que é que...? qu'est-ce que...?

quê [ké] *nom* ▸ não tem de quê il n'y a pas de quoi

quebrar(-se) [kebrar-se] *verbe* (se) casser

queixar-se [kèïchar-se] *verbe* se plaindre

queda [kèda] *nom* chute

queijo [kèïjou] *nom* fromage ▸ queijo da serra fromage de brebis de Serra da Estrela

queima [kèïma] *nom* incendie

queimado [kèïmadou] *adj* brûlé

queimadura [kèïmadoura] *nom* brûlure ▸ queimadura solar coup de soleil

queimar(-se) [kèïmar-se] *verbe* (se) brûler; *(au soleil)* (se) bronzer

queixa [kèïcha] *nom* plainte ▸ apresentar queixa déposer une plainte

ZOOM
Queima das Fitas

Le bizutage portugais est appelé « mise à feu ». Rassurez-vous, on n'envoie pas les étudiants sur la Lune, ce sont des rubans qui subissent ce traitement lors du temps fort des cérémonies. Ces rites universitaires sont réglés par le Código da Praxe et commencent par des épreuves telles que la Recepção ao Caloiro (accueil du bizut) et la Latada (défilé et baptême des bizuts). Enfin, la fête atteint son apogée avec le défilé des chars (peut-être à l'origine de l'expression « Arrête ton char » ?).

queixo [kèïchou] *nom* menton

quem [kaï] *pron* qui ▶ quem é? qui est-ce ?

quente [kẽnte] *adj* chaud

querer [kerèr] *verbe* vouloir ▶ eu queria... je voudrais... ; quer dizer c'est-à-dire ; querer dizer vouloir dire ; sem querer sans le faire exprès

querido [keridou] *adj* cher

quilo [kilou] *nom* kilo

quilómetro [kilômetrou] *nom* kilomètre

quinta [kĩnta] *nom* ferme

quinta-feira [kĩnta fèïra] *nom* jeudi

quiosque [kiochke] *nom* kiosque

R

rã [rã] *nom* grenouille

rabanadas [rabanadach] *nom pl* pain perdu

raça [raça] *nom* race

radiador [radiador] *nom* radiateur

rádio [radiou] *nom* radio

râguebi [raguebi] *nom* rugby

raio [raïou] *nom* rayon

raiz [raïch] *nom* racine

rajada [rajada] *nom* rafale, grain

ralado [raladou] *adj* râpé

ramo [ramou] *nom* branche, rameau ▶ ramo de flores bouquet de fleurs

rapariga [rapariga] *nom* fille

rapaz [rapach] *nom* garçon, jeune homme

rápido [rapidou] *adj* rapide

raramente [raramẽnte] *adv* rarement

raro [rarou] *adj* rare

rasgado [rachgadou] *adj* déchiré

rato [ratou] *nom* souris

razão [razaou] *nom* raison ▶ não tem razão vous avez tort

reacção [riaçaou] *nom* réaction

realidade [rialidade] *nom* ▶ na realidade en réalité

realizar [rializar] *verbe* réaliser

rebanho [rebagnou] *nom* troupeau

reboque [rebôke] *nom* remorque ▸ (serviço de) reboque (service de) dépannage

rebuçado [rebouçadou] *nom* bonbon

recarregar [rekargar] *verbe* recharger

receber [reçebèr] *verbe* recevoir

receita [reçèïta] *nom* recette ; *(médica)* ordonnance

recente [reçènte] *adj* récent

recepção [reçèçaou] *nom* accueil ▸ na recepção à la réception

recepcionista [reçèçiounichta] *nom* réceptionniste

recheado [rechiadou] *adj* farci

recibo [reçibou] *nom* reçu

recolha [rekolia] *nom* récolte ; *(de courrier)* levée ; *(de passagers)* ramassage

recomendar [rekoumèndar] *verbe* recommander

reconhecer [rekougneçèr] *verbe* reconnaître

recordação [rekourdaçaou] *nom* souvenir

recordar(-se) [rekourdar-se] *verbe* se souvenir ▸ 'recorde' *(panneaux de signalisation)* 'rappel'

rectângulo [rètângoulou] *nom* rectangle

recuar [rekouar] *verbe* reculer ▸ recuem! reculez !

recusar [rekouzar] *verbe* refuser

redacção [redaçaou] *nom* rédaction

rede [réde] *nom* filet ; réseau ▸ rede de estradas réseau routier

redondo [redondou] *adj* rond

redução [redouçaou] *nom* réduction

reduzido [redouzidou] *adj* réduit

reduzir [redouzir] *verbe* réduire ▸ 'reduza a velocidade' 'réduisez votre vitesse'

reembolsar [rièmbolçar] *verbe* rembourser ▸ ser reembolsado se faire rembourser

refeição [refèïçaou] *nom* repas

reforma [reforma] *nom* réforme ; retraite

reformado [refourmadou] *adj & nom* retraité

refresco [refrèchkou] *nom* rafraîchissement

refúgio [refoujiou] *nom* refuge

regar [regar] *verbe* arroser

região [rejiaou] *nom* région

registado [rejichtadou] *adj* enregistré ; *(courrier)* (en) recommandé

registo [rejichtou] *nom* enregistrement ▸ registo civil bureau d'état civil

regra [règra] *nom* règle

regressar [regressar] *verbe* rentrer, revenir

regresso [regrèssou] *nom* retour

relação [relaçaou] *nom* relation, rapport ▸ ter relações sexuais avoir des rapports sexuels

relacionar [relaçiounar] *verbe* mettre en rapport

relâmpago [relâmpagou] *nom* éclair

religião [relijiaou] *nom* religion

relógio [relôjiou] *nom* horloge, pendule, montre

remar [remar] *verbe* ramer

remédio [remèdiou] *nom* remède, médicament

remetente [remetēnte] *nom* expéditeur

renda [rēnda] *nom* loyer ; dentelle

rendimentos [rēndimēntouch] *nom pl* revenus

reparar [reparar] *verbe* réparer ► mandar reparar **faire réparer** ; reparar em **remarquer**

repatriar [repatriar] *verbe* rapatrier

repente [repēnte] *nom* ► de repente **tout à coup**

repetir [repetir] *verbe* répéter

reportagem [repourtajèï] *nom* reportage

reproduzir [reproudouzir] *verbe* reproduire

requeijão [rekèïjaou] *nom* fromage blanc écrémé

rés-do-chão [rèch dou chaou] *nom* rez-de-chaussée

reservado [rezervadou] *adj* réservé

reservar [rezervar] *verbe* réserver ► reservar o bilhete **faire une réservation**

residência [rizidēngia] *nom* résidence

residente [rizidēnte] *adj & nom* résident

resolver [rezoulvèr] *verbe* résoudre ; décider de

respeitar [rechpèïtar] *verbe* respecter

respiração [rechpiraçaou] *nom* respiration

responder [rechpondèr] *verbe* répondre

responsabilidade [rechponsabilidade] *nom* responsabilité

responsável [rechponsavelle] *adj* responsable

resposta [rechpochta] *nom* réponse

ressaca [ressaka] *nom* gueule de bois

ressonar [ressounar] *verbe* ronfler

restaurante [rechtorānte] *nom* restaurant

resto [rèchtou] *nom* reste ► os restos **les restes**

retrato [retratou] *nom* portrait, photo

reumatismo [réoumatichmou] *nom* rhumatisme

revelar [revelar] *verbe* révéler ► mandar revelar *(photos)* faire dévelop-

per

revisor [revizor] *nom (transports)* contrôleur

revista [revichta] *nom* magazine

revolução [revoulouçaou] *nom* révolution

ribeiro [ribèïrou] *nom* ruisseau

rico [rikou] *adj* riche

ridículo [ridikoulou] *adj* ridicule

rim [rïm] *nom* rein ▶ rins rognons

rio [riou] *nom* fleuve, rivière

riqueza [rikéza] *nom* richesse

rir [rir] *verbe* rire

riscar [richkar] *verbe* rayer

risco [richkou] *nom* risque

rissóis [rissoïch] *nom pl* beignets ▶ rissóis de camarão/carne beignets de crevettes/viande

robalo [roubalou] *nom* bar

robe [rôbe] *nom* robe de chambre

rocha [rôcha] *nom* roche

rochedo [rouchédou] *nom* rocher

roda [rôda] *nom* roue ▶ andar à roda tourner ; roda da frente roue avant

rodada [roudada] *nom* ▶ é a minha rodada c'est ma tournée

rodeado [roudiadou] *adj* entouré

rodela [roudèla] *nom* rondelle

rojões [rojoïch] *nom pl* ▶ rojões à moda de... viande de porc en morceaux frits dans du saindoux

rolha [rolia] *nom* bouchon

rolo [rolou] *nom* rouleau ; pellicule

romã [rouma] *nom* grenade

românico [roumanikou] *adj (art)* roman

rosa [rôza] *nom* rose

rosmaninho [rochmanignou] *nom* romarin

rosto [rochtou] *nom* visage

roto [rotou] *adj* déchiré

rotunda [rotõunda] *nom* rond-point

roubar [robar] *verbe* voler

roupa [ropa] *nom* vêtement ▶ roupa interior sous-vêtements

roupeiro [ropèïrou] *nom* garde-robe, armoire

roxo [rochou] *adj* violet

rua [roua] *nom* rue

ruído [rouïdou] *nom* bruit

ruínas [rouïnach] *nom pl* ruines

ruivo [rouïvou] *adj* roux

rum [rõum] *nom* rhum

S

sábado [sabadou] *nom* samedi

sabão [sabaou] *nom* savon

saber [sabèr] *verbe* savoir ▶ saber a avoir un goût de

sabonete [sabounéte] *nom* savonnette

sabor [sabor] *nom* saveur

saboroso [sabourôzou] *adj* savoureux

saca-rolhas [saka roliach] *nom* tire-bouchon

saco [sakou] *nom* sac ▶ saco-cama sac de couchage ; saco do lixo sac

poubelle

sagrado [sagradou] *adj* sacré

saia [saïa] *nom* jupe

saída [saïda] *nom* sortie, départ ▶ 'saída de emergência' 'sortie de secours'

sair [saïr] *verbe* sortir ▶ sair com alguém sortir avec quelqu'un

sal [sal] *nom* sel

sala [sala] *nom* salon, salle ▶ sala de espera salle d'attente ; sala de estar séjour ; sala de jantar salle à manger

salada [salada] *nom* salade ▶ salada de alface salade verte

salário [salariou] *nom* salaire ▶ salário mínimo salaire minimum

saldos [saldouch] *nom pl* soldes

salgadinhos [salgadignouch] *nom pl* biscuits salés, amuse-gueules

salgado [salgadou] *adj* salé

salmão [salmaou] *nom* saumon

salmonete [salmounéte] *nom* rouget

salpicão [salpikaou] *nom* saucisson portugais

salsa [salsa] *nom* persil

salsicha [salsicha] *nom* saucisse

saltar [saltar] *verbe* sauter

salto [saltou] *nom* saut ; *(chaussures)* talon

salvar [salvar] *verbe* sauver

salvo [salvou] *adj* sauf, sauvé ◆ *prép* sauf

sandálias [sãndaliach] *nom pl* sandales

sande(s) [sãndech] *nom* sandwich

sangrar [sãngrar] *verbe* saigner

sangue [sãngue] *nom* sang

sanita [sanita] *nom (WC)* cuvette

sanitários [sanitariouch] *nom pl* WC

santinho [sãntignou] *adj* ▶ santinho/ /a! à tes/vos souhaits !

santo [sãntou] *adj & nom* saint

santola [sãntôla] *nom* araignée de mer ▶ santola recheada araignée de mer farcie

são [saou] *nom* saint

ZOOM
São João do Porto

Le 24 juin, jour de la Saint-Jean, on fête le deuxième des trois saints les plus populaires du pays (avec saint Antoine et saint Pierre). Mais les fêtes des Santos Populares commencent dès le 23 juin au soir. Les habitants, munis de poireaux ou de marteaux en caoutchouc, frappent la tête des passants en signe d'affection et d'amitié. Ils chantent, mangent des sardines et boivent du vin rouge. Car ne dit-on pas (proverbe de notre cru) : « À la Saint-Jean, fais ce qui te prend » ?

sapataria [sapataria] *nom* magasin de chaussures

sapateiro [sapatèïrou] *nom* cordonnier

sapatilhas [sapatiliach] *nom pl* tennis, baskets

sapatos [sapatouch] *nom pl* chaussures ▶ sapatos altos **chaussures**

à talons

saquinho [sakignou] *nom (de thé)* sachet

sarampo [sarãmpou] *nom* rougeole

sardinha [sardigna] *nom* sardinha
▶ sardinhas assadas **sardines grillées**

ZOOM
Sardinha

Elle est fraicheuuuuuuu, ma sardine ! C'est ce que vous entendrez (en version originale) le long des côtes portugaises et sur les marchés. Autrefois « plat de pauvre », la sardine fait aujourd'hui l'unanimité. En été, en pèlerinage, à une fête populaire ou au bord de la mer, on se régale à coups de sardinhada (sardine grillée), pommes de terre, poivrons grillés, pain de maïs et vin rouge à gogo, lequel se marie très bien avec son goût prononcé.

---

saudade [saoudade] *nom* nostalgie, regret de l'absence

saudável [saoudavelle] *adj* sain, salutaire

saúde [saoude] *nom* santé ▶ estar de boa saúde être en bonne santé ; saúde! santé !

se [se] *pron* se, vous ▶ diz-se que on dit que ; cale-se! taisez-vous !

se [se] *conj* si ▶ se quiser si vous voulez

ZOOM
Saudade

Sentiment presque indéfinissable, la saudade fait partie intégrante de l'âme portugaise. Issue du mot latin solitudo (solitude), elle ne se résume pas seulement à de la « nostalgie » ou à du « spleen » mais désigne un état contradictoire, à la fois douloureux et agréable, le regret de quelque chose qu'on a perdu, jamais atteint ou dont on est éloigné ou encore une espérance frustrée. Le fado est considéré comme l'expression la plus juste de la saudade.

---

sé [sè] *nom* cathédrale

seca [séka] *nom* sécheresse ▶ que seca! quelle barbe !

secador [sekador] *nom* ▶ secador de cabelo sèche-cheveux

secar [sekar] *verbe* sécher ▶ pôr a secar faire sécher

secção [sekçaou] *nom (magasin)* rayon

seco [sékou] *adj* sec, séché

secretaria [sekretaria] *nom* sécrétariat

século [sèkoulou] *nom* siècle

seda [séda] *nom* soie

sede [séde] *nom* soif

segredo [segrédou] *nom* secret

seguida [seguida] *adj* suivie ◆ *nom* ▶ em seguida **ensuite**

seguinte [seguïnte] *adj* suivant

seguir [seguir] *verbe* suivre ▸ siga! avancez!

segunda-feira [segõunda fèïra] *nom* lundi

segundo [segõundou] *nom* seconde

segundo [segõundou] *adj* deuxième ◆ *adv* deuxièmement

segurança [segourãnça] *nom* sécurité

segurar [segourar] *verbe* tenir, retenir

seguro [segourou] *adj* sûr ◆ *nom* assurance ▸ seguro contra todos os riscos assurance tous risques ; seguro contra terceiros assurance au tiers

seleccionar [selèçiounar] *verbe* selectionner

selo [sélou] *nom* timbre

selvagem [sèlvajéi] *adj* sauvage

sem [saï] *prép* sans ▸ sem-abrigo sans-abri

semáforo [semafourou] *nom* feu rouge

semana [semana] *nom* semaine ▸ durante a semana en semaine ; para a semana la semaine prochaine

semanário [semanariou] *nom (journal)* hebdomadaire

semente [semẽnte] *nom* graine

sempre [sẽmpre] *adv* toujours ▸ sempre que chaque fois que ; nem sempre pas toujours

senão [senaou] *conj* sinon

Senhor [segnor] *nom* Monsieur

Senhora [segnora] *nom* Madame

sensação [sẽnsaçaou] *nom* sensation

sensível [sẽnsivelle] *adj* sensible

sentar-se [sẽntar-se] *verbe* s'asseoir ▸ sentem-se asseyez-vous

sentido [sẽntidou] *nom* sens ▸ ter sentido de humor avoir le sens de l'humour

sentir-se [sẽntir-se] *verbe* se sentir ▸ sentir-se bem/mal se sentir bien/mal

separar(-se) [separar-se] *verbe* (se) séparer

ser [sèr] *verbe* être ▸ a não ser que à moins que ; é tarde il est tard

sério [sèriou] *adj* sérieux

serra [sèra] *nom* montagne ; scie

sertã [sertã] *nom (à frire)* poêle

serviço [serviçou] *nom* service ▸ 'fora de serviço' 'hors service'

servir [servir] *verbe* servir ▸ sirva-se servez-vous

sessão [sessaou] *nom* séance

sesta [sèchta] *nom* sieste

Setembro [setẽmbrou] *nom* septembre

seu [séou] *pron* son, votre ▸ é o seu c'est le sien/vôtre

seus [séouch] *pron* ses, leurs, vos ▸ são os seus ce sont les siens/les leurs/les vôtres

sexo [sèksou] *nom* sexe

sexta-feira [séchta féïra] *nom* vendredi

sidra [sidra] *nom* cidre

significado [signifikadou] *nom (mot)* sens

significar [signifikar] *verbe* signifier

silêncio [silẽnçiou] *nom* silence

sim [sĩm] *adv* oui

simpático [sĩmpatikou] *adj* sympathique

simples [sĩmplech] *adj* simple

sinagoga [sinagôga] *nom* synagogue

sinal [sinal] *nom* signe ▸ sinal de trânsito **panneau de signalisation**

sincero [sĩçèrou] *adj* sincère

síncope [sĩnkoupe] *nom* syncope

sindicato [sĩndikatou] *nom* syndicat

sino [sinou] *nom* cloche

sintoma [sĩntôma] *nom* symptôme

Sintra [sĩntra] *nom* Sintra ville à l'ouest de Lisbonne

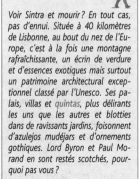

ZOOM
Sintra

Voir Sintra et mourir ? En tout cas, pas d'ennui. Située à 40 kilomètres de Lisbonne, c'est à la fois une montagne rafraîchissante, un écrin de verdure et d'essences exotiques mais surtout un patrimoine architectural exceptionnel classé par l'Unesco. Ses palais, villas et quintas, *plus délirants les uns que les autres et blotties dans de ravissants jardins, foisonnent d'azulejos mudéjars et d'ornements gothiques. Lord Byron et Paul Morand en sont restés scotchés, pourquoi pas vous ?*

sistema [sichtéma] *nom* système ▸ sistema nervoso **système nerveux**

sítio [sitiou] *nom* lieu, endroit ▸ sítio pitoresco **site pittoresque**

situação [sitouaçaou] *nom* situation

só [sô] *adj* seul ◆ *adv* seulement ▸ é só dizer **il suffit de le dire**

sob [sob] *prép* sous ▸ sob pena de... **sous peine de...**

sobrancelha [soubrãnçèlia] *nom* sourcil

sobrar [soubrar] *verbe* rester

sobras [sôbrach] *nom pl* restes

sobre [sobre] *prép* sur, au-dessus de

sobreiro [soubréïrou] *nom* chêne-liège

sobremesa [soubreméza] *nom* dessert

sobrevivente [soubrevivẽnte] *nom* survivant

sobrinho [soubrignou] *nom* neveu

sociedade [souçièdade] *nom* société

sócio [sôçiou] *nom* sociétaire ▸ 'só para sócios' **'reservé aux membres'**

socorro [sokorou] *nom* secours ▸ socorro! **au secours !** ; pedir socorro **appeler au secours**

sofá [soufa] *nom* canapé ▸ sofá-cama **canapé-lit**

sofrer [soufrèr] *verbe* souffrir

sogro [sogrou] *nom* beau-père

sol [sol] *nom* soleil ▸ ao sol **au soleil**

sólido [sôlidou] *adj* solide

solo [solou] *nom* sol

solta [sôlta] *adj* ▸ à solta **en liberté**

soltar(-se) [soltar-se] *verbe* (se) détacher

solto [soltou] *adj* détaché, lâché

solteiro [soltèïrou] *nom* célibataire

som [som] *nom* son

soma [soma] *nom* somme, addition

somar [soumar] *verbe* additioner

sombra [sombra] *nom* ombre ▸ à sombra à l'ombre

sombrio [sombriou] *nom* sombre

sonhar [sougnar] *verbe* rêver

sonho [sognou] *nom* rêve

sonífero [souniferou] *nom* somnifère

sono [sonou] *nom* sommeil ▸ estar com/ter sono avoir sommeil

sopa [sopa] *nom* soupe

sorrir [sourir] *verbe* sourire

sorriso [sourizou] *nom* sourire

sorte [sôrte] *nom* ▸ boa sorte! bonne chance ! ; ter sorte avoir de la chance

sossegado [soussegadou] *nom* tranquille, calme ▸ esteja sossegado soyez tranquille

sotaque [soutake] *nom* accent

sótão [sôtaou] *nom* grenier

soutien [soutiè] *nom* soutien-gorge

sozinho [sôzignou] *adj* (tout) seul

sua [soua] *pron & adj* sa, leur, votre ▸ a sua la sienne/vôtre

suas [souach] *pron* ses, leurs, vos ▸ as suas les siennes/vôtres

suave [souave] *adj* doux

subida [soubida] *nom* montée ▸ subida dos preços hausse des prix

subir [soubir] *nom* monter

subsídio [soubzidiou] *nom* subside

subsolo [soubsôlou] *nom* sous-sol

substituir [soubstitouir] *verbe* remplacer

subtrair [soubstrair] *verbe* soustraire

subúrbios [soubourbiouch] *nom pl* banlieue

suficiente [soufiçiènte] *adj* suffisant

sufocar [soufoukar] *verbe* suffoquer, étouffer

sujar(-se) [soujar_se] *verbe* (se) salir

sujeito [soujèïtou] *nom* sujet, individu

sujidade [soujidade] *nom* saleté

sujo [soujou] *adj* sale

sul [soul] *nom* sud ▸ a sul (de) au sud (de)

sumo [soumou] *nom* jus

supermercado [soupèrmrekadou] *nom* supermarché

suplementar [souplemèntar] *adj* supplémentaire

suplemento [souplemèntou] *nom* supplément

suportar [soupourtar] *verbe* supporter

supositório [soupozitôriou] *nom* suppositoire

surdo [sourdou] *adj* sourd ▸ surdo--mudo sourd-muet

surfar [sourfar] *verbe* surfer

surpresa [sourpréza] *nom* surprise

suspiro [souchpirou] *nom* soupir ▸ suspiros meringues

T

tabacaria [tabakaria] *nom* bureau de tabac

tabaco [tabakou] *nom* tabac

tabela [tabèla] *nom* ▶ tabela de preços **tarif**; à tabela *(transports)* à l'heure

taberna [tabèrna] *nom* taverne, débit de vins

tábua [taboua] *nom* planche ▶ tábua de passar a ferro **planche à repasser**

tacho [tachou] *nom* casserole

tal [tal] *pron* tel ▶ tal e qual **tel quel**

talão [talaou] *nom* talon

talher [talièr] *nom* couvert

talho [taliou] *nom* boucherie

talvez [talvèch] *adv* peut-être

tamanho [tamagnou] *nom* taille

também [tãbaï] *adv* aussi

tamboril [tãbouril] *nom* baudroie

tampa/o [tãpa/ou] *nom* couvercle

tampão [tãpaou] *nom* tampon

tangerina [tãjerina] *nom* mandarine

tanque [tãnke] *nom* bassin, réservoir

tanto [tãntou] *adv* tant, autant

tão [taou] *adv* si, tant

tapar [tapar] *verbe* couvrir, boucher; cacher ▶ tapar a vista **cacher la vue**

tapete [tapéte] *nom* tapis

tarde [tarde] *nom* après-midi, soir ▶ boa tarde! / *(le jour)* bonjour / *(le soir)* bonsoir

tarde [tarde] *adj* tard

tarifa [tarifa] *nom* tarif ▶ tarifa normal **plein tarif**; tarifa reduzida **tarif** réduit

tartaruga [tartarouga] *nom* tortue

taxa [tacha] *nom* taxe, taux ▶ taxa de aeroporto **taxe d'aéroport**; taxa de câmbio **taux de change**

te [te] *pron* te, toi ▶ vai-te embora! **va-t'en** !

teatro [tiatrou] *nom* théâtre

tecido [teçidou] *nom* tissu

tecla [tèkla] *nom* touche

técnico [tèknikou] *nom* technicien

tecto [tètou] *nom* plafond

teleférico [telefèrikou] *nom* téléphérique, remontée mécanique

telefonar [telefounar] *verbe* téléphoner

telefone [telefone] *nom* téléphone

telefonema [telefounéma] *nom* coup de téléphone

telefonista [telefounichta] *nom* standardiste

telegrama [telegrama] *nom* télégramme

telejornal [tèlèjournal] *nom* journal télévisé

telemóvel [télémôvelle] *nom* téléphone por

telenovela [télénouvèla] *nom* feuilleton télévisé

televisão [televizaou] *nom* télévision

telhado [teliadou] *nom* toit

tema [téma] *nom* sujet, thème

temperado [tãperadou] *adj (climat)* tempéré ; *(plat)* assaisonné

ZOOM
Telenovela

Nous avons tous en tête l'air inoubliable du générique de Santa Barbara, ne serait-ce que pour en faire des gorges chaudes (ou froides, tiens, histoire d'attraper une angine). En tout cas, la télénovela brésilienne est devenue un phénomène de société au Brésil, au Portugal et même au niveau mondial : les actrices brésiliennes ont des clubs de fans jusqu'en Chine ! Mais le Portugal en est le plus gros consommateur, à tel point qu'on y produit dorénavant des séries portugaises.

temperatura [tĕmperatoura] *nom* température ▶ medir/tirar a temperatura prendre sa température

tempero [tĕmpérou] *nom* assaisonnement

tempestade [tĕmpechtade] *nom* tempête

templo [tĕmplou] *nom* temple

tempo [tĕmpou] *nom* temps ▶ a tempo à temps ; há muito tempo il y a longtemps

temporada [tĕmpourada] *nom* saison

temporário [tĕmpourariou] *adj* temporaire

temporal [tĕmpoural] *nom* tempête

tenda [tĕnda] *nom* tente

tendão [tĕndaou] *nom* tendon

tenro [tĕnrou] *adj* tendre ▶ carne

tenra viande tendre

tensão [tĕnçaou] *nom* tension ▶ alta tensão haute tension ; tensão alta hypertension ; tensão baixa hypotension

tenso [tĕnçou] *adj* tendu

tentar [tĕntar] *verbe* tenter, essayer

ter [tèr] *verbe* avoir ; *(obligation)* devoir ▶ tenho de descansar je dois me reposer

terça-feira [tèrça fèïra] *nom* mardi

terminar [terminar] *verbe* finir

término [èrminou] *nom* terminus

termo [tèrmou] *nom* terme, mot ; fin

termómetro [termômetrou] *nom* thermomètre

terra [tèra] *nom* terre ▶ terra natal pays natal

terraço [teraçou] *nom* terrasse

terreno [terénou] *nom* terrain

território [teritôriou] *nom* territoire

terrível [terivelle] *adj* terrible

tesoura [tezora] *nom* ciseaux

tesouro [tezorou] *nom* trésor

testa [tèchta] *nom* front

teste [tèchte] *nom* ▶ teste de alcoolemia Alcotest®

teu [téou] *pron* ton ▶ é o teu c'est le tien

teus [téouch] *pron* tes ▶ são os teus ce sont les tiens

tigela [tijèla] *nom* bol

tímido [timidou] *adj* timide

tinta [tînta] *nom* encre ; peinture

tia [tia] *nom* tante

tio [tiou] *nom* oncle

típico [tipikou] *adj* typique

tipo [tipou] *nom* type

tirar [tirar] *verbe* enlever ▶ tirar um dente **arracher une dent**; tirar uma fotocópia **faire une photocopie**

toalha [toualia] *nom* serviette, nappe

tocar [toukar] *verbe* jouer; *(objet)* toucher; *(téléphone)* sonner ▶ tocar violino **jouer du violon**

todo [todou] *nom* tout ▶ todo o dia **toute la journée**; ao todo *(prix)* **tout compris**

tom [om] *nom* ton

tomada [toumada] *nom* prise (de courant) ◆ *adj* prise

tomado [toumadou] *adj* pris ▶ lugar tomado **place retenue**

tomar [toumar] *verbe* prendre ▶ toma (lá)! **tiens!**

tomate [toumate] *nom* tomate

tomilho [toumiliou] *nom* thym

tonelada [tounelada] *nom* tonne

toranja [tourãnja] *nom* pamplemousse

torcer [tourçèr] *verbe* tordre ▶ torcer o pé **se fouler la cheville**

torcicolo [tortikôlou] *nom* torticolis

torneio [tournèiou] *nom* tournoi

torneira [tournèïra] *nom* robinet ▶ torneira de segurança **robinet d'arrêt**

tornozelo [tournouzélou] *nom* cheville

torrada [tourada] *nom* tartine grillée

tosse [tôsse] *nom* toux ▶ estar com/ter tosse **avoir de la toux**

tosta [tochta] *nom* biscotte ▶ tosta

mista **pain grillé au fromage et au jambon**

toucinho [toçignou] *nom* lard

tourada [torada] *nom* corrida

ZOOM
Tourada

Très populaire, la corrida portugaise se distingue de sa voisine espagnole par le fait que l'on ne tue pas le taureau dans l'arène, d'où l'absence de matador. Pendant la course à cheval (tertio), les cavaleiros plantent leurs six farpas (banderilles) puis les peãos à pied fatiguent la bête avec leurs capes. Enfin, le meneur des huit forcados saisit le taureau par les cornes (pega de caras) ou par la queue (pega de cernelha) pour l'arrojado final. Ne rêvons pas, le taureau meurt quand même mais dans un abattoir.

---

toureiro [torèïrou] *nom* toréador

touro [torou] *nom* taureau

trabalhar [trabaliar] *verbe* travailler

trabalho [trabaliou] *nom* travail

traço [traçou] *nom* trait

tractor [tratôr] *nom* tracteur

tradição [tradiçaou] *nom* tradition

tradicional [tradiçiounal] *adj* traditionnel

traduzir [tradouzir] *verbe* traduire

tráfego [trafegou] *nom* trafic ▶ tráfe-

go interrompido **circulation interrompue**

tráfico [trafikou] *nom* trafic ▶ tráfico de droga **trafic de drogue**

tranquilizante [tränkilizänte] *nom* tranquilisant

tranquilo [tränkilou] *adj* tranquille

transferência [tränchferência] *nom (argent)* virement ; transfert

transmitir [tränchmitir] *verbe* transmettre

transpirar [tränchpirar] *verbe* transpirer

transporte [tränchpôrte] *nom* transport ▶ transportes públicos **transports en commun**

transportar [tränchpourtar] *verbe* transporter

trás [trach] *prép & adv* ▶ para trás **en arrière** ; roda de trás **roue arrière**

tratamento [tratamëntou] *nom* traîtement

tratar [tratar] *verbe* soigner ▶ tratar de **s'occuper de**

travão [travaou] *nom* frein ▶ travão de mão **frein à main**

travar [travar] *verbe* freiner ▶ 'trave com o motor' **'utilisez votre frein moteur'**

trazer [trazèr] *verbe* amener, apporter ▶ trazer consigo **porter sur soi**

treinador [tréïnador] *nom* entraîneur

treinar [tréïnar] *verbe* (s')entraîner

treino [tréïnou] *nom* entraînement

tremer [tremèr] *verbe* trembler

tremor [tremor] *nom* ▶ tremor de terra **tremblement de terre**

tremoços [tremoçouch] *nom pl* grains de lupin

triângulo [triängoulou] *nom* triangle

trigo [trigou] *nom* blé

troca [trôka] *nom* échange

trocar [troukar] *verbe* échanger ▶ trocar de **changer de**

troco [trokou] *nom* monnaie ▶ dar o troco **rendre la monnaie**

tronco [tronkou] *nom* tronc

trovoada [trouvouada] *nom* orage

trovão [trouvaou] *nom* tonnerre

truta [trouta] *nom* truite

tu [tou] *pron* tu, toi

tua [toua] *pron* ta

tubo [toubou] *nom* tube ▶ tubo de escape **pot d'échappement**

tudo [toudou] *pron* tout ▶ tudo bem ? **vous allez bien ?**

túmulo [toumoulou] *nom* tombeau

túnel [tounelle] *nom* tunnel

turista [tourichta] *nom* touriste

turístico [tourichtikou] *adj* touristique

U

úlcera [oulçera] *nom* ulcère

último [oultimou] *adj* dernier ▶ no último ano **l'année dernière** ; por último **finalement**

ultrapassar [oultrapassar] *verbe* dépasser, doubler

um [oum] *article & adj* un

uma [ouma] *article & adj* une

umas [oumach] *adj & pron* les unes; quelques ▶ umas e outras les unes et les autres

unha [ougna] *nom* ongle ▶ unha encravada ongle incarné

união [ouniaou] *nom* union ▶ União Europeia Union européenne

único [ounikou] *adj* seul, unique ▶ preço único prix unique

unidade [ounidade] *nom* unité

universidade [ouniversidade] *nom* université

uns [õunch] *adj & pron* les uns, quelques ▶ uns aos outros les uns aux autres

urbano [ourbanou] *adj* urbain

urgência [ourjência] *nom* urgence ▶ em caso de urgência en cas d'urgence; telefonar para as urgências appeler les urgences

urgente [ourjente] *adj* urgent

urina [ourina] *nom* urine

urinar [ourinar] *verbe* uriner

uso [ouzou] *nom* usage ▶ 'fora de uso' 'hors d'usage'; 'para uso externo' 'à usage externe'

usado [ouzadou] *adj* utilisé, usé

usar [ouzar] *verbe* utiliser; porter ▶ usar óculos porter des lunettes

utensílio [outênsiliou] *nom* ustensile

utente [outênte] *nom* usager

útil [outile] *adj* utile

utilidade [outilidade] *nom* utilité

utilizador [outilizador] *nom* utilisateur

utilizar [outilizar] *verbe* utiliser

uva [ouva] *nom* raisin

V

vaca [vaka] *nom* vache; *(viande)* bœuf

vacina [vaçina] *nom* vaccin

vacinado [vaçinadou] *adj* ▶ estar vacinado contra être vacciné contre

vaivém [vaïvèï] *nom* navette

vale [vale] *nom* vallée ▶ vale postal mandat postal

valer [valèr] *verbe* valoir, être valable pour ▶ vale a pena ça vaut la peine

validade [validade] *nom* validité

válido [validou] *adj* valable

valor [valor] *nom* valeur

válvula [valvoula] *nom* (voiture) soupape

vantagem [väntéjèï] *nom* avantage

vapor [vapôr] *nom* vapeur

varanda [varända] *nom* balcon

variados [variadouch] *adj pl* variés, divers

variedade [varièdade] *nom* variété

varinha [varigna] *nom* ▶ varinha mágica mixeur

vários [variouch] *adj* plusieurs

varrer [varèr] *verbe* balayer

vaso [vazou] *nom* pot, vase ▶ vasos sanguíneos vaisseaux sanguins

vassoura [vassora] *nom* balai

vazio [vaziou] *adj* vide; (pneu) dégonflé

vegetariano [vegetarianou] *adj & nom* végétarien

veia [véïa] *nom* veine

veículo [veïkoulou] *nom* véhicule

vela [vèla] *nom* bougie ; *(de bateau)* voile

velhice [veliïçe] *nom* vieillesse

velho [véliou] *adj & nom* vieux

velocidade [velouçidade] *nom* vitesse ▸ a grande velocidade **à toute vitesse** ; caixa de velocidades **boîte de vitesses**

vencedor [vençedor] *nom* vainqueur

vencer [vençèr] *verbe* vaincre

venda [vènda] *nom* vente ▸ venda a prestações **vente à crédit** ; 'à venda' **'en vente'**

vendedor [vèndedor] *nom* vendeur ▸ vendedor de jornais **marchand de journaux**

vender [vèndèr] *verbe* vendre ▸ 'vende-se casa' **'maison à vendre'**

veneno [venénou] *nom* poison

venenoso [venenôzou] *adj* vénéneux

vento [vèntou] *nom* vent

ventoinha [vèntouïgna] *nom* ventilateur

ventre [vèntre] *nom* ▸ prisão de ventre **constipation**

ver [vér] *verbe* voir, regarder

Verão [veraou] *nom* été

verdade [verdade] *nom* vérité ▸ é verdade **c'est vrai**

verdadeiro [verdadèïrou] *adj* véri, vrai

verde [vérde] *adj* vert

verificar [verifikar] *verbe* vérifier

vermelho [verméliou] *adj* rouge

versão [versaou] *nom* ▸ em versão original **en version originale**

vértebra [vertèbra] *nom* vertèbre

vertigem [vertijaï] *nom* vertige

vespa [vèchpa] *nom* guêpe

vestido [vechtidou] *nom* robe

vestir [vechtir] *verbe* habiller, porter ▸ vestir-se **s'habiller**

vestuário [vechtouariou] *nom* vêtements

veterinário [veterinariou] *nom* vétérinaire

vez [véch] *nom* fois, tour ▸ às/por vezes **parfois** ; em vez de **au lieu de** ; outra vez **encore** ; era uma vez **il était une fois**

via [via] *nom* voie ▸ via aérea **voie aérienne** ; em vias de **en voie de**

viagem [viajèï] *nom* voyage ▸ viagem de negócios **voyage d'affaires** ; viagem de núpcias **voyage de noces** ; viagem organizada **voyage organisé**

viajar [viajar] *verbe* voyager

víbora [viboura] *nom* vipère

vida [vida] *nom* vie

vidro [vidrou] *nom* vitre

vieira [vièïra] *nom* coquille Saint-Jacques

vigilância [vijilância] *nom* surveillance

vila [vila] *nom* petite ville

vinagre [vinagre] *nom* vinaigre

vinagreta [vinagréta] *nom* vinaigrette

vindima [vïndima] *nom* vendange

vindo [vïndou] *adj* arrivé ▸ vindo

de... venu de...

vinha [vigna] *nom* vigne

vinho [vignou] *nom* vin ▶ vinho branco/tinto/rosé vin blanc/rouge/rosé

violação [vioulaçaou] *nom* viol

violeta [viouléta] *adj* violet

vir [vir] *verbe* venir, arriver ▶ venham connosco venez avec nous

virar [virar] *verbe* renverser, tourner ▶ vire à esquerda tournez à gauche

visita [vizita] *nom* visite ▶ visita guiada visite guidée

visitar [vizitar] *verbe* visiter, rendre visite à

vista [vichta] *nom* vue, œil ▶ até à vista! au revoir!; vista de olhos coup d'œil; vista para o mar vue sur mer

visto [vichtou] *nom* visa

visto [vichtou] *adj* vu ▶ visto que étant donné que

vitela [vitèla] *nom* veau

vitrais [vitraïch] *nom pl* vitraux

viúvo [viouvou] *adj & nom* veuf

vivenda [vivènda] *nom* maison

viver [vivèr] *verbe* vivre

vivo [vivou] *adj* vivant

vizinho [vizignou] *nom* voisin

voar [vouar] *verbe (oiseau)* voler

você [vôcê] *nom sing* vous

vocês [vôcéch] *nom pl* vous

volta [volta] *nom* tour ▶ estar de volta être de retour; dar uma volta faire un tour; à volta de à peu près

voltar [voultar] *verbe* tourner, revenir ▶ voltar a recommencer à

vomitar [voumitar] *verbe* vomir

vontade [vontade] *nom* ▶ ter vontade de avoir envie de

voo [vo] *nom* vol

vosso [vôssou] *adj & pron* votre

vossos [vôssouch] *adj & pron* vos

votar [voutar] *verbe* voter

voto [vôtou] *nom* vote, souhait

voz [voch] *nom* voix ▶ em voz alta/baixa à voix haute/basse

vulcão [voulkaou] *nom* volcan

vulgar [voulgar] *adj* commun

X

xadrez [chadréch] *nom* échecs

xaile [chaïle] *nom* châle

xarope [charôpe] *nom* sirop

xisto [chistou] *nom* schiste

Z

zangar-se [zãngar-se] *verbe* se fâcher

zangado [zãngadou] *adj* fâché ▶ ficar zangado se fâcher

zebra [zèbra] *nom* zèbre

zona [zona] *nom* zone

zurrar [zourar] *verbe* braire

Remerciements

Pour les dictionnaires bilingues Larousse

Direction éditoriale : Ralf Brockmeier

Édition : Marc Chabrier

Rédaction : Helena Charrua, Odette de Barros, Isabel Desmet
Avec
Chloé Bourbon, Nathalie Da Silva, Xavier Truchet, Fabrice Jahan de Lestang

Les textes du *Portugais dans tous ses états* sont dus
à la plume d'Isabel Desmet

Informatique éditoriale : Dalila Abdelkader, Ivo Kulev

Conception graphique : Jean-Charles Dart

Composition : Ingénierie Graphisme Services, Angoulême

Couverture : Thibault Reumaux

Pour le Guide du routard
Directeur de collection : Philippe Gloaguen

Pour Hachette Tourisme
Responsable de collection : Catherine Julhe

Imprimé en Italie par Legoprint
Dépôt légal n° 67644-02/2006
Collection n° 18 - Edition n° 1
24/0399-6
I.S.B.N. 201.24.0399-9

D0610900

Hôtel Turim
Europa
rua Sao Sebastiano
da Pedreira
20

LAROUSSE   HACHETTE